Åke Edwardson

Allen die gestorven zijn

A.W. Bruna Uitgevers B.V., Utrecht

Oorspronkelijke titel
Till allt som varit dött
© 1995 Åke Edwardson
Vertaling
© Corry van Bree
Omslagbeeld
Claire Morgan/Trevillion Images
Omslagontwerp
Wil Immink Design
© 2011 A.W. Bruna Uitgevers B.V., Utrecht

ISBN 978 94 005 0008 2
NUR 305

MIX
Papier van
verantwoorde herkomst
FSC® C013683

Dit boek is gedrukt op papier dat het keurmerk van de Forest Stewardship Council (FSC) mag dragen. Bij dit papier is het zeker dat de productie niet tot bosvernietiging heeft geleid. Een flink deel van de grondstof is afkomstig uit bossen en plantages die worden beheerd volgens de regels van FSC. Van het andere deel van de grondstof is vastgesteld dat hiervoor geen houtkap in de laatste resten waardevol bos heeft plaatsgevonden. Daarom mag dit papier het FSC Mixed Sources label dragen. Voor dit boek is het FSC-gecertificeerde Munkenprint gebruikt. Dit papier is 100% chloor- en zwavelvrij gebleekt en wordt geleverd door Arctic Paper Munkedals AB, Zweden.

Er hing iets eindeloos aan de hemel, een vreemde spanning.
Ver weg in het zuiden...

– John Fante: *Vraag het aan het stof*

Seconden voordat het gezang opsteeg tegen de muren van de kapel dacht hij aan de dood. Vijfentwintig kinderen trilden van opwinding terwijl ze opstonden van de banken, naar voren liepen en onder de kansel gingen staan. Zijn dochter, het blonde haar in twee vlechten, zat in groep vijf van de school die de beste van Europa zou worden. Ze droeg een jurk die hij niet eerder had gezien, blauw zoals de hemel op een vroege zomerochtend. Blauw, de kleur van verwachting. Ze was lang en tenger zoals ze daar stond, de vierde van links, er was zoveel gebeurd het afgelopen jaar.

Hij zou na de viering meegaan naar de groene heuvel achter de school, zoals vorige jaren, voor koffie en broodjes en veilige gesprekken met leerkrachten en andere ouders. Iemand zou accordeon spelen en hij zou een tijdje blijven en daarna overeind komen en de heuvel aflopen en tussen de mooie huizen verdwijnen: niet dronken dit jaar, maar de scheiding deed pijn en die pijn wilde niet verdwijnen.

Het was een soort dood, en het was alsof die in leven werd gehouden en krachtiger werd op het moment dat de natuur een krachtige comeback maakte gedurende de dagen voor deze laatste schooldag. Hij zong mee met *Den blomstertid nu kommer* en zag hoe het groen bewoog en voorzichtig tegen de glas-in-loodramen sloeg. Zijn dochter zag er vrolijk uit, *med lust och fägring stor*, ze wist dat er een hele zomer op haar wachtte als het lied en de toespraken en de bijeenkomst hierbinnen voorbij waren. Hij wist hoe ze ernaar verlangde, *du nalkas ljuva sommar*, en hij moest zijn koude hart in warme kompressen wikkelen en het verder dragen als hij gedurende de komende tijd, *då gräs och gröda gror*, dicht bij de familie die hij nog steeds had wilde zijn. Hij had kinderen.

Jonathan Wide hield zijn hoofd een beetje schuin naar links om het beter te kunnen zien; hij stond helemaal achteraan in de Sankta Birgitta-kapel in West-Göteborg en het was druk. Het was zo vertrouwd, de kleine ruimte onder het hoge plafond, de knikjes en glimlachjes en alle bekende gezichten als volwassenen en kinderen naar binnenstroomden voor die bijzondere combinatie van stilte en gezang tijdens de schoolafsluiting.

Ernst en blijdschap, voorzichtig applaus in het huis van God.

Zijn kuiten begonnen pijn te doen nadat hij een paar minuten op zijn tenen had gestaan, maar hij hield vol en had graag nog een tijd zo willen staan terwijl hij de blijdschap vasthield en de somberte op een afstand hield. Hij schaamde zich dat hij de dood even voor zijn geestesoog had gezien. Hij zag zijn dochter stralen. Het was iets om in zijn herinnering op te slaan, *du skall inte tro det blir sommar ifall inte nån sätter fart*, de heldere kinderstemmen die zonder enige aarzeling het lied zongen dat in Zweden de start betekende voor wind en zon, water en vrijheid. De klanken stegen op vanaf de plek waar de kinderen stonden en stroomden door de open deuren naar buiten. Toen daalden ze zachtjes af van de heuvel waarop de kapel stond, als een kleine kathedraal voor zeevaarders, gericht naar de rivier en het schaarse scheepsverkeer op deze vroege ochtend.

1

De man was goed gekleed. Er lag een zweem van conservatieve smaak in het lichte zomerkostuum dat hij droeg, het vest en de discrete, roestrode stropdas. Hij had zich niet aangetrokken gevoeld tot de hippe stropdassen die mannen graag droegen, kleurrijke kleding, een signaal van speelsheid en plezier achter een verder streng uiterlijk.

Als het waar is dat kleren de man maken, dan was deze man in goeden doen.

Hij zat op een bank aan de oeverpromenade vlak bij Nya Varvet in het westelijke deel van de stad. De vroege ochtend was al heel warm. De warmte steeg langzaam omhoog, het asfalt van de promenade zou al snel zacht worden en de lucht erboven wazig en zwaar, als gesmolten glas, de hitte zou de rotsen naast het asfalt heet maken, zodat het onmogelijk was om erop te zitten. Het was hier midden op de dag bijna niet om uit te houden.

Aan de andere kant van de rivier glansden de olietanks als koude zonnen, de wind voerde de krachtige geur van geraffineerde olie naar de zuidelijke oever. Vanaf de bank waarop de man zat, kon je de zee in het westen vermoeden, de rivier opende zich als een kanaal dat open water vindt en bevrijdde zich van de kwijnende kleine industrie en de verroeste sleepboten.

De wind kwam op en ging liggen, met zwakke windstoten. Het kapsel van de man raakte erdoor in de war, de zorgvuldig aangebrachte scheiding verdween, en daarna alles.

Hij deed niets aan zijn verwaaide haar. Hij staarde aandachtig over de rivier naar het noorden, naar het bruggenhoofd van de Älvsborgsbrug aan de kant van Hising. Inmiddels zat hij daar al twee uur.

Het is lastig om twee uur lang in dezelfde houding te zitten, maar de man had hulp van een vijfentwintig centimeter lang lemmet dat in zijn lichaam was gestoken en tot het handvat vastzat in de rugleuning achter hem. De punt van het lemmet kwam vier centimeter rechts van de linkertepel van de man naar buiten, als een kleine moedervlek. Het bloed was geabsorbeerd door het lichtgroene overhemd en daarna door het pak. Het werd attent verborgen door de stropdas, was discreet langs het rechterbeen van de man gestroomd, uitgevloeid tot een niervormige plas onder de bank en was daarna in de greppel achter de bank verdwenen.

Het zag er allemaal heel netjes uit, en de man zou de ordelijkheid gewaardeerd hebben als hij de mogelijkheid had gehad het te zien. Hij was een nette man geweest.

In de uren dat de dode op de bank zat, werd hij gepasseerd door twee ongetrainde joggers, die onafhankelijk van elkaar liepen, met onregelmatige intervallen en een onregelmatige hartslag. Ze waren zich duidelijk niet van hun omgeving bewust. Ze hadden al een rood waas voor hun ogen en zagen het bloed niet. Geen van beiden gleed uit in de plas.

Als de man zijn gezichtsscherpte nog had gehad, had hij de *Stena Jutlandica* onder de brug door zien varen, op weg naar Frederikshavn. Het was acht uur 's ochtends in de nog jonge junimaand, een donderdag. De passagiers stonden in een rij bij de reling van het achterste zonnedek; vanaf de oever zagen ze eruit als zwarte kraaien. Op het moment dat de veerboot de brug passeerde, bukte een aantal passagiers om daarna gegeneerd te lachen om het optische bedrog dat hen had beetgenomen. *Raa, raa, raa*, het gelach stroomde naar beneden, ze klonken ook als kraaien. De wind ving het geluid op en droeg het naar de man die niet kon horen of zien.

De passagiers konden de man wel zien, op de bank vlak bij een grote, rood geverfde steen, de zogenaamde Rode Steen, die sinds jaar en dag bekend was bij Göteborgers en zeevaarders. Soms werd hij 's nachts bij wijze van grap groen of blauw of zelfs zwart geverfd, maar binnen een paar dagen waren de gemeentewerkers ter plekke en herstelden ze de kleur, die moest herinneren aan het bloed dat door de lichamen stroomde van de zeelieden die hierlangs waren gevaren, op weg naar de zee, en die nooit meer teruggekomen waren.

De passagiers op de *Stena Jutlandica* konden de natuurlijke, rode kleur ernaast, onder de bank, echter onmogelijk zien. Zelfs een havik kon niet zo ver kijken.

De zomerdag gleed Göteborg binnen terwijl de veerboot vertrok: de ontmoeting vond onmiddellijk voor de brug plaats. De zomer was voortdurend en onaantastbaar heet, als een gasvlam met een eeuwige toevoer. De temperatuur explodeerde naar 35 graden op het moment dat de zon haar schoongewassen, scherpe licht liet schijnen op krantenjongens en bakkers en vissers en verpleeghulpen en taxichauffeurs en daklozen en outcasts en alcoholisten en andere dronkenlappen en drugsverslaafden, en anderen die tot een heel hoge of een heel lage klasse behoorden.

Een jonge vrouw braakte heftig bij een portiekdeur in het noordelijke deel van de stad. Ze werd ondersteund door een bijna net zo jonge taxichauffeur die zich afvroeg wat hij hier op deze vroege zomerochtend in vredesnaam deed. Die gedachte had hij al vaker gehad en werd meteen gevolgd door het beeld waarin hij zichzelf zag in zijn atelier tussen de kunst waarvan hij niet kon leven. Hij kon ook niet leven van zijn baan als taxichauffeur, maar hij kon er in elk geval voor zorgen dat er geen braaksel in zijn auto terechtkwam.

En hij kon zich een medemens tonen.

'Denk je dat je het nu redt?'

Ze deed een poging om antwoord te geven, maar dat veroorzaakte een nieuwe prikkel en ze braakte weer, voornamelijk water nu. Ze leunde tegen de portiekdeur en keek met betraande ogen naar de chauffeur. Haar blik was troebel en grijs, alsof ze urenlang met een onbedekt gezicht op een motorkap was vervoerd. Haar haar was zo nat van het zweet dat hij niet zag welke kleur het had. Ze droeg een dunne, rode jurk die er duur uitzag en ze miste een van haar schoenen. Lag die nog in de auto? Dat moest hij straks controleren, nadat hij haar naar huis had gesleept.

'Ik... ik weet niet waar... welk gebouw...'

Hij zuchtte. Dit kon hij al helemaal niet gebruiken tijdens zijn laatste rit. Ze was in een redelijke staat geweest toen hij haar op het Redbergsplein had opgepikt, een beetje onvast in haar bewegingen, maar niet ziek. Niet zoals nu. Ze was ook geen junk, die herkende hij al van verre: de rusteloosheid, de nervositeit die als een open dradensysteem op het lichaam lag, ogen als koud, geslepen porselein. Junks zaten erbij als blinde vleermuizen, in elkaar gekropen tegen de zijkanten van de auto.

Hij had een aantal vergissingen gemaakt. Wie had destijds kunnen weten, in het begin, dat de waanzin zich zo zou verspreiden? Inmiddels zag hij het, maar waarom werden het er steeds meer? Op een keer was er een jongen bij Brunnsparken in zijn taxi gesprongen. Hij had het portier opengerukt terwijl de auto nog reed, was erin gesprongen en had vanuit een duistere schemering tegen hem geroepen dat hij naar de Götaälvbrug moest gaan en daar van de brug af moest rijden. De jongen wilde zelfmoord plegen.

Was dit een nieuwe poging tot zelfmoord?

'Je woont hier toch? We zijn op het plein... Hjällbo. Hier wilde je naartoe gebracht worden.'

'Hjäll... Ja, daar woon ik.'

'Zie je wel. Als je om je heen kijkt zie je vast waar je woont.'

Ze probeerde om zich heen te kijken, voornamelijk voor de vorm, draaide zich opnieuw naar de muur en braakte weer. Hij keek om zich heen. Zou hij, in nuchtere en drugsvrije toestand, zijn woning hier vinden? Misschien droegen de bewoners voortdurend een kaart bij zich waarop de gebouwen stonden, met pijlen en nummers erop.

Ze braakte weer, heviger dan eerst, het leek erop dat er iets ernstig mis was en toen hij bloed uit haar mond zag lopen, geloofde hij dat eerst niet.

Dit was geen gewone dronkenschap.

'Wat heb je geslikt? Geef antwoord! Wat was het?'

Ze begon door haar knieën te zakken, maar probeerde te blijven staan door met haar hoofd tegen de grove gevelstenen te leunen. Ze gleed echter naar beneden en haar voorhoofd schuurde met een zacht maar akelig geluid langs de muur. Hij probeerde haar overeind te houden maar ze was zwaar, bijna levenloos, elk ons van haar lichaam woog nu een kilo. Hij nam een besluit en zwaaide haar over zijn schouder en rug, liep snel terug naar de auto en legde haar op de achterbank. Hij zag de verloren schoen op de vloer liggen, startte de auto en reed plankgas weg, dat kon 's ochtends vroeg. Hij scheurde in zuidelijke richting over de verlaten snelweg en was binnen zeven minuten bij de ingang van de Eerste Hulp van het Östraziekenhuis. Hij had met zijn mobilofoon gebeld en ze werden verwacht. Hij zag hoe de portiers de brancard wegrolden, een arts en verpleegkundigen ernaast; ze gleden door de deuren naar binnen, de hele groep zweefde, alsof de wet van de zwaartekracht na maanden van ijle en droge en hete lucht was opgeheven.

Het was geen prettige lucht. De chauffeur voelde hoe verstikkend die was toen hij het zijraam naar beneden draaide en langzaam door de stille straten van de villawijk naar het Munkebacksplein reed.

Hij had over dit soort gevallen gelezen, pasgeleden nog, jongeren die ziek werden van slechte drugs. Of was het een goede drug geweest, maar dan te goed, te zuiver? Hoe zat het ook alweer, waren er mensen aan overleden?

De zon was rood, meer rood dan goud, toen hij in de achteruitkijkspiegel verscheen. Hij zou vandaag niet gaan slapen. Hij zou de auto achterlaten bij het taxibedrijf en daarna naar Klippan gaan, de lift naar zijn atelier nemen, waar hij een grote pot sterke koffie zou zetten en de rode zon zou schilderen.

De *Stena Jutlandica* gleed door het open water. De veerboot schommelde zachtjes op de rivier, passeerde de vesting Älvsborg en zette koers naar het westen. Ze bewoog stijf en moeizaam, als een gesneuvelde kruisridder in volle wapenrusting, die op zijn rug in de Dode Zee dreef.

In de buik van het schip, in een kleine personeelsruimte twee dekken onder conferentiezaal Cannes 1, stond de lucht stil. Twee mannen werkten hard en geconcentreerd. 'Emballagehantering' werd het werk van de mannen genoemd.

Het gebeurde daar en het zou op andere plekken gebeuren, later.

Het was meer dan alleen de overslag, de dichtheid, de benodigde bescherming. Dat was allemaal uitgetest en onderzocht, ook in geval van snelle overslag en veel gewicht. Het probleem vormden de bevestigings-middelen, de grote druk, het contact met vreemde voorwerpen.

De deur naar de personeelsruimte was op slot. Als de veerboot de Älvs-borgsbrug passeerde, op weg naar huis, zou deze emballage een fijne, witte substantie kunnen bevatten. Het was niet zeker dat het deze keer zou ge-beuren, maar het was waarschijnlijk. De substantie was heroïne. Het zou-den ook andere drugs kunnen zijn, van twijfelachtige kwaliteit. De heroïne zou van goede kwaliteit zijn.

Een van de mannen, degene met heel kort, donker haar, een snor en een donkerblauw uniform, beweerde dat hij last had van een slecht geweten.

'Ik hou er niet van om met rotzooi te werken.'

De andere man droeg een korte broek en een schoon wit shirt met korte mouwen. Hij was lang, had dun, blond haar en een open gezicht. Hij bezat een fysieke eigenaardigheid: de oorlelletjes ontbraken aan zijn oren, alsof een strenge vader of leerkracht ze eraf had getrokken. Hij was meestal goedgemutst.

'Je kunt je voornamelijk tevreden voelen.'

'Er is te veel van het andere spul. Niet hier misschien, maar op andere plekken. Veel te veel.'

De man in de korte broek voelde een zwakke, zuigende beweging door de veerboot gaan. Ze waren op open zee.

'Het wordt beter. De mensen weten wat er op het spel staat.'

'Wat er op het spel staat? Moeten we gevarendriehoeken op het spul gaan stempelen? Je weet heel goed wat ik bedoel.'

'Een jongere die eraan gaat? Dat is eerder gebeurd. Overal eigenlijk.'

'Ook in deze branche zijn grenzen. Dat wil ik in elk geval geloven.'

'Soms, maar het zijn er tegenwoordig steeds minder. En ze hebben be-loofd het spul beter te zuiveren.'

'Geloof je dat?'

'Nee.'

'Dan weet ik niet hoe lang ik hier nog mee doorga.'

De forse man in het witte shirt keek naar hem met een belangstellende blik in zijn ogen. De man in uniform stond half van hem afgedraaid, zijn gezicht naar de muur, zijn schouders opgetrokken, alsof hij zich verdedig-de.

'Je wilt ermee stoppen? Ik ben benieuwd wat ze doen als je ze dat vertelt.'

'Is dat een dreigement... van een bepaalde kant?'

'Het is een feit. En het spul wordt beter. Kijk naar de heroïne, die is zo zuiver als de sneeuw bij de landsgrens.'

De man in uniform draaide zich naar zijn collega en trok aan het bleke, glanzende rubber dat op de tafel voor hem lag.

'Ik hou niet van doping. Dat is niet te controleren. Alles moet gecontroleerd kunnen worden, dat is een voorwaarde... maar doping... We hebben helemaal geen controle op die troep.'

'De sportschool heeft er controle over.'

'Geven we de controle aan mensen die al hersendood zijn?'

'Daar moet je schijt aan hebben.'

'Schijt, schijt. Er is overal troep. Waarom wil iedereen die troep hebben? Het lijkt wel of iedereen het wil hebben, of ze nu rijk zijn of arm.'

'Klopt.'

'Wie het aangeboden krijgt, slaat het niet af.'

'Zo is het leven.'

'Wat bedoel je?'

'Het leven. Het leven is niet mooi, en het is nog beroerder zonder dat spul. En niet iedereen kan alcohol verdragen.'

De overheidsinstanties zouden zich over de man op de bank ontfermd hebben als de veerboot diezelfde avond de Rode Steen weer zou passeren, op weg naar de terminal. Hij zou later die avond zijn deel van de heroïne niet krijgen.

De man was werkzaam geweest in een branche waarin degenen die onbetrouwbaar waren niet lang leefden. Voor hen kon het elk moment afgelopen zijn.

De wind waaide twee lokken dwars over zijn hoofd.

2

Het appartement was eenvoudig in de betekenis van armzalig. Was dat geen uitstekende beschrijving van zijn woning? De paar meubels die hij bezat zagen eruit als patiënten in een veel te grote wachtkamer die daardoor geen contact met elkaar hadden. Hij voelde hierbinnen verdriet, het was alsof het appartement zijn leven opslokte: de dagen en avonden lagen zij aan zij, als identieke planken in een houtloods. Hij had in een zagerij gewerkt.

Het was de dag erna, en hij stond voor een verandering die al snel noodzakelijk zou zijn.

Het waren niet alleen zijn trillende handen. Het was hem gelukt om het pak koffie te pakken en de gemalen bonen in het filter te scheppen, en hij kwam voor een moment tot leven door de geur. Nu deed hij een ongewilde stap naar links, zijn balans was niet helemaal aanwezig, hij voelde zich duizelig en misselijk, maar hij wist dat hij zich na de eerste kop koffie iets beter zou voelen.

Vijf uur eerder had hij de laatste druppels gedronken en had hij gedacht dat hij een gezicht op de bodem van de fles zag. Het had niet zo hoeven te eindigen. Het was nooit een intentie maar vaak een gevolg, het resultaat van een zwak karakter of iets in zijn genen. Hij had over genen gelezen, maar dat had hem niet geholpen.

Toen hij naar zijn bed was gelopen, was hij over Jons knuffel gestruikeld, een bruine beer met een rode, lange broek en een openhartige glimlach. In het halfdonker zag hij de beer nu in de hal liggen, een van de herinneringen aan een op de klippen gelopen huwelijk: een van de 20.198 dit jaar. Met de samenwonende stellen meegerekend hoorde hij bij de vijftigduizend paren die het niet was gelukt om in een traditionele relatie te leven.

Dat maakte honderdduizend eenzame mensen, misschien. Hij bedacht nu dat hij tot een nieuwe maatschappij behoorde, die van de eenzamen, hij had hetzelfde gedaan als mensen die doelbewust hun naasten verlieten en ervoor kozen om geïsoleerd te leven.

Elisabeth was niet alleen gebleven. Ze had de kinderen door haar nieuwe partner laten ophalen, zij bleef in de auto zitten. De man was beleefd, voelde zich ongemakkelijk onder de situatie en Jonathan onderdrukte zijn eerste impuls om zijn vuist in het middenrif van de man te planten. Toen hij alleen was achtergebleven, toen de auto was weggereden, had hij onmiddellijk toegegeven aan een tweede impuls en had hij de fles sterkedrank gepakt.

Hij miste de kleine alledaagse gebeurtenissen het meest. De tijden. De plichten. De verantwoordelijkheid. Datgene wat hij vroeger tropenjaren had genoemd, iets wat hij nu absoluut niet meer kon begrijpen.

De gesprekken.

'Je weet dat ik het niet red.'

'En als ik het niet red? Ik heb ook een baan.'

'Heb je het gevraagd?'

'Geen minuut langer. Het kinderdagverblijf benadrukt dat het een kinderdagverblijf is, geen kindernáchtverblijf.'

'En Lena dan?'

'Ze gaan zich binnenkort afvragen of de kinderen dakloos zijn. Misschien kunnen ze net zo goed bij haar gaan wonen?'

'Elisabeth...'

'Jij moet morgen thuis zijn. Ik kan niet, ik heb een briefing, ik kan echt niet.'

Maar het waren ook andere dingen. Tegenwerpingen maken, aanpassingen bedenken, het voortdurend plannen van grote en kleine zaken. Het was bijna allemaal weg, verloren: de boodschappenlijstjes, de kinderfietsen met lekke banden, een kleine vinger die bloedde. En soms, iemand die aan het eind van de dag of het begin van de nacht, na alle moeilijke momenten, luisterde. Uitingen van liefde die verrassend konden zijn, liefde die niet werd voorbereid en gepland in uren en dagen. Die je kon ontvangen.

Het was veiligheid, dat begreep Wide nu helemaal, en misschien had hij zich te veilig gevoeld of was hij te blind geweest om te beseffen dat het een voortdurende inzet vereiste. Het werkte niet als je achteroverleunde.

Toen hij naar deze eenzaamheid was verhuisd, was hij sentimenteel geweest, of misschien was het pathetisch. Hij had het in elk geval laten gebeuren. Hij had Dylans oude *Nashville Skyline* tevoorschijn gehaald, die hij al twintig jaar niet meer had gedraaid, en had met een gevoel van verbittering geluisterd naar *I must have been mad I never knew what I had, untill I threw it all away*.

Hij had 's nachts naar Puccini geluisterd, hij had medelijden met zichzelf en hij had gedacht dat ook José Carreras klonk alsof Puccini medelijden met hem had.

De whiskey uit Ierland paste goed bij de opera. Hij had dat nogal eigenaardig gevonden, net als zoveel dingen in het leven. Maandenlang had hij naar *Madame Butterfly* geluisterd tijdens de eenzame nachten. Het was goede muziek voor een gekwelde geest. Hij werd omarmd door de muziek die door de ruimte zweefde. Italiaanse blues. Hij had naar Carmen McRae geluisterd, nog steeds verbitterd, en naar Bellman: Zweedse blues.

De zon scheen door de halfopen jaloezieën en vulde de keuken met lichtstrepen, waardoor hij het gevoel had dat hij in een gevangenis zat. Hij boog iets opzij om te voorkomen dat het licht in zijn ogen scheen, maar het drong als een laserstraal zijn hoofd binnen en hij voelde een intense pijn vlak achter zijn linkeroog.

Hij dronk een kop koffie en probeerde een schijf knäckebröd te eten die zacht was geworden nadat deze drie dagen in een gevlochten mand op de keukentafel had gelegen. Hij wist dat hij zich later op de dag nog veel beroerder zou voelen, hij was deze weg eerder gegaan.

Jonathan Wide trok zijn badjas uit en hing die over een van de stoelen in de keuken. Hij liep de badkamer in, stelde de warmte van de douche in en stapte daarna onder de waterstraal.

Na de douche schoor hij zich en poetste zijn tanden. Hij boog zich over de wasbak en keek naar het gezicht tegenover hem, dat hem telkens als hij ernaar keek vreemder leek: de ogen die zo zelden helemaal helder waren, het kleine, fijnmazige net van dunne rimpels dat verraadde dat dit een man was die de top van de heuvel al snel zou bereiken, waarna hij aan de lange reis naar beneden zou beginnen voor de onvermijdelijke ontmoeting met De Grote Barkeeper. Zo had iemand God ooit genoemd en hij had erom gelachen, maar nu leek het niet zo grappig meer.

Hij had vrienden gehad die hadden gezegd dat je het beste kon zuipen zolang je gezond was, en Wide had daar ook om gelachen. Hij had zijn glas geheven en soms gevolg gegeven aan dit advies. Soms had hij ook gezopen als hij zich niet zo gezond voelde. Hij was veertig, had overgewicht en voordat hij stopte met roken en tegelijkertijd in scheiding lag, had hij jarenlang geobserveerd hoe zijn leven langzaam in ijle, blauwe rook verdween. Nu zocht hij troost en iemand om mee te praten op de bodem van de flessen.

Hij was iets kleiner dan de gemiddelde lengte en zijn haar, dat grotendeels nog aanwezig was, had de blonde kleur van zijn jeugd behouden. Jonathan Wide had een breed, open gezicht dat elk jaar een tikje triester werd. Hij keek bijna altijd stuurs, hij zag eruit alsof hij zich op iets belangrijks concentreerde. Maar hij wist niet langer zo goed wat belangrijk was.

Hij probeerde de verveling op afstand te houden. Hij kon geen boeken schrijven, dus kookte hij, hoewel hij dat steeds minder vaak deed. Het voelde vaak heel nutteloos om bijzondere gerechten voor zichzelf te maken, maar het hield hem geconcentreerd.

Wides kinderen misten zijn kookkunsten, Jon Junior en Elsa hadden dat gisteravond tegen hem gezegd en hij had het weggelachen en was gaan

praten over het bedrijf dat hij in die branche wilde starten: eenpersoons-
verpakkingen met zijn logo erop.

Hij was geconcentreerd geweest en misschien tegelijkertijd gelukkig terwijl hij de lamsrug op de overdekte markt Saluhallen had gekocht en die in
stukken had gesneden en in een marinade van wortelen en uien, knoflook,
olijfolie, verse rozemarijn, tijm en laurierblad, drie reepjes sinaasappelschil
en versgemalen peper had gelegd. Daarna had hij de zwartoogbonen in
water geweekt.

De concentratie was een dag later teruggekomen toen hij het lamsvlees
in witte wijn had gestoofd, met groenten en kruiden: hij had de marinade
met olijfolie in een ijzeren pan geschonken en dunne plakjes knoflook met
wat in reepjes gesneden bacon gefruit, hij had lagen geurend vlees en wortelen, uien en courgettes afgewisseld, had er witte wijn over geschonken,
vijf deciliter, en had de pan met het deksel erop tweeënhalf uur in een middelwarme oven gezet.

Hij kookte de bonen en deed ze het laatste halfuur in de pan.

Wides kinderen wilden er een salade bij. Hij had een rode en een gele
paprika in de oven gebakken tot de schil zwart was, en terwijl de paprika's
afkoelden, had hij tomaten en uien kleingesneden, een komkommer ge-
schild, peterselie gesnipperd, dat wilde hij zelf doen. Hij sneed de geschilde
paprika's in dobbelsteentjes, vermengde die met de andere ingrediënten en
schonk er een vinaigrette over die bestond uit olijfolie, wat wittewijnazijn
en zwarte peper. De knoflook en mosterd liet hij weg. Vlak voordat de
kinderen arriveerden had hij een stuk Griekse schapenkaas in de vriezer
gelegd, die hij later over de salade wilde raspen.

Hij had ook middelgrote, gebakken aardappelen op tafel gezet.

Zijn kinderen waren eraan gewend om zo te eten, misschien vooral de
salade met de geraspte feta.

Jonathan Wide kleedde zich snel en enigszins slordig aan, zoals mensen
met een kater doen. Hij trok een blauwe spijkerbroek aan die al vaak was
gewassen en nu heel zacht tegen zijn huid voelde, een wit hemd, een blauw-
katoenen overhemd van de stapel ongestreken overhemden in een mand in
de slaapkamer, sokken in een lichtblauwe jeanskleur en bruine bootschoe-
nen.

Hij aarzelde, maar liet het dunne, bruine, suède jack over de rugleuning
van de stoel hangen. Het zou weer een warme dag worden.

Hij keek om zich heen, met de lichte misselijkheid als een dommelend
beest in zijn middenrif.

De tweekamerflat was gemeubileerd met een bed, een nachtkastje, een
windsorstoel en een bureau. Boven het bed hingen twee kindertekeningen.
De ene stelde een palmboom op het strand voor en de andere een man die

naast een vliegtuig stond te zwaaien. Verder had hij een bank en twee fauteuils die waren overtrokken met een stof waarvan Wide de naam niet kende en een kleur die volgens hem mosgroen was, een televisie waarnaar hij zelden keek, een cd-speler, een versterker met twee middelgrote geluidsboxen – *jij luistert tenslotte het meest naar muziek* – een lage tafel tussen de bank en de stoelen, twee hoge boekenkasten met zo'n vijfhonderd boeken: Moberg, Updike, Carver, Burke en Turgenjev. Op het nachtkastje lag *Leven en lot* van Vasili Grossman; nadat hij had gelezen over het vermoorde kind had hij het boek niet meer aangeraakt. In de keuken een tafel en vier stoelen. Aan de muren hingen vijf kunstwerken, geschilderd door kunstenaars die hij kende. Op het kleine tafeltje stond een olifant van donker hout. In de zogenaamde woonkamer had zijn elfjarige dochter twee blauwe gordijnen opgehangen, die ze bij elkaar had gebonden met band in een donkerdere kleur blauw. Op de vensterbank in de keuken stond een croton die het nog goed deed.

Hij woonde hier inmiddels negen maanden. Hij voelde zich niet verlost.

Jonathan Wide deed de voordeur open, stapte het trappenhuis in en draaide zich naar de deur om hem op slot te doen.

Hij hoorde een beweging achter zich en kreeg een harde klap op het onderste deel van zijn achterhoofd. Terwijl hij bewusteloos in elkaar zakte, schraapte de sleutel die hij nog steeds in zijn hand hield langs de deur, waardoor er een lelijke streep achterbleef, helemaal tot aan de vloer.

3

De warmte kwam nooit in etappes en was er de hele tijd, maar hield zich gedurende de vroege ochtend een paar uur gedeisd. Als het licht veranderde van dunne melk in een sluier van glasvezeldraden, daalde de hitte neer als een vuurtong.

De ochtend was overgegaan in de vroege middag. De dode man was uit zijn ongemakkelijke positie bevrijd en was verstijfd in zijligging op een brancard gelegd en weggereden van Klippans wandel- en joggingpromenade. Een witte scherenkustboot passeerde op weg naar de noordelijke eilanden, water als blauw kristal rond de voorsteven, de passagiers als bruine druiventrossen bij de relingen, de kinderhoofden draaiden alle kanten op. Een tegemoetkomende sleepboot van Röda Bolaget week uit naar stuurboord, de boeggolven golfden naar de Rode Steen in een patroon dat het licht op duizend verschillende manieren brak.

'Een nieuwe betekenis van het begrip stabiele zijligging,' zei recherchecommissaris Sten Ard tegen zijn collega Ove Boursé toen de brancard in de ambulance werd gereden, die daarna naar het bruggenhoofd koerste en de hoek omsloeg. Het rood en wit bleef achter op het netvlies toen alleen het geluid van droog grind tegen zacht asfalt nog weerklonk.

'Ik geloof niet dat hij de rit oncomfortabel zal vinden.'

'Hij is op een plek waar de passie, maar ook de pijn ontbreekt.'

'Ferlin?'

'Waarom juist hij? Een persoonlijke favoriet?'

'Hij is de enige die me meteen te binnen schiet.'

'Het is Ard. Sten Ard. De woorden schoten me gewoon te binnen. Klonk het als poëzie?'

'Het zijn in elk geval niet echt de woorden van een recherchecommissaris op de eventuele plaats delict van een moord.'

Ard streek over zijn kale hoofd, dat bezaaid was met sproeten. Hij was een lange man met een zwaarte in zijn lichaam die hem een krachtig uiterlijk gaf en een gezicht met een neus die van zijn moeders kant van de familie afkomstig was. De rest was van zijn vader: een Cyrano ontsprongen aan een Noord-Halländse boerenfamilie.

Hij hield van warmte, maar er waren grenzen, en vorige week was die grens overschreden.

'De situatie inspireerde me.'

Ard keek naar Boursé. Ove bezat het vermogen om de warmte te absorberen. Hij kon zelfs functioneren met een stropdas om, zoals nu, een kleurrijk geval dat rond zijn nek hing als een tropische vruchtentuin die het uiteindelijk had opgegeven. Het haar van Boursé glom nooit van het zweet, zijn gezicht was altijd naar de goede kant gedraaid en zijn lichaam leek uiteenlopende soorten voeding op te nemen.

Zou Ard zeggen dat lijken hem inspireerden?

'Misschien inspireert de tropische warmte me ondanks alles. Misschien ben ik ernstig ziek.'

'Zo klinkt het inderdaad. Het commando voeren over de trotse militaire politie in Liberia zou een mogelijkheid zijn.'

'Te ingewikkeld. Om de tien minuten een ander team, ik heb het altijd lastig gevonden om snel van shirt te wisselen.'

Een technicus gluurde naar Ard en Boursé. Hij hoorde rechercheurs zelden op die manier praten, het waren verdomme vakmensen. Dachten ze als ze praatten of was het een ritueel, een manier om hun gedachten en de voorbereidingen op een rijtje te zetten? Hoe heette dat ook alweer... mentale participatie, kon dat het zijn?

Sten Ard zette zijn handen op zijn heupen en duwde zijn armen naar binnen en naar achteren. Hij was negenenveertig en had een stram lichaam. Dat was al zo geweest toen hij dertig was; hij had vroeger gevoetbald, daarna getennist en gesquasht en liep nu twee tot drie keer per week hard, maar zijn lichaam was steeds strammer geworden. Hij wist niet waar het zou eindigen. De toekomst was steeds minder plooibaar. Het léven werd strammer, zette zich vast in bepaalde mallen terwijl er geen nieuwe mallen waren.

Hij had moeite om sommige lastige plekken af te drogen. Op sommige ochtenden leek het alsof zijn lichaam aan elkaar zat geplakt met krachtige lijm, met zijn armen langs zijn zijden. Hij moest de voegen elke ochtend openbreken. Hoe zou het zijn als hij daar niet voldoende kracht meer voor had?

'Waarom hebben ze de moeite gedaan om die vent vast te nagelen?'

Boursé streek over zijn dunne snor, de vraag was meer aan zichzelf gericht. Ard keek uit over het water en hoorde het lawaai van de zware voertuigen die over de Älvsborgsbrug reden. De constructie sprak met een eigen stemgeluid, als een trein die onwillig in beweging werd gebracht of tot stilstand werd gedwongen.

'Misschien is het een waarschuwing, een signaal, een bizarre afrekening. Mensen met een speciaal gevoel voor de geest van Göteborg.'

'Dat kan ik niet volgen.'

'Misschien is het een zeiler. Kijk eens naar die rode klippen. Je komt hier in de stad tenslotte thuis van de zeebodem en bent omsloten door de rode klippen, de Rode Steen, wat je een eeuwig thuis in deze zeemansstad garandeert.'

'Het is dus een heiligdom.'

'Ken je de legende niet? Ik eigenlijk ook niet, maar het klinkt goed, iets in die richting is het.'

'De woorden schieten je gewoon te binnen.'

'Boursé. Ove Boursé.'

De twee mannen keken naar de Rode Steen tot Sten Ard zijn blik richtte op Nya Varvet aan de andere kant van de kleine baai, die als een wig van de natuur fungeerde.

Diep in de nacht, vroeg in de ochtend, nog geen getuigen, maar misschien had iemand toch iets gezien. Het was een promenade waar normaal gesproken veel mensen gebruik van maakten, maar dat was onder normale omstandigheden. Blijkbaar kwamen hier nu niet veel mensen, het pad lag veel te dicht bij de gloeiende rotsen en het water, dat glinsterde als zilverfolie.

Twee nachten geleden was de situatie anders geweest: er zouden voldoende getuigen zijn geweest als toen was gebeurd wat nu was gebeurd, hoewel de aandacht van die getuigen op iets anders gericht was geweest.

Tweehonderdvijftig meter in westelijke richting van de plek waar de dode had gezeten, was een jong gezin een terras begonnen. Het was niet meer dan een hok, maar leuk geschilderd. Ze hadden de oever ervoor schoongemaakt en hadden een paar tafels en stoelen neergezet: natuurlijk meubilair, gemaakt van aangespoeld wrakhout. De mensen konden een kop koffie en een vers koffiebroodje kopen, of een ijsje. Velen deden dat, even wat rustige momenten met hun ogen op het verkeer in de haven gericht.

Het had twee weken geduurd. Tijdens een van de zwoele nachten hadden vier mensen zorgvuldig alle stoelen en tafels vernield, er benzine over gegoten en die aangestoken, waarna ze een tijdje in de vlammen hadden gekeken en even later waren vertrokken. Ze waren onder invloed van iets geweest en waren daarom misschien niet helemaal toerekeningsvatbaar voor hun gedrag. De baai en de oever zagen er nu uit zoals vroeger, zwaar verwaarloosd, net als de groep die terugkeerde met zenuwachtige herdershonden en eenvoudige zoete wijn, aanschoppend tegen bijna alles in het leven. De druk op de naastgelegen stadsdelen verminderde, in de straten waren minder incidenten tussen de mensen naar wie de maatschappij met een afgewend gezicht keek. In dat opzicht was de brand in Nya Varvet een goede zaak. Het staatsgeweld was daardoor over een groter gebied verspreid en als het ware verdund.

Ove Boursé keek somber naar de inmiddels leverkleurige bloedvlek.

'Het wordt een verschrikkelijke zomer. We hebben met een prettig heerschap te maken.'

Twee uur later was duidelijk hoe prettig het heerschap was. Het nieuwe, gedigitaliseerde identificatiesysteem legde twee enen en twee nullen op elkaar en bingo: Georg Laurelius, vijfenveertig jaar, succesvol in managementkringen, een adviseur die lange dagen maakte en bakken geld verdiende.

Voor Georg Laurelius leken de bomen tot in de hemel te groeien, voor zo lang als dat duurde tenminste. Hij had de koude douche overleefd die op de koopzieke jaren tachtig was gevolgd.

Sten Ard bracht 's middags een uur door in zijn kantoor in de Storgatan, met de mooie patriciërshuizen als veilige, kleine paleizen met gevels die waren gepolijst door de tijd. De zon bereikte de grond niet helemaal en toen Ard het gebouw betrad, zag hij mensen die minutenlang in de schaduw bleven staan voordat ze verder liepen in het schijnsel van de soldeerlamp die aan de hemel stond.

Volgens de keurig geklede secretaresse was het nog slechts een kwestie van minuten voordat de economie van Göteborg zou instorten.

'Wanneer heb je hem voor het laatst gezien?'

Hij zag hoe ze reageerde op de aanspreekvorm, maar ze zei niets.

'Directeur Laurelius heeft gisteravond tot laat op kantoor gewerkt. Hij bleef alleen achter toen ik om drie minuten over zes vertrok.'

'Hoe weet je dat hij tot laat heeft gewerkt?'

'Sorry?'

'Je zei dat je om zes uur bent vertrokken. Hoe weet je dan dat hij tot laat heeft gewerkt?'

'Hij belde me thuis om kwart over tien. Het ging om een dossier dat mijn... collega had neergelegd op een plek waar dat niet thuishoorde.'

Ze zag er streng uit. Ze droeg een mantelpakje dat streng en tegelijkertijd eigenaardig uitdagend was, dacht hij.

Anders dan die nieuwe dingen, hij dacht dat ze leggings heetten, die werden gedragen onder korte rokjes en hooggehakte 'neuk me'-schoenen in glimmende lak met hoge hakken. Deze vrouw kleedde zich op de juiste manier voor haar baan, maar niet meer dan dat. Zou ze met iemand samenwonen? Met wie dan? Hij gokte dat ze voor in de veertig was, tegenwoordig was dat moeilijk te schatten, maar het was iets in die richting. Ze droeg geen ring. Eigenlijk verbaasde het hem dat ze geen bril droeg. Ze had haar waarvan de stylisten in de kapsalons aan het Grönsaksplein iets sensationeels zouden kunnen maken. Zijn dochter ging daar altijd naartoe.

'Ze doen sensationele dingen met je haar, papa.'

'Wat kunnen ze met mijn haar doen?'

'Ze kunnen niet toveren, papa.'

De vrouw keek recht in zijn ogen, als iemand die een vreemde observeert van wie ze weet dat hij nooit iets anders zal worden.

'Een invalkracht, die op dit moment op vakantie is. En u moet beter luisteren.'

'Ik begrijp het niet.'

'Het was drie minuten over zes. Ik ben om drie minuten over zes vertrokken.'

Het effectieve type, dacht Ard. Hij schaamde zich bijna in aanwezigheid van deze vrouw omdat hij niet exact wist welk tijdstip ze had genoemd.

'Is dat belangrijk?'

Hij maakte een krachteloos gebaar naar zijn notitieboekje. Protocol. Hij hoopte dat ze het begreep.

'Ringmar. Margareta Ringmar.'

Heette iemand jonger dan veertig tegenwoordig nog Margareta? Hij keek naar het lege papier en keek weer op.

'Heeft hij gisteren bezoek gehad?'

'Als u met "hij" directeur Laurelius bedoelt, dan is het antwoord ja. Als ik er even langs mag, kan ik de bezoekerslijst pakken.'

Ard verplaatste zich op zijn ongepoetste schoenen en in zijn gekreukte broek. Hij rook haar geur toen ze langsliep. Het rook naar iets waar hij zelden bij in de buurt kwam. Hij leefde op afstand van dergelijke geuren, hij had ervoor gekozen om zijn leven deels in andere banen te leiden.

Hij keek om zich heen, de ruimte rond. Hij wist niet zoveel van inrichting, maar na vierentwintig jaar beroepsmatige bezoekjes in verschillende milieus had hij geleerd het verschil te zien tussen hoge en lage klasse en hij besefte dat dit een heel hoge klasse had. Niet het stadium waar je duizelig van werd, maar het lag daar niet ver vandaan. Er was veel geld nodig geweest om deze gepolijste zee van kristal en marmer te creëren.

Als je tijdens het werk naar de binnenhuisarchitect was geslopen en 'IKEA' in zijn oor had gefluisterd, was hij of zij waarschijnlijk ernstig geschokt geweest. Sten Ard glimlachte bij de gedachte.

'Directeur Laurelius heeft gisteren drie bezoekers gehad.'

Ard schrok op. De vrouw… Margareta was terug.

'Directeur Johlin, een collega met wie directeur Laurelius in het kader van twee projecten samenwerkte. Directeur Johlin is hier tussen 10.01 en 11.17 uur geweest.'

'Weet je zeker dat het 11.17 was? Niet 11.17.32?'

'Absoluut. Ik heb de tijden zelf genoteerd.'

Misschien humorloos, maar effectief, dacht Ard. Dat is mooi.

'Om een uur 's middags kwam Lea, de vrouw van Laurelius, naar kantoor. Ze ging een kwartier later weg, om…'

'13.15, ja. Dat was een kort bezoekje. Kwam ze hier vaker?'

'Is dat belangrijk voor het onderzoek?'

'Ik zou je dankbaar zijn als je die beslissing aan mij overlaat.'

'Ze kwam zelden naar kantoor.'

'Waarom deze keer wel?'

'Dat zult u haar zelf moeten vragen. Of de man die ze bij zich had.'

Hij kon de vervolgvraag stellen en het verwachte antwoord krijgen, maar hij begon genoeg te krijgen van dat soort gesprekken:

'*Had ze iemand bij zich? Daar heb je daarnet niets over gezegd.*'

'*U hebt het niet gevraagd. Maar ik heb al gezegd dat directeur Laurelius gisteren drie bezoekers heeft gehad.*'

'Wie was die man?'

'Ik weet het niet, ik had hem nog nooit gezien. Hij leek niet… tja, niet het soort… cliënt met wie we normaal gesproken werken.'

'Hoe zag hij eruit?'

'Hij was… onbehouwen. Hij was goed gekleed, maar hij leek… bijna gewelddadig. Hij straalde iets gewelddadigs uit. Hij drong min of meer directeur Laurelius' kantoor binnen.'

Ard glimlachte inwendig. Het klonk als een beschrijving van hemzelf, afgezien van de mooie kleding.

'Mevrouw Laurelius… Lea… leek zijn gezelschap niet prettig te vinden.'

Maar ik begin jouw gezelschap bijna prettig te vinden, dacht Ard.

4

Hij had de lijm erop gesmeerd, op het laatste lastige stuk, draaide een halve slag en begon de trap op te klimmen met de baan behang als een bruidssluier achter zich op het moment dat ze de kamer in liep en meedeelde dat hun huwelijk voorbij was.

'Ik moet je iets vertellen. Het is voorbij.'

Het klonk geforceerd, hij zag aan haar ogen dat ze een hele tijd had rondgelopen met de woorden als een hamer, bonkend in haar hoofd.

'Je moet naar beneden komen.'

'Ik moet het behang vastplakken.'

'Is dat nu belangrijk? Behangen?'

'Je komt een beetje plotseling binnen.'

Hij wist dat hij tijd probeerde te winnen. Denken. Hij moest nadenken. Het voelde alsof de muren dichterbij kwamen, als zoiets mogelijk was. Hij hoorde de geluiden in huis sterker dan ooit: het broze gekletter van lepels en porselein in de keuken, een deur die openging en tegelijkertijd voetstappen. Het droge geluid van haar voeten op het afdekpapier op de vloer.

'Ik kom plotseling naar binnen omdat dat de enige manier is. We kunnen hier niet rustig over praten.'

Hij hoorde duidelijk dat haar voeten heen en weer bewogen.

'Praten over een situatie is een goede manier om die helder te krijgen.'

'Dat gaat niet met jou. Je wordt altijd te snel... moe.' Ze had het niet willen zeggen, niet weer, niet zo rechtstreeks. Ze had het woord 'dronken' in elk geval niet gebruikt.

'Al dat verwijt, wat kan ik dan doen?'

'Je kunt ermee beginnen van de trap af te komen. We zullen toch moeten praten.'

Ging het altijd zo als een huwelijk eindigde? Een stomp in de zachtste delen, op een moment zonder dekking, midden in een alledaagse handeling. Midden in het gezinsleven, in de kleine dingen.

Hij plakte het behang zorgvuldig op de muur, hij had nog nooit iets zo zorgvuldig gedaan, zo lang, het kostte tijd, op dit moment had hij alle tijd van de wereld nodig.

'Als ik deze trap af loop, kan ik er nooit meer op klimmen.'

'Je bent altijd een filosoof geweest, Jonathan.'

Ze kende hem zo goed.

'Je bent nooit echt alleen, Jonathan, het zal altijd jij en jij zijn.'

'Wie is de filosoof nu?'

'Kom verdomme naar beneden!'

De vloek schoot als een vreemd wezen door de naar lijm ruikende, lege kamer; hij dacht eraan hoe erg het klonk, vooral hier, waar alle witte en lichte oppervlakten een voorteken waren van... van een nieuwe start.

Hij wilde iets zeggen, hij wilde het beste zeggen wat mogelijk was in deze situatie.

'Elisabeth...'

'Kom naar beneden.'

Ze pakte zijn hand en leidde hem als een klein kind de kamer uit naar de grote, lichte zitkamer met uitzicht op de tuin.

Hij had zich nog nooit zo hulpeloos gevoeld. Hij wist dat woorden deze keer niet voldoende zouden zijn. Hij zou huilen. Hij wist dat ook dat niet zou helpen.

Jonathan Wide werd wakker met pijn. Hij was heel vaak wakker geworden met pijn, hij had haarpijn gehad, een drankterm, hij had die pijn gehad op al die momenten die allemaal de laatste keer waren geweest. Hij had zichzelf al zo vaak beloofd dat hij niet langer zou vertrouwen op die ander in zijn lichaam.

Deze pijn was echter anders, was zwaarder en donkerder en hoorde bij fysiek geweld.

Hij was midden in een nare droom wakker geworden. Riep fysieke pijn het kwaad op dat diep in de ziel begraven lag? In zijn hoofd glansde het beeld van het laatste uur van zijn huwelijk, als een pas geverfd raamkozijn. Het beeld werd sterker naarmate de pijn in zijn hoofd toenam en pas toen hij zijn hoofd voorzichtig probeerde te bewegen, verdween het beeld van Elisabeth en hij, zittend op de bank.

Hij ging voorzichtig zitten en toen alles ophield met draaien, lukte het hem om zijn blik op de muur drie meter bij hem vandaan te richten. Daarna verplaatste hij zijn ogen en draaide zijn hoofd en zijn lichaam tot hij een hele cirkel had gemaakt.

Wide zag dat hij in zijn appartement lag, dat er niet langer hetzelfde uitzag als eerst.

Hij lag op de vloer van de slaapkamer.

Hij had het eerder gezien, geschonden woningen. Dat had hem alleen op professioneel niveau geraakt. Iemand had het gedaan en zou daar misschien voor gestraft worden. De straf werd meestal opgelegd zonder invloed van de politie.

Hij was zelf nog nooit getroffen door een gewelddaad.

Via de deuropening zag hij de bank in de zitkamer. De vulling hing eruit als een duistere herinnering aan alles wat zich verborg onder gladde oppervlakten. De tafel leek op een gestrande boot die plotseling was overvallen door de eb, de poten waren verdwenen maar hij zag dat ze niet kapot waren. Ze waren van de onderkant van de tafel geschroefd en lagen in een nette stapel ernaast.

Wide zag het en raakte daarna weer bewusteloos. Zijn laatste gedachte was hoe heerlijk dat voelde.

Hij werd wakker door de muziek. Toen hij zijn ogen opende was hij erop voorbereid waar hij was. De muziek had hem echter onvoorbereid getroffen. Die zwierf krachtig en trots van oor naar oor.

Zoals wanneer hij in de vroege ochtenduren tijdens de onrustige jaren met een koptelefoon op had geslapen, op het moment waarop de dronkenschap ongemerkt overging in een kater, als hij diep had geslapen en werd gewekt door José Carreras in *La fleur que tu m'avais jetée*, de passage in *Carmen* waar alles na drie minuten dicht bij alle mooie dingen komt die je je kunt bedenken.

Nu werd hij wakker terwijl *Don Giovanni's Fin ch'han dal vino* in zijn oren dreunde en hij vroeg zich af waarom zijn innerlijk een opera speelde nu hij een heel harde klap op een heel zacht hoofd had gekregen.

Wide kwam op wankele benen overeind en liep onvast naar de badkamer.

Tussen de wastafel en het bad leek het wel een oorlogsgebied.

Flessen en potten waren geopend en de inhoud was eruit geschonken of geschud en lag op de vloer en andere oppervlakten. De tube tandpasta was stukgesneden. De buis van de wastafel was eraf geschroefd. De zijkant van het bad was weg, de buis die van het bad naar het rioolputje liep lag ernaast. Het rioolputje was stuk; er lagen plukken haar, wasknijpers en een kapotte tandenborstel naast.

Het glanzende porseleinen reservoir van het toilet was kapot.

De stank was scherp, maar niet zo erg als je zou denken. Had de overige lucht de stank verdund? Hoe lang was hij van de wereld geweest?

Hij boog zich over de wastafel, liet het koude water in een lange, krachtige straal stromen en depte zijn achterhoofd voorzichtig. Hij zag bloed vermengd met water naar beneden stromen door het gat waar de buis had gezeten en hij voelde dat zijn broek en het onderste deel van zijn dijbenen nat werden. Het was een fijn gevoel en hij bedacht dat hij hier een hele tijd kon staan, op een moment als dit was het belangrijk om je langzaam te haasten. Hij wilde snel uitzoeken wat er aan de hand was, maar hij begreep dat hij dat heel, heel langzaam moest doen.

Zijn ogen bevonden zich een decimeter boven wat er over was van de wastafel, toen hij een vage blauwe afdruk in de wasbak zag, schuin aan de linkerkant. Hij zette de kraan uit en probeerde zijn blik erop te fixeren.

Was het een woord?

Hij deed zijn ogen dicht en keek daarna opnieuw.

Het kon een woord zijn.

Was iemand heel even slordig geweest? Het zag eruit alsof er een papiertje was gevallen... of dat een visitekaartje heel even had vastgezeten aan het vochtige oppervlak.

Wide keek om zich heen, zag de pot talkpoeder – waren er andere veertigjarigen die talkpoeder in huis hadden? – en pakte hem van de vloer. Onderin lag nog wat poeder.

Hij strooide het talkpoeder over de afdruk in de wasbak en toen hij voorzichtig blies gleed het poeder in het nauwelijks zichtbare blauw en versterkte de afdruk van de letters. Ze waren duidelijk genoeg om ze te kunnen lezen.

Xerx.

Hij keek een hele tijd naar de letters terwijl hij op een gedachte wachtte. Vaak waren de eerste gedachten de beste geweest, intuïtie en kennis en de moed om een ingeving te volgen, het eerste ijle spoor, en het enige wat hij had. Xerx. Xerxes? Was dat niet een van die Perzische oorlogszuchtige grote koningen in de tijd voor Christus? Of was het een Egyptische farao? Wide wachtte nog even op een gedachte, maar die kwam niet. Hij moest 'Xerxes' later opzoeken. Hij wist dat hij daardoor niet beter zou begrijpen wat er was gebeurd, maar hij zou toch op zoek gaan.

Met een natte rol toiletpapier tegen zijn hoofd gedrukt liep hij terug naar de zitkamer en door de hal naar de keuken. Hij was op het ergste voorbereid, maar op het eerste gezicht leek de keuken die hij binnen liep dezelfde keuken die hij eerder had verlaten. Niets leek aangeraakt, niets was kapot. Hij bezat niet veel serviesgoed, maar wat hij had brak gemakkelijk. Waarom hadden ze het niet gebroken?

Dat hoorde niet bij het bezoek, bedacht hij. Het hoofddoel was niet om iets kapot te maken. Wie zoekt, doet dat op logische plekken. Het was moeilijk om iets in een bord te verstoppen.

Toen Wide dichter bij het aanrecht kwam, zag hij dat de laden uitgetrokken waren en het bestek en andere voorwerpen voorzichtig waren verplaatst en weer waren teruggelegd.

Hij vroeg zich af wat de bezoekers hadden gevonden van zijn speciale lade, zijn speciale gereedschap. Hij glimlachte zelfs bijna toen hij eraan dacht hoe de persoon of de personen hadden gekeken naar de olijfontpitter en de ingenieuze knoflookpers, de raviolistamper waar hij ook dim sum mee maakte, de kiphouder, de tangen voor de bamboestomer, hoe de ongenode gast ernaar had gestaard en zich misschien had afgevraagd wat het in vredesnaam was.

Dat zijn kleine voorwerpen voor speciale gelegenheden, zou hij gezegd hebben als hij de bezoeker voor zich had gehad nadat hij hem onschadelijk had gemaakt.

Oog om oog.

Zo was hij niet. Wide begreep dat zijn verwarde hersenen dingen dachten die ze anders niet gedacht zouden hebben, en dat besef was het teken dat hij helderder begon te denken. Het lukte hem naar zijn horloge te kijken. Hij was linkshandig en droeg zijn horloge aan de rechterarm. Het was twee uur 's middags, dus was hij in totaal drie uur bewusteloos geweest.

Ineens zag hij dat de koelkastdeur wijd openstond. Een van de keukenstoelen stond ervoor zodat hij niet dicht zou slaan door zijn eigen gewicht. De bezoeker was hier lang genoeg geweest om te merken dat de scheve stand van het oude gebouw ertoe leidde dat de koelkastdeur vanzelf dichtviel.

Het was de bedoeling dat hij zou zien dat de koelkast openstond.

Terwijl hij ernaartoe liep nam de pijn in zijn achterhoofd toe en hij voelde zijn bloeddruk stijgen. Was hij bang?

Een bruine schaal met gele citroenen stond eenzaam vooraan, de eieren en de kaas en een stukje salami waren naar achteren geschoven. Hij kwam aarzelend dichterbij terwijl hij intens aan de schaal dacht.

'Wat een leuke schaal!'
  'Hebben we nog meer herinneringen van dit eiland nodig?'
  'Jonathan, we hebben hier een jaar gewoond.'
  'Een voorwerp voor elke dag.'
  'Oké, oké, dan kopen we hem niet.'
  'Liefje, ik maak maar een grapje, natuurlijk kopen we de schaal.'
  'Nee, je vindt hem toch niet mooi.'
  'Ik vind hem wel mooi. We kopen hem.'
  'We hebben niet meer herinneringen nodig.'
  'Ik hou van die verdomde schaal. Ik wil hem hebben, ik kan niet zonder hem leven!'
  'Koop hem dan. Ik wil hem niet.'

Was de schaal een van de zogenaamde katalysatoren geweest? Waarom was het zo moeilijk om samen een kleine, leuke schaal voor zeven Cypriotische ponden te kopen? Hij had hem gekocht, met een slecht geweten over iets waar hij zijn vinger niet op kon leggen, en hij had hem altijd op de tafel staan met verse partjes citroen erin. Hij had gewild dat zij hem kreeg toen hun levens in verschillende richtingen gingen. Had ze begrepen waarom? Had hij dat zelf beseft?

In de schaal lag iets. Het glansde in het schijnsel van de koelkastlamp. Seconden voordat hij over de gootsteen leunde en met enorme kracht braakte, zag hij het bovenste vingerkootje met de nagel van een pink dat uitstak boven de rand van de schaal, voor eeuwig gevangen in de beweging die bij een kop thee in een elegante salon hoorde.

In paniek draaide hij zijn gezicht van de gootsteen weg, staarde naar zijn handen en telde met betraande ogen zijn vingers. Het waren er tien. Daarna telde hij de kootjes. Ze leken er allemaal te zijn, en de nagels ook.

Hij had een eigenaardig gevoel dat het antwoord op de overval die op hem was gepleegd ergens in zijn verleden te vinden was, of in elk geval een gedeelte van het antwoord.

Hij voelde zich opnieuw verschrikkelijk misselijk. De klap op zijn hoofd, de chaos om hem heen, hij voelde hoe zijn bloeddruk het plafond bereikte en voelde de hitte tot in zijn oorlelletjes, dit... ding in de koelkast. Hij keek nauwkeuriger en zag dat de vinger niet van een mens was geweest maar dat het een kunstvinger was, misschien van een etalagepop. Dat was een bevrijdend gevoel, maar het effect was onverminderd sterk.

Jonathan Wide voelde dat hij hulp nodig had.

Hij liep terug naar de slaapkamer, ging op de vloer naast het bed zitten, pakte de telefoon en toetste een nummer in.

'Met de praktijk van dokter Tommysson.'

Was er nog iemand anders in de hele wereld die zo heette? Tommysson?

'Is dokter... Is Anders te bereiken?'

'Met wie spreek ik?'

De welbekende koude stem. Hij zag de vrouw voor zich, in het schort dat spande als ze bewoog. Een naambordje en een droge hand die de telefoon stevig vasthield.

'Jonathan Wide.'

'Een moment.'

Er volgden drie seconden stilte en daarna geschraap, alsof er een stoel over een oneffen oppervlakte werd getrokken.

'Jonathan! Hoe gaat het met je?'

'Heel slecht deze keer, Anders.'

'Je weet dat je het zelf in de hand hebt.'

'Deze keer is het de drank niet.'

'Drank is de oorzaak van de meeste dingen.'

'Ik zeg toch dat het dat niet is.'

'Dan moet je het uitleggen. Het liefst in drie seconden.'

Hij legde het uit. Het duurde iets langer dan drie seconden.

'Ben je nog in staat op je bed te gaan liggen?'

'Ja.'

'Ga dan liggen. Het klinkt alsof je een flinke hersenschudding hebt. Ik ben over ongeveer een halfuur bij je. Misschien moet je naar het ziekenhuis.'

Jonathan Wide zag een behandelkamer voor zich en dat beviel hem absoluut niet. Alleen die gedachte zorgde er al voor dat hij zich beter voelde.

'Ik dacht dat ik gewoon een injectie of wat pillen of zo zou krijgen.'

'Is dat vriendschap? Wil je niet verzorgd worden door je oude vriend?'

'Ik voel me al iets beter.'

'Je begrijpt er niets van. De dokter is de enige die dat weet. Ken je het verhaal van de man die er voor dood bij ligt en uiteindelijk in slaap valt? De dokter buigt zich over hem heen en zegt: "Deze man is dood." Maar de man komt bij en zegt dat hij leeft. Dan buigt zijn vrouw zich snel naar hem toe en zegt: "Hou je mond, Göran, dat weet de dokter beter dan jij!" Ken je die al, Jonathan? Jonathan?'

Hij kende hem al, en alle andere flauwe grappen van Anders Tommysson met dokters in de hoofdrol. Wide had opgehangen voordat Anders klaar was met vertellen, volgde zijn raad op en ging op bed liggen. Hij deed zijn ogen dicht.

Toen de telefoon overging sloeg zijn hart een slag over. Het nare, harde geluid dreunde door zijn lichaam als een granaataanval. Dat gebeurde zo vaak dat hij erover dacht om het signaal te veranderen. Hij pakte de telefoon alsof deze een explosieve lading bevatte, luisterde maar zei vervolgens niets.

'Hallo!?'

'Hallo.'

'Spreek ik met Jonathan Wide?'

Het was een vrouwenstem, geforceerd vrolijk maar toch complex. Hij was eraan gewend om stemmen in verschillende situaties te beoordelen en deze stem leek beheerst.

'Ja...'

'Ik ben Lea Laurelius.'

'Ja...'

'Ik heb hulp nodig.'

5

Ze zag een lijster die zijn voederplek bewaakte. De mezen bleven op afstand tot eentje drie kleine sprongetjes dichterbij durfde te komen. De lijster stak zijn snavel in de lucht en vloog op. Even later zag ze hem als een zwarte steen tussen de bladeren terwijl hij naar de zon vloog.

Ze keek naar haar man.

'Opnieuw een dag in de mannenwereld.'

Sten Ard masseerde zijn neusrug, zijn ogen gericht op een punt boven haar hoofd.

'Ik geloof dat ik haar op mijn neus heb.'

'Dat is omdat je zo'n man bent. Omdat je je in zo'n mannelijk milieu beweegt, een krachtig milieu.'

'Veel van de sterkste mannen kunnen niet meer dan twee kilo tillen. Hun rug. Hernia.'

'De leeftijd misschien. Maar diep vanbinnen zijn ze allemaal de mannen die ze het liefst willen zijn. En dan zijn er voor jullie nog de auto's.'

'Je bedoelt dat een auto voor macht staat?'

'Neem je me in de maling, Sten? Heeft de auto niet altijd model gestaan voor de macht van de mannen?'

'Tja, ik weet niet hoe het met de mannen tijdens de Punische oorlog was...'

'Dat weet ik wel. Ze droomden van iets wat hen op een snelle manier kon vervoeren. Het is mannen nooit gelukt om zonder hulpmiddelen vooruit te komen. Er is niets kwetsbaarder dan een man die alleen zijn lichaam heeft.'

Zijn lichaam voelde zwaarder dan ooit, als een wapenrusting die was gaan roesten. Kwetsbaar.

'En de mannen in het Slottspark dan? Proberen die zich in al hun kwetsbaarheid te tonen?'

'Dat is opnieuw een teken van zwakheid. Wie rond rent in een park is ergens voor op de loop. Zien ze eruit alsof ze het naar hun zin hebben?'

'De pijn zit in de weg. Het moet zeer doen. Bovendien krijg je een mooi en functioneel lichaam. Daar zijn de vrouwen gek op.'

'Overdreven effectbeschrijving.'

'Dus vrouwen gaan gewillig naar bed met een vleesberg?'

'Soms, als het een denkende vleesberg is.'

'Denken degenen die hun lichaam verzorgen niet? Is dat wat je wilt zeggen?'

'Beginnen je argumenten op te raken? Je weet dat ik het zo niet bedoel. Maar ik word heel beroerd van die "maak een vesting van je lichaam"-mentaliteit, die fixatie op het lichaam, op de spieren. Het is alsof alleen het lichaam bestaat, zonder hersenen, alsof het hoofd en de rest van het lichaam een sculptuur vormen die zo lang mogelijk moet worden verzorgd en gepolijst en opgepompt.'

Sten Ard keek naar zijn vrouw. Ze had gelijk. Hij had het van heel dichtbij meegemaakt, tieners die pillen uit het Verre Oosten slikten om snel resultaat te zien, rusteloze, zenuwachtige achttienjarigen met lichamen als getailleerde michelinmannetjes met dito denkvermogen. Sommigen hadden een medemens gedood.

Maar kon een jogger met een glazige blik, die voor de derde keer langs de zeehondenvijver rende, de schuld krijgen van de lichaamshype?

'Maja, ik denk niet dat we alleen de joggers in het stadspark de schuld kunnen geven.'

'Ik vind die verering van het lichaam heel gevaarlijk,' zei ze. 'Je weet hoe het fascisme is ontstaan en zich heeft ontwikkeld. Het is goed om niet te overdrijven, om een beetje gezonde scepsis te tonen ten opzichte van alles wat met overdreven lichaamsbeweging te maken heeft.'

Sten Ard lachte. Hij hield van haar precieze maar toch ietwat omslachtige manier van argumenteren. Overdreven lichaamsbeweging.

Hij lachte ook om een herinnering, vorig weekend op een bloedhete tribune. Hij had in het Gamla Ullevi-stadion naar zijn geliefde voetbalclub gekeken die uit de eredivisie was gedegradeerd en hij had gezocht naar iets om door meegesleept te worden. Hij wilde overdreven lichaamsbeweging zien. Kwam het door de hitte dat alles zo langzaam bewoog?

Maar het was niet de hitte waardoor het team was gedegradeerd. Hij had om zich heen gekeken, naar de mannen van middelbare leeftijd die samen met hem een kleine grijze vlek vormden in het midden van de statribune en hij had naar het politiebureau gekeken, dat een paar honderd meter van het stadion lag.

Het politiebureau en het Gamla Ullevi; in beide gebouwen had hij een plek. Het had meer werk dan plezier geleken om de club dit seizoen te volgen, om nog maar niet te spreken over het vorige seizoen. Het was een zware plicht geweest, en verdrietig makend.

Hij hoorde bij een uitstervende generatie, zo was het nu eenmaal. Voetbal was geen sport voor de toekomst.

Iemand had het eens een schaakspel op de groene mat genoemd. Sten Ard had de vergelijking idioot gevonden, maar nu wist hij het niet meer zo zeker. Hadden de spelers vrijheid? Of bleven ze op een plek door het onzichtbare touw van de trainer? *Ik wil van het ene vakje naar het andere.* Misschien kon voetbal beschreven worden met Ekelöf, die hij altijd bij zich droeg als een extra kogelvrij vest. Als mensen hem goedmoedig in de maling namen, ging hij mokken en kreeg hij steeds meer de neiging om citaten te spuien. Hij keek naar het ideeënloze systeemvoetbal op het veld, levende stenen steunpilaren die zich bewogen volgens vooraf gesmede plannen; hij zocht met een sombere gezichtsuitdrukking naar Ekelöf – *ik streelde een steen, ik werd een steen. Ik was het laatste stukje van de puzzel.* Of: *Jij draait je hoofd om. Je verstikt in steen, je zweeft in traag vloeiende steen, je slaapt daarbinnen* – en dat ging uitstekend, *Roster under jorden* ging tenslotte over voetbal midden in het bruisende leven.

Als spikes die steeds verder in de aardkorst wegzakten, steeds verder weg van de eredivisie.

'Sten? Sten?! Ben je moe?'

Ze raakte zijn arm voorzichtig aan. Het dagelijkse bekvechten was voorbij, een ritueel als ze elkaar na het werk en voor het avondeten zagen.

Maja zag er zelf moe uit. Ze was een maatschappelijk werkster met heel wat op haar bord, maar die toch nog heel veel betrokkenheid over had. Was ze teleurgesteld in zijn cynisme, als het cynisme was dat hij soms toonde? Hij hoopte dat hij dat niet deed.

Ook hij had zijn portie wel gehad. Hij vond het moeilijk om de juiste, spontane gevoelens te tonen.

'Ja, ik ben moe. Ik wil een glas whisky.'

'Talisker?'

'Nee, ik kan het vandaag niet verdragen om de brandmelder te horen.'

'Iets minder rokerig?'

'Inderdaad.'

'Glenkinchie?'

'Een uitstekend drankje *after a walk in the hills.*'

'Hebben we het niet over *een pre-dinner drink?*'

Opnieuw een klein ritueel. Het Britse whisky-orakel Michael Jackson en zijn *Malt Whisky Companion* – een boek gevuld met uitspraken om te citeren.

'Glenkinchie is allebei. Ik heb vandaag door Änggårdsbergen gelopen en zo meteen gaan we avondeten. Pak de fles maar.'

Hij voelde hoe hij opleefde. Was dat uiteindelijk het enige wat iets te betekenen had? Maltwhisky, het echte spul zonder toevoeging van alcohol van aardappelen of eenvoudig graan. Hij dronk niet veel maar zat graag een tijdje met zijn neus boven een glas met deze vurige drank. Het was een kwestie van stijl geworden, misschien zelfs ethiek. Hij had een aantal mooie flessen in de kast staan. Hij zou ze nooit tegelijk op tafel zetten, niet meer dan een per keer. Misschien was het een kwestie van rangen en standen. Zijn vader had nooit brandewijn op tafel gezet. Ard was afkomstig uit een klasse die nooit helemaal bevrijd zou zijn van schaamte over drank en flessen.

Hij meende de vroege avond bijna binnen te horen glijden, als een schip dat op weg was naar de thuishaven. De welbekende geluiden.

'Er loopt een moordenaar rond.'

Ze zaten in de ruimte die ze tegenwoordig de bibliotheek noemden. Het was een grote, lichte kamer die donkerder was geworden naarmate er meer boekenkasten bij kwamen, de jaren van lezen waren zichtbaar in de jaarringen op de boekenplanken. Zij las meer dan hij. Hij las teksten opnieuw, de boeken waren op die manier lang toereikend. Hij voelde dankbaarheid over het feit dat hij in zijn leven bepaalde zinnen had mogen lezen.

'Je neemt je werk anders niet mee naar huis.'

Ze zat op de leren fauteuil naast de zijne. Een paar jaar geleden had hij op een dag zijn klassenbewustzijn zorgvuldig in de tuin begraven, had een telefoontje gepleegd, was eerst naar de bank en daarna naar de woonwinkel gegaan en had negenentwintigduizend kronen neergeteld om de fauteuils te kopen, het hoge model. Toen ze werden afgeleverd, was hij heel even bevangen door paniek en het had twee dagen geduurd voordat hij er voor de eerste keer op was gaan zitten.

Het was de beste koop die hij ooit had gedaan.

'Deze is misschien een artiest. Hij wil publiek.'

'Is het niet voldoende om iemand te vermoorden?'

'Nee. Het moest gezien worden, en het moest met een vanzelfsprekende nonchalance gebeuren. Als een toneelstuk. Misschien is dat het.'

'Het kan niet de enige, tja... openbare moord in Göteborg zijn.'

'We pakken ze bijna altijd meteen, overvallen op straat, doodslag en moorden in clubs en in de rij voor de clubs.'

Hij zweeg even.

'Deze moord lijkt zo... berekenend.'

'Een waarschuwing voor anderen.'

'Een kruisiging. Het was net een kruisiging.'

'Zoiets heb je toch wel eerder meegemaakt?'

'Dit is nieuw. Ik voel dat dit helemaal nieuw is. Als een signaal dat er andere spelers op het toneel zijn verschenen. Daar gaan we in elk geval op dit moment vanuit.'

'Dat klinkt luguber.'

'Het ís luguber. Göteborg is net een open veld, een oneindige vlakte met ongerepte sneeuw.'

Hij besefte de treffende gelijkenis pas toen hij het woord had uitgesproken.

'We hebben eerder met drugsproblematiek te maken gehad, maar dat was beheersbaar. Dat lag op een... gemiddeld niveau, zou je kunnen zeggen.'

'Dus nu gaat het om de hoogste elite?'

'Göteborg is gedebuteerd in de eredivisie van de drugs. In elk geval hebben ze de voorrondes goed doorstaan.'

'Kun je voetbal in alle soorten metaforen gebruiken?'

Ze had hem eerder Ekelöf horen citeren.

'We zitten inmiddels in de drugs-EU, als je dat beter vindt klinken. Of eerder de drugs-VN, dat geeft een beter beeld.'

'En deze moord... Die heeft daarmee te maken?'

'Er is een duidelijke afzender, een duidelijke mededeling voor iedereen die de taal verstaat. Het is een nietsontziende taal... nee, dat woord is te krachteloos... Het is een taal zonder woorden die bestaat uit klanken, gruwelijke klanken.'

'Maar degenen die hem spreken kennen ook andere talen.'

'Misschien is dat het allerergst. De grote spelers zijn intelligent, ze zitten ook op heel hoge posities. We hebben het hier over doortrapte sociopaten, massamoordenaars, maar het verschil is dat we vroeg of laat alleen de oude sociopaten pakken met nog enig fatsoen. Hun makkers in de top pakken we nooit.'

'Is dat niet gewoon politiecynisme?'

'Ik ben bang dat dat deze keer niet het geval is. De mannen van de jaren tachtig zijn wanhopig, maar het is een gecontroleerde wanhoop. Er zijn nieuwe wegen ingeslagen, met onbeperkte snelheden. En onze auto's kunnen die snelheid niet aan.'

Ze hoorde betrokkenheid, maar zag ook berusting in het gezicht met de drie korte rimpels tussen de wenkbrauwen. Ze werden dieper, hij had die rimpels al vroeg gehad maar gedurende hun jaren samen waren ze steeds prominenter aanwezig.

'Hoe kunnen jullie daartegen vechten als jullie zo'n sombere basisinstelling hebben?'

'Niet somber, realistisch. Het is belangrijk om te werken vanuit die voorwaarden. Anders verandert het in teleurstelling. Het is niet goed om te werken vanuit teleurstelling.'

'Jullie zijn tenslotte een team.'

'We zijn met veel te weinig.'

Ze zwegen een tijdje. Hij dronk het laatste restje van zijn whisky, of eigenlijk ademde hij de laatste dampen in.

Een stukje boven de grond begon het enigszins af te koelen. Er hing een zwakke schaduw in de kamer. Sten Ard keek op.

'Ik reis zonder vrienden door de langzaam donker wordende avond.'

'Ekelöf?'

'Bijna goed, op een paar letters na. Het is Ekelund.'

Hij hield het glas op naar het zachte licht dat de kamer in stroomde en zag een kleine wereld in barnsteen met ronde vormen.

'Wil je er nog een?'

6

De tijd was verstreken. Hij had opnieuw geslapen, een injectie, hij was zich er nauwelijks van bewust dat Anders Tommysson bij zijn bed stond.

Er zat een vlek op het plafond waar hij lang naar had gekeken, het gaf hem een gevoel van veiligheid. Hoe lang was die onderdeel van zijn appartement geweest?

Hij werd opnieuw wakker. Er hing een briefje naast het bed. Hij kon Tommyssons bulderende stem horen opstijgen van de regels: *Hersenschudding, maar niet ernstig. Stomp voorwerp. Het was iemand die je niet echt kwaad wilde doen. Bel als het erger wordt.*

Iemand die hem niet echt kwaad wilde doen. Hoe was die uitdrukking ook alweer? Met zulke vrienden heb je geen vijanden nodig. Of was het in dit geval andersom?

Er was nog iets wat net onder de oppervlakte van zijn bewustzijn lag. Hij herinnerde zich het telefoongesprek met de vrouw die hem had gebeld. Wanneer was dat geweest? Hij keek naar zijn horloge, maar dat gaf niet onmiddellijk antwoord, tot hij uiteindelijk besefte dat hij het ondersteboven hield. Maakte dat verschil? Hoe zou het zijn om door het leven te gaan met de Australische tijd aan je arm? Misschien zou dat worden beschouwd als asociaal gedrag.

Hij hield het horloge goed en zag dat het middag was, de volgende dag. Hij vroeg zich af hoe boksers de tijd in de gaten moesten houden; het was een fijn gevoel om zijn gedachten nog even de vrije loop te laten. Hij wist dat hij nu iets moest doen en hij was nu voldoende hersteld om het te doen.

De zon was een vijand geworden. Het was moeilijk om zich te verdedigen tegen de harde, scherpe stralen, die hem onbarmhartig troffen toen hij de straat op liep. Göteborg was als een klein kind zonder hoofdbescherming tegen de zon, het was onvoorbereid. De stad en het land waren voorbereid op kou, regen. Centrale verwarming hielp hier niet, airconditioning was nu belangrijk, eigenaardige dozen begonnen aan de gebouwen te verschijnen: groteske uitwassen, als smerig grijze warmte-uitslag.

De zonnestralen zochten elk wezen dat zich 's middags buiten waagde, en joegen alles wat leefde weer naar binnen. Warmterecords werden verbroken, midden op de dag lagen de stranden er verlaten bij.

Mensen met angst als wapen grepen de gelegenheid aan om er continu op te wijzen dat de ozonlaag nu helemaal was verdwenen. Het deed pijn om tussen de heldere kristallen van gesmolten glas door te lopen, het was alsof zijn longen gevuld waren met een zware last.

Toen Wide bij zijn auto was, trok hij het portier open en ging zitten. De temperatuur in de coupé was minstens vijftig graden. Hij startte de motor, stapte snel weer uit en haalde drie keer pijnlijk zwaar adem voordat hij weer ging zitten en in zuidelijke richting naar Majvallen reed.

De ventilator van de 242 werkte niet, de naar beneden gedraaide ramen boden een parodie op verkoeling. Misschien was het in een ander verband grappig geweest.

Wide reed door de Godhemsgatan naar de Slottsskogsgatan en langs een volkstuinencomplex waar kinderen gillend van opwinding door de stralen van een watersproeier renden. Er was een sproeiverbod van kracht, maar op dit moment ging het om overleven, van planten en dieren en mensen. Een straal stond op de weg gericht, spoot over de lage heg en raakte zijn auto. Hij voelde de plotselinge kracht van de dunne waterstraal en de koelte en hoorde een kind lachen.

Wide rook de geur van gegrild vlees. Hij voelde zich plotseling intens misselijk.

In de schaduw van de wijk Skyttesskogen kon hij voor de eerste keer normaal ademhalen, en toen de auto de Dag Hammarskjoldsleden op draaide, had zijn binnenste een zweem van weerstand tegen de hitte opgebouwd.

Ze had kalm en beheerst gepraat, maar ook met een onderdrukte wanhoop in haar stem; de woorden waren opgestapeld op een onbeholpen berg aan het eind van de zinnen. Ergens in die berg belandde het adres. Ze had het moeten herhalen.

'Het klinkt als een zaak voor de politie.'

Toen hij deels begreep wat ze wilde zeggen, snapte hij niet waarom ze hem had gebeld.

'Ik wil niet met de politie praten.'

'Het is hun werk.'

'Ik belde niet naar... naar... u om te horen dat ik de politie moet bellen.'

'Op dit moment ben ik niet in staat om iemand te helpen. Niet eens mezelf.'

'Weet u wie ik ben?'

'Ik herken de naam.'

'Als het een geldkwestie is...'

'Jij bent overvallen en ik ben overvallen en misschien is dat om ons bij elkaar te brengen, om gemeenschappelijke ervaringen uit te wisselen, maar je praat gewoon met de verkeerde persoon.'

'Bent u geen... detective?'

'Ik ben een privédetective. Weet je wat een privédetective doet?'

'Daarom bel ik ook. Omdat ik weet wat u doet.'

Ze noemde een naam. Het ging om een opdracht die hij had gedaan.

'U was... doortastend. U begreep het.'

'Als ik doortastend ben komt dat doordat ik het niet begrijp. Op de dag dat ik begrijp waar ik mee bezig ben, spring ik waarschijnlijk van de Älvsborgsbrug.'

Hij herinnerde zich de opdracht. De vrouw over wie Lea Laurelius vertelde was gescheiden. Wide had het bewijs van ontrouw geleverd. Sinds hij privédetective was geworden, had hij veel bewijzen van ontrouw geleverd. Het was heel onfatsoenlijk werk, dat hij meestal wegspoelde met drank.

'Ook al is deze zaak anders dan de opdrachten die u normaal gesproken krijgt, ik hoop toch dat u een uitzondering wilt maken.'

De wanhoop in haar stem groeide, alsof die scherper werd geslepen naarmate het gesprek vorderde. Hij hoorde ook iets anders in haar stem. Wat was het? Angst?

'Is er geen vriendin die u kunt bellen, als u geen politie in huis wilt hebben? Of een soort dienst, maatschappelijk werk misschien?'

'Ik heb geprobeerd contact op te nemen met mijn man.'

Daarom herinnerde hij zich de naam. Haar man, hij herinnerde zich zijn voornaam niet, was een ritselaar. Hij dook vaak op aan de randen van dubieuze zaken. Wide had documenten over een economisch delict gezien. Laurelius had ook geen last van ethiek. Dat was een overeenkomst tussen hen.

Was hij voldoende in vorm om uit te zoeken wat de vrouw wilde? Had hij het geld nodig? Het antwoord op beide vragen was ja.

'Goed,' zei hij door de telefoon. 'Ik kom eraan.'

En nu was hij hier, in haar elegante wereld. In Hovås hadden de bewoners geld genoeg om zich tegen de zon te beschermen. Ze hadden in de meeste gevallen geld genoeg om zich te beschermen tegen de ergste uitwassen van de boze buitenwereld. Hij reed door stille straten, langs verzorgde heggen en hoge muren, de huizen een stuk daarachter, mooie huizen waarin niet noodzakelijkerwijs eeuwig geluk heerste, maar er waren vervelender manieren om naar het eeuwige paradijs te gaan.

Geld hielp niet altijd tegen de innerlijke werkelijkheid. Jonathan Wide was geen communist, hij vond dat hij eigenlijk een stuk buiten de maatschappij stond, zijn standpunt was een privékwestie waar hij kritiek over had gekregen – *ieder mens moet een sociaal geweten hebben* – maar een klein rood vuur van klassenbewustzijn zocht zich toch een weg naar zijn middenrif toen hij langs deze huizen reed.

Hij was hier eerder geweest, als vertegenwoordiger van de realiteit van de buitenwereld, als de binnenwereld achter de gevels was ingestort, maar zelfs toen had hij geen overwicht gehad.

Een halfdronken vrouw die bijna een kleine jongen had doodgereden, had nog een glas gin ingeschonken en had verwezen naar haar advocaat.

Drie tieners hadden geprobeerd een slapende voddenboer bij de steiger van Önnered in brand te steken en de vader van een van de kinderen was bijna gewelddadig geworden. De jongens hadden de maatschappij een dienst bewezen, zoiets had hij gezegd. Wide was een grove, openlijke verachting voor mensen tegengekomen en het was niet de eerste keer dat hij het klassenverschil tussen de mensen had gevoeld.

'Weten jullie niet aan welke kant jullie moeten staan, achterlijke communisten!' had de man tegen de politieagenten geschreeuwd. 'Wij zijn degenen die dit land overeind houden!'

Wide was behandeld als een tweederangs mens en dat had hij niet prettig gevonden. Hij was misschien een tweederangs mens, of misschien zelfs derderangs, maar hij voelde zich tot op zekere hoogte vrij en hij wist niet zeker of hij die vrijheid nog zou hebben als de eersterangs mensen – die eveneens onbevlekt wit waren – meer te zeggen kregen. Ze waren hard op weg.

Hovås Södergata 12. Hij parkeerde de auto. Er stonden geen auto's voor de huizen van drie verdiepingen, met hout en stucwerk in wit en lichtblauw, onregelmatige gevels en terrassen die op de zee uitkeken.

Er stonden hier normaal gesproken minstens twee auto's voor de huizen, op brede opritten die goed verzorgd waren.

Wide liep door een tuin die eerder een klein park leek, met een eigen berkenbos. Hij hield van het geluid van bomen. Door het gebladerte kon hij een stukje van het water zien, en de intense schittering van de zon op een oppervlakte die altijd in beweging was.

Hij stak zijn hand uit om de versierde deurbel in te drukken. Een leeuw, of een tijger? Lea… Betekende dat leeuwin?

Hij stopte midden in de beweging. De deur stond op een kier, hij bewoog zachtjes door een zwakke windvlaag en gleed daarna terug in de oorspronkelijke stand.

'Hallo!? Is er iemand thuis?'

Hij rook de bittere geur van gevaar. Het was een klassieke situatie. Had iemand in een dergelijke situatie zich ooit omgedraaid om weg te lopen?

'Mevrouw Laurelius? Lea Laurelius?'

Hij luisterde, maar hoorde alleen het zachte geritsel van het gebladerte naast het huis. Een zonnestraal zocht zich een weg langs zijn rug en scheen in de donkere hal. In de lichtstraal zag hij een gebroken spiegel, een telefoon op de grond, twee stoelen met dunne poten die als gedeprimeerde balletdanseressen hun benen in de lucht staken.

Wide liep de hal in en stapte over de kleine haltafel waarop iemand zich had uitgeleefd.

Na een tijdje hoorde hij een zwak gekreun ergens in het huis. Hij liep voorzichtig door de hal naar een lichte zitkamer die naar zon rook.

De kamer was... gesloopt, als een kamer waarover nog geen beslissingen waren genomen hoe hij moest worden opgeknapt. Hij was vernield, iemand had zonder consideratie gezocht. De gordijnroeden waren van de muren getrokken en de gordijnen lagen op de donkerrode bank, het zag eruit als een rouwsluier die bij wijze van laatste gebaar was neergelegd.

De vrouw lag in de werkkamer op de eerste verdieping. Ze kreunde opnieuw. Toen Wide de drempel over stapte hoorde hij een krassend geluid, alsof de gestalte op de grond kuchte.

Ze had reden gehad om bang te zijn.

Delen van een toetsenbord lagen in een cirkel rond de vrouw verspreid. Het bloed was van haar voorhoofd op het toetsenbord gestroomd dat bij haar hoofd lag en de letters w, a, s, e en z waren roodgekleurd. Als het een boodschap was, was het absoluut elegant gedaan, dacht Wide voordat de vrouw op haar zij rolde en haar ogen opendeed.

Hij herkende haar van een foto in een of andere krant. Nu leek ze een rode band rond haar hoofd te hebben, alsof ze op weg was naar een feest in jarentwintigstijl, ze zou succes gehad hebben.

Hij bleef voor de deur staan.

'Ik ga een dokter bellen.'

Ze had haar ogen weer dichtgedaan.

Hij draaide zich om om de trap af te lopen, hij herinnerde zich dat hij in de hal een telefoon op de grond had zien liggen. Ze riep hem na, hij hoorde het krassende geluid weer, maar nu met meer lucht.

'Bl... blijf...'

Wide liep naar haar terug. Die ogen... hij was gevoelig voor vrouwenogen... Waren ze zo mooi door de sluier van pijn?

Hij zag die ogen niet voor het eerst, besefte hij langzaam terwijl hij dat besef liet inzinken. Er was veel tijd voorbijgegaan. Was het twintig jaar geleden? Een korte ontmoeting, maar duidelijk een lang afscheid; Wide had over haar stem nagedacht tijdens de rit naar Hovås, er was nog iets... haar contact met hem via de oude zaak... Misschien was dat zo gegaan, maar het had niet geloofwaardig geklonken.

Hij had met deze vrouw langs de kust gewandeld en hij herinnerde zich nu dat ze vlak bij het water een steen had opgepakt en tien meter de zee in had gegooid, en toen had gezegd dat het die steen tienduizend jaar had gekost om aan land te komen. Ze had gelachen. Het was hun laatste dag samen geweest.

7

Hij had vijf kilo overgewicht. Zijn haar op een andere manier, een andere houding… Hij zou een aantrekkelijke man kunnen zijn. De diepe rimpel tussen zijn wenkbrauwen zou nooit verdwijnen. Hij was kleiner dan ze zich herinnerde. Toch leek hij lang, misschien kwam dat doordat ze nog op de grond lag. Misschien was hij een van die mannen die altijd een enorme fysieke aanwezigheid bezaten. Dat had niets met omvang te maken.

Hij droeg een verband rond zijn hoofd.

Als ze deze scène in een blijspel had gezien, had ze gelachen.

Ze zat op een hoek van de bank. Hij had een verband bij haar aangelegd en hij voelde zich opnieuw misselijk. *Hij had meer gemeen met deze vrouw dan hij ooit in een nare droom had kunnen hebben.*

Hij was naar haar toe gekomen en nu moest zij iets zeggen. Lea Laurelius had het gevoel dat ze voor het eerst praatte.

'U bent in elk geval gekomen. Het klonk alsof het allemaal te laat was.'

'Wat was te laat?'

'Dat u het niet zou halen… Dat u niet zou komen.'

'Ik meende het niet.'

'Het spijt me… Wat vroeg u?'

Wide had een beker koffie in zijn hand. Hij had in de keuken een pot Nescafé gevonden en had een flinke schep poeder in een beker gedaan. Op een zijtafel stond een fles cognac, Renault, het echte werk. Gekocht op een veerboot of een luchthaven? Of had ze genoeg geld om hier zulke goede sterkedrank te kopen?

Hij kookte water en schonk die op de koffie. Toen hij er een scheut sterkedrank bij deed, weerstond hij de impuls om een glaasje te drinken – of rechtstreeks uit de fles – en liep daarna naar de kamer. Hij hield haar de beker voor, ze nam kleine slokjes en hij zag dat er een zweem kleur op haar gezicht terugkeerde.

'Zeg maar jij.'

'Sorry?'

'Zeg maar jij, in plaats van u. Ik ben het maar. En zeg niet de hele tijd sorry.'

'Sor… Ik weet niet wat ik moet zeggen.'

Hij gaf haar nog een slokje.

'Ik ben zo snel mogelijk gekomen. De laatste tijd is niet bepaald ontspannend geweest. We hebben allebei ongenode gasten gehad.'

'Ze kwamen vroeg… hemel, hoe laat is het… vroeg in de ochtend. Of was het gisteren? Ze hebben niet aangebeld. Ze waren ineens binnen. Het ging allemaal heel snel.'

'Was dat nadat je mij had gebeld?'

'Dat moet haast wel.'

'Waarvoor had je mijn hulp nodig voordat je dit bezoek hebt gekregen?'

Ze keek recht door de kamer en hij volgde haar blik: hij zag lichtgeel behang met een wit-gele rand langs de kroonlijst, een wit plafond met bescheiden stucversiering bij de lamp. Rechts zag hij een staande lamp met een kap als een sombrero, naast een kunstwerk dat Wide vond lijken op iets wat Monet in zijn tuin in Giverny had geschilderd. Hij was daar geweest, met Jon en Elsa, ze hadden zelfs gelogeerd in hotel Strasbourg in Vernon, waar Alice Monet haar patés kocht.

'Ik voelde me bedreigd.'

'Door wie? Degenen die hier zijn geweest?'

Ze aarzelde met het antwoord. Haar ogen stonden iets helderder, alsof een grijs vlies langzaam en voorzichtig van haar gezicht was weggetrokken. Wanneer zou ze de eigenaardig formele toon laten varen en zich bekendmaken, hén bekend maken, een stuk of drie woorden zeggen over hun vroegere ontmoeting? Zou hij zelf iets zeggen? Hij had het gevoel dat hij de woorden er niet voor had, dat ze werden vastgehouden door de herinneringen die in hem opkwamen. Hij schrok op toen ze uiteindelijk antwoord gaf op zijn vraag.

'Ik weet het niet. Ik heb ze niet duidelijk gezien. Het ging allemaal zo snel.'

Ze rook zijn lichaamsgeur. Hij rook naar zweet, maar het was schoon zweet. Een man die zijn leven leefde zonder lichaamsspray. Waren die er nog?

'Zeiden ze iets?'

'Het ging heel snel, zoals ik al zei. Ik geloof dat het drie mannen waren, of twee… Ze waren plotseling hier en ik kreeg een klap.'

Ze stompte krachteloos met haar vuist op de gehavende bekleding van de bank, alsof ze haar woorden kracht wilde bijzetten. Hij rook de geur van de koffie in de beker, de cognac kwam erbovenuit.

'Kleding?'

'Als u… jij… bedoelt dat ze kleding droegen, dan is het antwoord ja.'

Glimlachte ze nu?

'Ik bedoel of je iets speciaals is opgevallen. Zwarte kleding. Kostuums. Een clownspak. Dat soort dingen.'

'Nee, niets. Ik werd een keer wakker, heel even, en zag dat een van hen, of een schaduw van iemand, over me heen gebogen stond.'

Ze legde haar hand opnieuw op de bekleding van de bank.

'Daarna werd het weer zwart.'

Wide rook het opnieuw. Het was geen ether, maar een andere geur, iets waar hij niet op kon komen maar wat hem eerder was opgevallen. Hij begreep wat het was.

'Ze hebben je bedwelmd,' zei hij terwijl hij de beker op de salontafel zette. 'Heb je iets gezien op het moment dat je bijkwam?'

'Er was drukte om me heen, kabaal. En daarna dacht ik dat iemand iets zei... een stem.'

'Een stem? Hoorde je woorden?'

'Nee, eigenlijk niet. Het was meer een geluid, rauw... Alsof iemand diep vanuit zijn keel praatte.'

'Een lage stem? Een bas? Een rollende "r"? Een Skåning? Een Småländer?'

Hij had 'Ronny Jonsson' willen zeggen, maar besefte dat alles zijn tijd en plek had. Hij was nog niet helemaal zichzelf.

Er bestond een Göteborgs dialect met een rollende 'r', in Mölndal maar ook in andere wijken. Dat had hem gefascineerd, tot hij in zijn vorige leven op een vroege winterochtend na een verschrikkelijke nachtdienst een auto ter hoogte van hotel Panorama schokkerig door de Eklandagatan had zien rijden. Hij had niets kunnen doen toen de auto vooruit schoot en een jongeman aanreed die in noordelijke richting liep.

De chauffeur leek bij zijn positieven te zijn gekomen. De auto reed vloeiend en snel weg en Wide zette zijn alarmlamp op het dak om hem te volgen en stopte de donkere, glanzende auto na een hele tijd. Het was hem in Guldheden pas gelukt om de auto te stoppen, bij de rotonde bij het Dr Friesplein. Een krachtige stank van dronkenschap en zure oprispingen was hem tegemoet gestroomd toen hij de deur openrukte, maar hij herinnerde zich voornamelijk de rollende 'r' van de chauffeur, dat fascinerende dialect, dat arrogant voortrolde. *Wat heeft dit verrrdomme te betekenen?* Hij had de man kalm en zwijgend uit de auto gehaald, zijn handboeien gepakt en de handen van de man op zijn rug vastgemaakt. *Wacht maarrr tot ik heb geprrraat met...* Wide luisterde niet naar hem, hij wist dat het niet bij woorden zou blijven als hij antwoord gaf, en hij haatte deze man en zijn daad veel te veel om hem meer dan nodig was aan te durven raken.

'Misschien een dialect. Het was een geluid dat ik herkende, dat ik eerder had gehoord.'

'Wat?'

Luisterde hij niet naar haar? Hoe lang was hij weg geweest? Ze raakte het verband dat hij onhandig rond haar hoofd had gewikkeld voorzichtig aan. 'Stemmen, een geluid. Een dialect.'

Wat had er op de wasbak gestaan? Xerxes.

'Xerxes. Het woord "xerxes". Heb je dat eerder gehoord? Of iets met "xerx"?'

'Xerxes...'

'Dat was een Perzische koning.'

Hij had het opgezocht.

'Maar ik zoek een andere betekenis. Denk ik.'

'Waarom zoek je naar een... woord?'

Ze aarzelde, wist waar hij het over had. Als beginnend ondervrager had hij geleerd dat iemand die een vervolgvraag stelde op een rechtstreekse vraag vaak tijd probeerde te winnen.

'Dat is opgedoken in verband met... dit. Wat nu is gebeurd.'

'Xerxes? Dat is de naam van een... holding, ik geloof dat die zo heet. Mijn man doet veel zaken met holdings. Hij heeft het over Xerxes gehad... Dat denk ik tenminste.'

'Tegen jou?'

'Nee... Ik heb hem aan de telefoon gehoord... toen ik langsliep...' *Ziet hij dat ik lieg? Ik ben hier niet zo goed in.*

Ze loog. Hij zag het. Waarom zou ze waarheid en leugen op deze manier verweven? Was het zo duidelijk omdat ze het bewust deed?

'Waar is je man nu?'

'Ik weet het niet. Hij heeft gisterochtend een telefoontje gehad. Hij heeft niets tegen mij gezegd.'

Ze zag er nu heel vermoeid uit.

'Ik hoorde een auto wegrijden.'

Nu zijn we terug bij de waarheid, dacht Wide, zo meteen moest hij haar vertellen dat ze de slechtste leugenaar was die hij ooit had gezien. Of een van de beste actrices.

'Sindsdien...' Ze maakte voorzichtig een cirkelvormig gebaar met haar armen. 'Tja, dit alles, ik weet niet waar hij is.'

'Blijft hij vaker een etmaal weg zonder dat te melden?'

'Dat is niet gewoon, maar het komt voor.'

'Is het normaal?'

'Sorry?'

Ze had het gevoel dat ze het woord nu kon zeggen.

'Is het normaal dat je man verdwijnt zonder iets te zeggen, en dan langer dan een etmaal wegblijft?'

'Soms moet hij ineens weg voor zaken.'

'Maar hij neemt contact met je op als… de zaken afgehandeld zijn?'
'Ja.'
'Behalve deze keer.'
'Dat lijkt erop.'
'Gaat dat anders ook zo?'
'Wat bedoel je?'
'Snelle gesprekken in de vroege ochtend, snelle reizen, snelle zaken.'
'Ik weet niet of de zaken van mijn man iets te maken…'
'De zaken van je man hebben hier misschien heel veel mee te maken.'

Ze had er genoeg van. Hij zag het, en hij begreep dat hij geen vragen meer kon stellen, hij kon het zelf niet aan. Hij was leeg. Het was een tijd geleden dat hij vragen had gesteld op een beroepsmatige manier, en hij was roestig. Hij was moe.

Ze keek hem nu recht aan en hield oogcontact met hem.

'Alsjeblieft, ik kan niet meer…'

'Jij wilde dat ik zou helpen. We hebben eigenlijk nog niet besproken waarom.'

'Ik zei toch dat ik me bedreigd voelde.'

'Dat is niet genoeg. Dingen hebben met elkaar te maken, en ik moet vragen blijven stellen tot ik iets te pakken heb wat bij iets anders hoort.'

Ze zuchtte.

'Kunnen we eerst uitrusten?'

Het geluid van de telefoon klonk als een luchtafweeralarm in de stilte, als een vreemd wezen. Ze keken in elkaars ogen, allebei verrast over het effect dat het geluid had.

Lea Laurelius verroerde zich niet.

'We krijgen waarschijnlijk geen rust.'

'Wie kan dat zijn?'

Een goede vraag om te stellen als de telefoon overgaat.

Hij pakte de elegante hoorn.

'Ja? Hallo?'

Het was stil aan de andere kant van de lijn, waar dat ook was. Hij hoorde de scherpe tikken in de verbinding, de ingehouden stilte van miljoenen stemmen.

'Hallo? Met… Laurelius.'

'Wie bent u?'

Het was een agressieve stem.

'Een kennis van de familie. Met wie spreek ik?'

'Ik ben familie. Mijn naam is Georg Laurelius. Ik wil mijn vrouw spreken.'

8

De moeilijkheden begonnen deze keer vroeg. Sten Ard voelde het meestal als er problemen op til waren. Weliswaar zag hij zijn baan tijdens sommige donkere uren als een serie kleine mislukkingen die werden onderbroken door grote rampen, maar deze keer was het wel heel slecht begonnen.

Göteborg was een kuststad. *We zouden er goed in moeten zijn om vissen te vangen, de grote én de kleine.* Ard zuchtte. Het was niet goed om de dag met dergelijke gedachten te beginnen.

We zouden meer middelen moeten hebben. Hij keek uit het raam naar de glanzende koperen daken van Heden. Het was niet goed. Er ontbrak te veel. Het was alsof je in het Skagerak met kapotte sleepnetten op kabeljauw ging vissen, of op haring ging vissen met een keernet zonder bodem.

Hij was het zat om met kapotte netten te vissen. De moordenaars kwamen er veel te gemakkelijk mee weg.

Georg Laurelius was zeven uur dood toen de forensisch patholoog-anatoom klaar was met het onderzoek, 'give or take 45 minutes' had hij rond lunchtijd kordaat en stijlvol veramerikaniseerd meegedeeld.

Ard keek naar de verslagen van Babington en Lagergren. Hij zou een onregelmatigheidstoeslag moeten eisen om dat soort lectuur te lezen. Hij verlangde geen creatief schrijven van zijn rechercheassistenten, maar hij wilde niet het gevoel hebben dat hij met uien in zijn ogen had gewreven zodra hij een verslag las. Werden er geen schrijfcursussen gegeven op de politieacademie? Konden ze kandidaten van de journalistenhogeschool aannemen? Was de wereld rijp voor dergelijke veranderingen?

'Babington!'

Soms was het goed om tegen een assistent te schreeuwen, en het was een goede naam om te brullen, Brits-Argentijns, zijn voornaam was Carlos en zijn familie was afkomstig uit een land met de meest eigenaardige namen ter wereld. Elke Argentijnse voetbalploeg, en ook het nationale team, was als een staalkaart van de migraties in de afgelopen eeuwen. Voornamelijk oude nazi's natuurlijk, maar daar hoefden de jongens op het voetbalveld geen weet van te hebben.

'Chef...'

Babington stond in de deuropening, met zijn bruine haar en een gezichts-uitdrukking alsof hij vandaag de wereld voor het eerst had begroet. Zijn blik zwierf door het kantoor en bleef op het laatst onvermijdelijk op Ard hangen.

Konden ze 'sir' niet invoeren in het Zweedse politiekorps? Dat was een goede aanspreekvorm, naar beneden en naar boven. Het nivelleerde als het ware. Ard hield er niet van om 'chef' genoemd te worden, maar hij vond het soms wel prettig om op die manier op te treden. Hoe zou het voelen om 'sir' te zijn?

'Kom binnen en ga zitten, Calle.'

Het is weer zo'n ochtend. Verdomme. De verslagen zijn niet goed. Als ik er langer aan had kunnen werken...

'Ik zie dat je de middag hebt doorgebracht tussen de vissers bij de Älvs-borgsbrug. Als ik het zo lees, zijn ze niet bepaald praatziek.'

'Niemand heeft iets gezien.'

'Geen auto's in de buurt. Geen geluiden.'

'Ze zeiden dat ze zich hadden geconcentreerd op het vissen.'

'Wat deden ze in het centrum van Göteborg, bij een smerige, verstede-lijkte rivier, als ze zich wilden concentreren op het vissen?'

Babington schrok van de ironie in de woorden, de scherpte ervan, hij had zelf vaak geprobeerd om zijn woorden scherp te slijpen, maar dat was niet echt goed gelukt. Hij had meer tijd nodig. Hij had ook meer jaren nodig, hij was dertig, maar hij voelde zich nog jonger in dit gezelschap.

'Ik weet het niet.'

'Zijn het geen vroege vogels?'

'Sommigen waren er rond vijf uur, anderen zijn later gekomen.'

'Ze wilden niet bijten?'

'Jawel, een man had drie haringen...'

'Ik bedoelde dat ze niet wilden bijten toen jij je vragen stelde.'

Schroefde hij zijn stem te hard op? Drukte hij zich te slecht uit, sloeg hij de logische bindmiddelen over?

'Zoals ik in het verslag heb geschreven, was er niemand die... ehm... in westelijke richting keek, ze keken allemaal naar hun dobber en naar Hisingen.'

'Ik citeer: "ik heb geen ogen in mijn nek, jezes, heb je niets anders te doen, kan ik nooit eens met rust gelaten worden". Wie zei dat?'

'Iemand die zich ergerde en misschien... uit balans was.'

'Jezus schrijf je met een "u". Niet met een "e".'

'Ik...'

'Spellen! Ik wil goed gespelde verslagen op mijn bureau! Ik kan geen meeslepend proza eisen, maar er bestaan woordenboeken voor lastige woorden.'

'Ja, sir.'

Ard keek haastig op. Nam Babington hem in de maling? Was hij zo slim? Nee, hij had het zelf niet eens in de gaten. Van *Inspector Morse*, waarschijnlijk, dat tijdens de zweterige voorzomeravonden, op woensdag, werd uitgezonden. Maar was Babington zo slim dat hij de plot kon volgen? Aan de andere kant leek inspecteur Morse zelf problemen te hebben met het volgen van de plot, of eerder de acteur die hem speelde, John Thaw.

Sten Ard sloeg een vriendelijkere toon aan.

'Heb je hem verteld dat hij waarschijnlijk ogen in zijn nek krijgt als hij zijn eigen vangst opeet?'

'Nee.'

'Mooi.' Ard boog zich over het verslag en las de naam. 'We wensen hem… we wensen deze Sven Jerry Pettersson een goede vangst. Op weg naar buiten kun je naar de bibliotheek gaan om een kookboek te lenen en een recept voor hem te kopiëren.'

'Op weg naar buiten?'

'Je gaat terug naar de vissers en naar Sven Jerry Pettersson, als hij er vandaag is, Calle. Ik wil dat je opnieuw vragen gaat stellen.'

'Opnieuw vragen stellen?'

'Het is voldoende als we dezelfde zin één keer zeggen.'

Klonk hij opnieuw te hard, te schoolmeesterachtig?

'Ik wil ook dat je met de mensen in de oude suikerfabriek praat. Er zijn daar heel veel kleine bedrijfjes, en kunstenaars, schilders en fotografen. En een of twee cafés, geloof ik. Mensen die zich misschien niet meteen op de telefoon werpen om de politie te bellen.'

'Maar ze werpen zich wel op mij.'

Babington glimlachte. Had Ard hem onderschat?

'Oké, rij er meteen naartoe. Lagergren gaat met je mee. Ik voel van haar kant hetzelfde enthousiasme.'

Meer dan een etmaal later en ze hadden de vrouw van Laurelius, Lea, nog steeds niet gevonden. Waarom hadden ze haar verdomme niet gevonden?

'Waarom hebben jullie haar verdomme niet gevonden?'

De hoofdcommissaris keek bevelend naar hem. Het opperhoofd van de afdeling. Nee, het was niet bevelend. Hij keek naar hem alsof hij een hond was die iets smerigs op het tapijt had gedeponeerd. *Dog eat dog.* Iedereen had altijd iemand boven zich.

Sven Holte was nooit iets anders dan de 'baas', hij was waarschijnlijk als kind al zo genoemd, door zijn ouders. Had hij zijn vader gefouilleerd voordat die toestemming had gekregen om 's ochtends naar zijn werk te gaan? Sven Holte had altijd beslist, over iedereen.

Ard zag zweet op het voorhoofd van Holte. *Als ons gesprekje achter de rug is, belt hij waarschijnlijk naar het meteorologisch instituut om eerst te vragen waarom het verdomme zo heet is en daarna te eisen dat er iets aan gedaan wordt. Het hemelgewelf bombarderen, misschien? Hadden de Chinezen niet geprobeerd de luchtverontreiniging weg te poetsen toen het Olympisch Comité Peking aandeed voor een studiebezoek?*

Maar toch, hij had de laatste tijd iemand anders gezien dan de gewoonlijk zo harde Holte. Zorgen in de privésfeer? Stond hij zichzelf zoiets toe?

'Er was blijkbaar een misverstand toen we het bezoek zouden afleggen.'

'Een misverstand? Waaruit bestond dat misverstand?'

'De richting.'

'Hebben de manschappen van de commissaris hun kompas verkeerd om gehouden? Zijn ze in Hindås in plaats van Hovås terechtgekomen?'

Sten Ard herkende sarcasme als hij het hoorde. Hij had geleerd om het langs zich te laten glijden en met een lichte plof tegen de muur achter zich te laten exploderen. Er hadden zo langzamerhand zoveel explosies plaatsgevonden dat het kantoor van Holte opnieuw behangen moest worden. *Eierdozen, dat zou een geschikt materiaal voor deze ruimte zijn.*

'We hebben een auto naar Hovås gestuurd, maar het adres... Tja, Boursé en ik konden allebei niet...'

'Nee, het is duidelijk dat jullie dat niet konden. Wie houdt jullie vast op de plee?'

Ard herkende ook een retorische vraag als hij die hoorde.

'Wat was er met dat adres?'

'Het was een verkeerd adres, ze zijn onlangs verhuisd en de computer, tja... de mannen zijn in Billdal beland, eh... Ze zijn naar het bureau teruggegaan omdat ze ons op dat moment niet konden bereiken, ik was op zijn kantoor en...'

Hij merkte dat hij zijn lesje opdreunde. Een bijna vijftigjarige schooljongen die tegenover een tweeënvijftigjarige Caligula stond.

'Ik heb begrepen dat je er uiteindelijk bent gekomen, godzijdank.'

'Ja, vroeg in de middag, helaas erg laat. Het huis was leeg. Ik heb daar een paar uur een mannetje gehad, maar... in de versla...'

'De verslagen hebben voor mij nul en generlei waarde. Ik adviseer je om die ergens weg te stoppen waar de zon niet schijnt.'

Draai je dan om en buig naar voren, maestro. Ard lachte een van zijn inwendige glimlachjes.

Holte veegde zijn glanzende, gebruinde voorhoofd af.

'Als je daarmee klaar bent, ga je zitten om erover na te denken wat er gedaan moet worden en daarna vertel je mij wat er gedaan moet worden en dan zorg ik ervoor dat je krijgt wat je nodig hebt. Wie je nodig hebt.'

Ard voelde zich plotseling verbonden met de Baas. Dat was ongewoon. Degenen die druk op hem konden uitoefenen hadden dat duidelijk gedaan.

De zware jongens keken blijkbaar over zijn schouder mee.

'De zware jongens kijken over mijn schouder mee,' zei Holte terwijl hij opnieuw met de rug van zijn rechterhand over zijn voorhoofd veegde. 'Die verdomde Laurelius was een hoop stront, dat weet iedereen, maar hij was blijkbaar een verfijnde hoop stront, geparfumeerd met een verdomd duur parfum om de stank weg te houden.'

Holte veegde opnieuw zijn voorhoofd af. *Zelfs de Baas kan niet tegen de warmte. Of komt het door de zware jongens?*

Er hing een zweetdruppel aan het puntje van Holtes neus. Het zonlicht van het raam achter hem bereikte de druppel en verlichtte hem. Het leek heel even alsof er een edelsteen aan Holtes neus geplakt zat. Het gaf hem een eigenaardig, nuffig trekje, dacht Ard. Als een neushoorn die *Het Zwanenmeer* danst.

'We moeten deze zaak snel oplossen. Jij en Boursé werken er fulltime aan, kies jullie mannen zelf. En vind dat mens snel. Als het maffia is moeten we ze meteen oppakken.'

Hij klonk niet overtuigend.

Ard zag de uitdrukkingsloze gezichten voor zich toen hij Holtes kantoor uit liep. Hoe heette die film van een paar jaar geleden, van die Joodse broers... *Miller's Crossing*... Het was een zware film, en buitengewoon goed gemaakt, hij zou dolgraag willen zien hoe Holte het toneel op stormde en probeerde de maffia op te rollen.

Waar zit die Lea, dacht hij terwijl hij naar de kantine liep voor zijn vierde kop van die dag. Hij zou deze keer thee nemen.

Holte zag Ard zijn kantoor uit lopen. Hij belde niet naar het meteorologisch instituut. Hij kwam overeind, liep door de kamer en deed de deur op slot, liep toen terug en ging achter zijn bureau zitten. Hij deed de middelste van de drie laden onder zijn bureau van het slot en haalde er een dunne, blauwe map uit.

Holte dacht aan Jonathan Wide. Hij wilde het niet doen, hij had het idee lang voor zich uit geschoven, had een andere uitweg gezocht. Het was onmogelijk geworden, er waren steeds minder wegsplitsingen en ten slotte verdwenen ze helemaal. Wide. Voelde hij haat?

Op een keer was hij teruggekomen van een bijeenkomst, hij noemde het zo, een bijeenkomst. Hij was 's middags een vergaderzaal binnengelopen met de geur van de jongen als een broze herinnering op zijn rode huid en Wide had daar gestaan. Hij had in Wides ogen gelezen dat Wide het wist, er lag een uitdrukking in de ogen van die verdomde verrader waaraan Holte niet kon ontsnappen. Jazeker, hij haatte Wide. Hij kon naar de hel lopen, iedereen was op weg daar naartoe, maar Holte was niet van plan om achter de anderen aan in dezelfde wagen te stappen. Hij zorgde dat hij zelf een wagen klaar had, die hij koesterde en elke avond oppoetste.

'Ben je hier nu alweer?'

Zo snel kreeg hij permanente kennissen, een tweede bezoek en hij had al een vriend. Sven Jerry Pettersson was geen vreemdeling meer voor Calle Babington.

'Heb je een andere naam aangenomen sinds we elkaar de vorige keer zagen, hè hè hè...' Sven Jerry had veel plezier gehad om de naam van de politieagent, toen hij zijn eigen manier had gevonden om hem uit te spreken. Het erg Britse Babington was verspild aan Sven Jerry Pettersson.

'Hoe gaat het vissen vandaag?'

Sven Jerry kreeg een achterdochtige uitdrukking in zijn ogen.

'Komt dat in het een of andere verslag?'

'Nee, het interesseert me gewoon.'

'Een idioot kan zien dat het vissen niet goed gaat. Ik sta hier niet om het vissen. Ik sta hier omdat ik niets anders te doen heb.'

Babington verkreukelde het recept dat hij in zijn zak had. *Haring met groene kruiden*, dat het meest in de buurt kwam van de veronderstelde soortenrijkdom in de rivier. Had hij Ards woorden te letterlijk genomen? Moest hij Pettersson in plaats daarvan meenemen naar de staatsslijterij en hem trakteren op een broodje gekookte worst van de kraam, zoals de nuchtere alcoholisten die gedurende alle openingstijden altijd bij zich hadden terwijl ze voor het raam stonden?

De visser keek hem aan met ogen die waren samengeknepen in het sterke licht.

'Ik ben werkloos. Iedereen hier is werkloos.'

'Die jongen daar, van een jaar of acht, is die ook werkloos?'

'Dat wordt hij, hij bereidt zich voor.'

'Ga je nooit de zee op?'

'Ben je de laatste tijd nog bij restaurant Sjömagasinet geweest?'

Sven Jerry Pettersson gebaarde in oostelijke richting. Babingtons blik volgde hem.

'Hoezo?'

'Daar lag de trotse viskotter *Od*, eigendom van de stad Göteborg. Hij is zo slecht onderhouden dat hij pasgeleden gezonken is. Midden in de haven, bij de steiger waaraan hij altijd heeft gelegen. Je zou kunnen zeggen dat hij op zijn post is gebleven.'

Babington herinnerde zich de *Od*.

Jarenlang had de boot mensen meegenomen op vistochten, hele en halve dagen. Ze waren teruggekomen met grote hoeveelheden makreel of met groene gezichten en een lege blik. Sommigen waren zodra het eiland Vinga uit zicht was in de kleine kajuit beland, buitengaats stond een harde stroming van een meter per seconde en velen bezwoeren tegen lunchtijd geluidloos dat ze nooit, maar dan ook nooit meer op een boot zouden stappen. Vooropgesteld dat ze het overleefden. Sommigen konden de lucht van makreel daarna niet meer verdragen.

'In de goede tijd, toen ik een baan had, maakte ik af en toe een tocht met de Od.'

De man keek met samengeknepen ogen naar de zon.

'Daarna werd het te duur. En toen zonk het wrak, vlak nadat ik werkloos was geworden. Denk je dat daar een symboliek in zit, jongen?'

Sven Jerry was zo zongebruind als een mens in het noordelijke deel van de wereld kon worden. Hij droeg een gebloemde korte broek en verder niets. Babington verdacht hem ervan dat het een onderbroek was. Alle werkloze vissers droegen onderbroeken en verder niets. In een soort protest stonden ze hier tot ver in de ochtend onder de brandende zon; hij had ze eerder gezien en hij had ze gisteren gezien, tegen lunchtijd trokken de meesten zich terug in de schaduw van het verlaten gebouw dat rijp was om gesloopt te worden en dat als een oorlogsmonument midden op het keiharde veld onder de Älvsborgsbrug stond. Babington was daar ook geweest, tussen kapotgeslagen bier- en brandewijnflessen, blikjes, hondenpoep en rottende etensresten. Hij had drie gebruikte canules gezien. Hij had op een slap tapijt van gebruikte condooms gestaan. Er waren nog steeds junks en hoeren en hoerenlopers die condooms gebruikten, of die waren begonnen ze te gebruiken. Het was een naïeve gedachte, die hij toch wilde behouden.

'Heeft het zin om je nog een keer te vragen of je gisterochtend iets hebt gezien?'

'Nee, dan had ik het verteld. Ik ben werkloos, maar ik ken mijn plicht tegenover de maatschappij.'

Hoe oud was hij? Veertig? Vijftig? Hij had veel rimpels rond zijn ogen, Pettersson had een voorhoofd dat bezaaid was met levervlekken of moedervlekken en Babington vroeg zich af of de man hier zo vaak in de zon stond om doelbewust zelfmoord onder de ultraviolette stralen te plegen. Zijn haar was lang, het hing in zijn nek en over zijn oren, zijn korte broek was vaal na duizend keer wassen. Aan zijn voeten droeg hij bruine sandalen van dik imitatieleer, zijn voeten waren zo bruin van de zon dat het moeilijk was om te bepalen waar de voet eindigde en de sandaal begon.

'Wat deed je voordat je je baan kwijtraakte?'

'Is de maatschappij geïnteresseerd in die informatie?'

'Ik ben dat.'

'Ik werkte bij een klein bedrijf, een drukkerij. Geschapen voor de goede jaren.'

Sven Jerry Pettersson keek naar een man die beet had. Een klein wezen kronkelde met wanhopige bewegingen aan het eind van de lijn: een zilverglinsterend wezen dat in de rivier teruggegooid zou worden. Hij draaide zich om naar de jonge politieagent in zijn veel te warme kleren.

'Niemand heeft nog visitekaartjes nodig.'

'Ik wel. Hier, neem het mijne. Mijn telefoonnummer staat erop. Als je iets te binnen schiet, of je hoort iets, bel me dan. *Day or night*.'

'Heb je met de mensen in de fabriek gepraat?'

Pettersson wees met zijn hengel naar de ronde, op een paleis lijkende gebouwen een paar honderd meter verderop, met de roodbruine stenen een vergeefse benadering van de Oriënt.

'Ik ga er nu naartoe.'

Babington zag hoe Lagergren tweehonderd meter verderop langzaam van visser naar visser liep. Zijn collega was gisteren niet mee geweest, mocht vandaag de vragen stellen. Verse ogen en oren.

'Pas op voor de kunstenaressen.'

'Wat?'

'Een deel van hen is niet zo vriendelijk en meegaand als ik. Ik heb hier heel wat keren gestaan en heb ze zien komen en gaan. Het zijn meiden die voor zichzelf kunnen zorgen.'

'Je hebt mijn kaartje, Pettersson.'

Hij draaide zich op zijn hakken om en liep naar de bol staande oude gevels.

'Wees voorzichtig!' riep Pettersson hem na. 'Een deel van die vrouwen heeft waarschijnlijk nog niet ontbeten.'

Hij had gebeld maar ze wilden geen informatie verstrekken. Een 'vriend' of een 'vriend van de familie' was niet voldoende geweest.

Waarom maakte hij zich er zo druk om? Was het omdat ze mooi was, ze kon mooi zijn geweest, of was zijn tijd achter het stuur verstreken, kon hij het niet meer aan om als taxichauffeur te werken? Het kon iedereen zenuwachtig maken.

Hij had de zon geschilderd, maar die kon hij niet goed naar zijn hand zetten, hij had koffie gedronken, hij kon niet slapen maar hij kon zich ook niet op zijn werk concentreren. Hij moest haar uit zijn gedachten zien te bannen.

Wat had ze geslikt?

Hij hoorde buiten een geluid, op het grasveld dat overging in de klip erachter en de oude vesting van Älvsborg, een nutteloos monument, en de oeroude trap die afdaalde naar het nieuwe gebouw van de Carnegie-brouwerij. Wie was dat in vredesnaam? Werd hij hier zelfs niet met rust gelaten? De man zag eruit alsof hij thuishoorde in een van de kantoren onder aan de heuvel. Soms liepen ze verkeerd, hoewel dat bijna onmogelijk was.

Babington zag de man achter het raam en klopte licht op het glas. De man opende het raam met een in flanel gestoken arm die vol verfspatten zat, hij had een gezicht dat de sporen van late nachten droeg.

'Er is geen deur aan deze kant. Als je naar binnen wilt, moet dat via het raam.'

Babington wurmde zijn lange, slungelige lichaam naar binnen en keek om zich heen in de grote kamer – nee, het was een zaal. Hij was nog nooit in een kunstenaarsatelier geweest. Het rook sterk naar verf en chemicaliën, grote doeken stonden tegen drie van de muren geleund, zagen en planken en ijzeren buizen en plastic jerrycans en stukgeknipte kranten vulden de ruimte, een draagbare stereo-installatie speelde klassieke muziek. De kunstenaar zelf keek naar hem maar toch ook niet, alsof zijn plotselinge aanwezigheid niet belangrijk was.

Er was overal veel kleur. Rood, blauw, intens geel. Babington verwachtte niet dat hij iets zou zien wat hij zou herkennen, of begrijpen.

'Ik hoop dat je van een galerie bent.'

'Nee.'

'Zoek je Nina of Beck? Ik kan je via de deur naar buiten laten, ze zitten aan de andere kant van de gang.'

'Ik zoek niemand in het bijzonder.'

Babington voelde zich een beetje gespannen. Moest je iets slims zeggen in de nabijheid van zoveel schilderijen?

'Politie.' Hij hield zijn legitimatie voor zich, dat moest voldoende zijn. 'Mag ik een paar vragen stellen?'

'Politie.' Hij zag een glinstering in de donkere, vermoeide ogen van de kunstenaar, die zijn penseel neerlegde.

'Mooi. Ik ben getuige van een moord. Misschien.'

9

Babington bevroor, met zijn notitieblok half uit zijn binnenzak.

'Een moord? Heb je iets gezien?'

'Ik heb het resultaat gezien.'

'Waar bevond je je dan?'

'In de auto. En naast de auto.'

'Een auto? Ging je er met een auto naartoe?'

'Waar naartoe? Zijn wegen niet bedoeld voor auto's?'

Babington deed zijn ogen dicht. Hoe belachelijk kon een gesprek worden? Hij moest opnieuw beginnen, alles moest zo helder mogelijk zijn.

'We beginnen vanaf het begin. Stond je hier buiten geparkeerd?'

De kunstenaar keek een hele tijd naar de jonge politieagent. Was dit de nieuwste verhoortechniek? Aan de periferie beginnen?

'Natuurlijk stond ik hier buiten geparkeerd. Maar waar ik het over heb, begon op het Redbergsplein en ging verder in een portiek in Hjällbo en stopte – blijkbaar permanent – in het Östra-ziekenhuis.'

'Het Redbergsplein. Je hebt het dus niet over de moord die hier buiten heeft plaatsgevonden?'

'Heeft hier een moord plaatsgevonden?'

Babington deed zijn ogen opnieuw dicht.

'Ik ben hier om een paar vragen te stellen over een misd... een moord die gisterochtend vroeg op de wandelpromenade bij de Nya Varvet, vlak bij de Rode Steen, heeft plaatsgevonden. We vragen de mensen of ze iets gehoord of gezien hebben.'

'Ik heb hier niets gezien.'

'Over wat voor moord heb jij het dan?'

'Ik zei misschien. Ik heb het over een jong meisje dat door iemand is volgestopt met slechte drugs, of te veel drugs, en daarna hulpeloos is achtergelaten.'

'Heb je daar aangifte van gedaan?'

'Ik heb haar meteen naar de eerste hulp in het Östra-ziekenhuis gebracht. Is dat niet voldoende?'

'Wanneer was dat?'

'Gisterochtend vroeg, heel vroeg. Daarna ben ik hiernaartoe gereden en ben ik hieraan begonnen.'

Hij maakte een vaag gebaar naar een groot doek op een kleine schilders-ezel. Babington zag een dun rood vlies op een witte ondergrond. Een krachtigere rode kleur over de ijle kleur. Aan de randen een blauwe con-tour. Hij zag een paar kleine figuren in het midden van het schilderij, maar hij kon niet zien wat ze deden of voorstelden. Misschien moest hij dat be-palen, hij had gehoord dat goede kunst net zo goed in het hoofd van de toeschouwer werd geschapen.

'Mooi.'

Klonk dat alsof hij het meende?

'Je kijkt verkeerd. Dat doek is om de penselen aan af te drogen.'

'Aha...'

'Nee, ik maak een grapje. Kun je me ergens mee helpen?'

Het initiatief. Babington was het initiatief kwijt. Hij was niet van plan moeite te doen om het terug te krijgen, hij wilde hier weg. Hij kreeg pijn in zijn hoofd van het verdunningsmiddel. Hoefden kunstenaars geen be-schermend masker te dragen?

'Je helpen?'

Het is voldoende als we dezelfde zin één keer zeggen.

'Het meisje, dat ik heb opgepikt en naar het Östra-ziekenhuis heb ge-bracht. Ze willen me geen informatie over haar geven. Kun jij – als politie-agent – bellen en vragen hoe het met haar is? Wil je dat doen?'

Ard liep het kantongerecht in het oude Nordstan uit, dat onlangs van de Södra Hamngatan hiernaartoe was verhuisd, naar klassiek oplichtersge-bied.

Arrestatieonderhandelingen waren bedoeld voor het publiek. Vooral als de dader op vrije voeten was. Vanavond zou hij zijn slag weer slaan, in de Chalmersgatan of in de stad, high en levensgevaarlijk.

De zon brandde op Sten Ards kale hoofd voordat hij de schaduw in dook. Hij moest misschien een zakdoek kopen en die met vier knopen rond zijn hoofd binden, zoals Bobby Charlton in Mexico in 1970 had gedaan, in de verlenging tegen West-Duitsland. Charlton liep het veld af toen de stralen zijn hersenen begonnen te verzengen en die actie betekende het begin van het einde voor Engeland.

Als de warmte nog een tijd aanhield, konden ze alles beter neerleggen en voor onbepaalde tijd *hitzefrei* nemen. De hitte deed dingen met mensen. De jongens en meisjes van de unit Openbare orde, Verkeer en Milieu had-den het zwaarder dan iemand zich kon herinneren. Mishandeling in de privésfeer, als de hitte 's avonds laat in de kleine flats of de villa's was binnengedrongen en het geschreeuw als ruigharige adelaars tussen de gebouwen echode. Als de overdruk zich vermengde met eenzaamheid en angst en stompe voorwerpen voor het grijpen lagen, en in een gevoel van haat zich keerde tegen de geliefden, tegen degenen die in de buurt waren.

Maar het lag niet aan de warmte, niet alleen. Hij zag het aan de kinderen. Hij had een schoolklas ontmoet, ernstige gezichten op gelijke hoogte met de koppen op de krantenaffiches in de sigarenwinkels, IEDEREEN WERKLOOS, wie kon zich daartegen verdedigen? De kinderpsychiaters hadden het druk met kinderen die zich in zichzelf hadden opgesloten als de problemen van de ouders zowel de kinderwereld als de wereld van de volwassenen omvatten. Hij had zich afgevraagd of het nut had voor de kleintjes om te leren lezen als dit de boodschap was die ze moesten opnemen en verwerken.

Sten Ard sloeg af naar de Korsgatan en liep in de koele schaduw naar de markthal. Schapenkaas, de Griekse uit Trakië, zwarte olijven, ingemaakte druivenbladeren, twee ons pistachenootjes – Maja hoefde het niet langer op te schrijven, hij kwam tegenwoordig vaker bij Alexandros dan zij. Uiteindelijk had ze tegen hem gezegd dat hij een ons extra moest kopen of moest stoppen met olijven eten als hij van de markthal naar het politiebureau liep tijdens zijn halfuur lunchpauze. Hij kon niet koken, of misschien wilde hij het niet, in elk geval niet in het begin, maar hij stond graag in de keuken om naar Maja te kijken, die kleine kunstwerkjes van de afzonderlijke ingrediënten maakte. Uiteindelijk was hij begonnen met boterhammen met verschillende soorten beleg. Dat was al mooi geweest.

Knoflookolijven waren laat in zijn leven verschenen. Dat was waarschijnlijk een kwestie van rijpheid, een ontwikkelde smaak. Net als ansjovis, of oesters misschien. De gedroogde Siciliaanse worsten. Geitenkaas, belegen en met een rijpe geur. Een keer had hij een pond in een kluisje op een veerboot van de *Stena Line* bewaard en een oudere vrouw met een kluisje ernaast was flauwgevallen toen de veerboot het Amerikahuset passeerde en de passagiers hun spullen bij elkaar begonnen te zoeken.

Hij liep de hal in via de Södra Larmgatan, hier waren de geuren het duidelijkst, het sterkst. Brood, kazen, ingemaakte levensmiddelen, de rokerige, zurige lucht die als een ozonlaag over de kleuren en het geroezemoes lag, de zoete vluchtigheid van een net opengesneden watermeloen, de lichtelijk agressieve geur van rauw vlees, die scherp was bij de toonbank waar wild werd verkocht.

Bij het café in het midden zaten de stamgasten: mensen die uit andere werelddelen waren gekomen. Hier waren ze in de meerderheid, de eerste en tweede en derde generaties immigranten. Gedurende het afgelopen jaar waren meer immigranten op minder plekken gaan wonen. Hij had geen angst bij hen gezien, maar wel een bepaalde voorzichtigheid, alsof het van belang was om naar veilige woningen te trekken, om hun krimpende omgeving met grote zorg te kiezen. *Ik ben vreemdeling in dit land*, er was een Ekelöf voor elke situatie, ook hier of misschien vooral hier, met alle talen en symbolen en etenswaren uit de buitenwereld.

Twee kinderen haastten zich langs hem met een appel in hun hand. Een stevige man in een blauwgestreepte trui boog zich over zijn toonbank om een dikke worst te pakken. Hij toonde hem aan een klant, die het hoofd schudde. De man in de blauwgestreepte trui keek teleurgesteld.

'Een dubbele espresso.'

Ard bleef staan. Hij had het nooit prettig gevonden om zich op een barkruk te nestelen. Uiteindelijk was hij oud genoeg geweest – toen hij veertig was geworden – om te beseffen dat hij dat niet hoefde te doen als hij het niet wilde.

'Vrije dag?'

Het was de enige plek in de stad waar Sten Ard stamgast was.

'Een dienstreis van de Skånegatan.'

Aan de muur achter Yossef hing een oud krantenartikel over Bibbi Langer, die een uitgemergelde koffieplukster in Colombia omarmde. Ard had nooit gevraagd wie het had opgehangen. De broze ironie van die keuze was voldoende.

'Warme dagen.'

Yossef keek naar het zweet op zijn gezicht.

'Ik denk dat we voorgoed tropisch weer houden.'

'We kunnen niet zonder leven,' zei Yossef, en hij lachte. 'Als er voldoende Afrikanen en Aziaten hiernaartoe zijn gekomen, volgt het weer vanzelf.'

'Dat geloof ik niet helemaal.'

'Het gaat hier inderdaad om geloof. Waarom hebben wij barbaren anders zoveel prachtige goden?'

Ard verplaatste zijn lichaamsgewicht naar zijn rechterbeen.

'Ik heb daarover nagedacht. Voel je je hier meer thuis als de ene dag nog heter is dan de andere?'

'Ik niet. Ik ben hier al tien jaar, ik hou inmiddels van alle jaargetijden. Het is goed als de kou in je huid bijt.'

Yossef had kleine brokjes Göteborgs idioom in zijn taal opgenomen.

'Maar anderen…'

'In het begin is het moeilijk.' De grote zwarte man achter de toonbank serveerde Ard een klein, rond kopje espresso en een Arabisch honingkoekje.

'Haal dat weg. Van één zo'n koekje krijg je acuut en levenslang diabetes.'

Het was een ritueel. Hij moest het eten en er daarna nog een willen.

'Er is zoveel anders voor degenen die gevlucht zijn,' zei Yossef met een gefronst voorhoofd. 'Het weer, tja… Dat is waarschijnlijk hun kleinste zorg.'

'Sommigen lijden daar waarschijnlijk onder.'

'Ik hoorde een verhaal in het kamp toen ik hiernaartoe kwam. Twee mannen uit Soedan vertelden over een jongen uit hun buurt die hier als uitwisselingsstudent naartoe was gekomen, hij zou een jaar blijven.'

Yossef schonk twee grote koppen vol koffie en opgestoomde melk en serveerde die aan twee mannen met kort haar. Ze hadden een Arabisch uiterlijk. Yossef sneed een baguette in de lengte door, deed wat olijfolie en grof zout op een helft, en belegde die met salami, groene sla, een grote tomaat in plakken, ingemaakte aubergine, grote groene olijven en twee lange, dikke schijven geitenkaas. Toen deed hij de andere helft erbovenop, legde de baguette op een groot blauw bord en zette dat neer voor een jong meisje dat met glanzende ogen toekeek.

'Well.'

Hij veegde de broodkruimels in een brede mand onder de toonbank.

'De student is een jaar weg. Hij komt thuis. De mensen zijn natuurlijk nieuwsgierig hoe hij het heeft gehad. "Hoe heb je het gehad?" vragen ze. "Hel goed," zegt hij want hij is een beetje van de taal kwijtgeraakt. "Hoe was het weer?" vragen ze hem. "Goed," zegt hij. "Was het koud?" vragen ze. "Tja," zegt hij, "de groene winter was niet erg, maar de witte was afschuwelijk!"'

Lagergren liep langzaam in oostelijke richting, van visser naar visser. Het was lastig, niet de vragen of de antwoorden, maar de fysieke nabijheid. Alsof je in een nudistenkamp rondliep met overdreven veel kleren aan je lichaam. Had Ard geweten hoe het zou zijn? Waarom had Calle niets gezegd? Hij was hier gisteren tenslotte geweest, hij had vragen gesteld die niet duidelijk genoeg waren, en nu was hij verdwenen tussen die afgrijselijk lelijke torens in de verte.

Het begon kwellend heet te worden. Sten Ard had gezegd dat ze ook met de mensen in de gebouwen moesten praten. Het was vast koel daarbinnen. Het was onmogelijk om het hier nog langer uit te houden. De kerel met wie ze praatte was weerzinwekkend, zoals hij maar doorging over zijn werkloosheid. Het was natuurlijk tragisch, maar hij legde het er te dik bovenop, gooide een enorme hopeloosheid over zijn schrale leven. *Waarom ga je niet gewoon liggen om dood te gaan?* Hoe zou zo'n oproep van een politieagent ontvangen worden?

Lagergren nam een beslissing en liep snel in de zon over de droge grond naar de honderdjarige schaduw van de fabrieksmuren. De instructies stonden op haar notitieblok. Om het hoofdgebouw heen, schuin naar links naar de binnenplaats, het trappenhuis bij het uithangbord van het café.

Daarna hoefde ze alleen nog maar te kiezen.

Op de eerste verdieping hing een klein bordje dat uit een kartonnen doos was gescheurd, de naam was er slordig met een balpen op geschreven. Een onderdeel van een bewuste stijl? Lagergren wist pretentieloosheid te waarderen. De geuren van oeroud stof dwarrelden de trappen op en af, als een herinnering aan de klaslokalen uit haar jeugd in de jaren zestig. Het laatste jaar had ze een schoolbank met opklapbaar deksel gehad, dat was net zo'n geur geweest, Lagergren kon de boeken bijna voor zich zien. Als een dagdroom, wat had iemand ook alweer gezegd, als in het voorbijgaan, op de politiehogeschool? Iets over nostalgie, over nostalgie als apathie, als toevluchtsoord voor degenen die te laf voor het leven waren. Ha! Lagergren voelde zich sterk in haar nostalgie. Maar misschien zou het op een later moment in haar leven tot een last worden, als ze het grootste deel achter de rug had.

Ze hoorde binnen een dreunend geluid, overweldigend in een grote, lege ruimte. Het klonk als de Stones. *Voor mijn tijd, maar het zoeken naar het verleden gaat door.* Sommigen noemden de Stones misschien nostalgie, maar zelfs Keith Richards was vreemd genoeg nog steeds in leven.

Nadat ze minutenlang op de massieve deur had gebonkt, deed eindelijk een vrouw open. Henna in haar haar, een mopsneus, lichtblauwe ogen, ergens in de dertig zonder zich daarvoor te hoeven schamen, orthopedische schoenen maar heel strakke jeans als een soort tegenhanger voor het schoeisel, een korte bloes die om haar taille was dichtgeknoopt. Grote borsten. Ze was knap. Ringen rond de meeste vingers, behalve de linkerringvinger. Ze keek met kalme zelfverzekerdheid naar Lagergren, als iemand die niet altijd het eerste of het laatste woord hoefde te hebben.

Lagergren bewonderde dat.

'Ben je van de galerie?'

'Eigenlijk van de politie.' Lagergren hield de vrouw haar legitimatie voor. 'Mag ik binnenkomen om een paar vragen te stellen?'

De vrouw maakte een uitnodigend handgebaar.

'Kerstin... Johansson?' De politieassistente keek nog een keer naar het stuk karton bij de deur en stapte de ruwe drempel over.

'Ja, spannender dan dat wordt het niet. Met zo'n naam is het bijna exotisch om in dit milieu te werken...'

De kamer rook naar water, aarde en... as. Het plafond was hoog, maar minder hoog dan ze zich had voorgesteld. Ze dacht aan de handenarbeidlokalen op school, de werkbanken langs de muren.

Lagergren zag witte lichaamsdelen en delen van lichaamsdelen verspreid over de vloer, gipsvormen; drie hoofden staarden de kamer in vanaf hun uitzichtplek op de hoge vensterbank.

'Misschien ben ik door mijn saaie naam begonnen met deze beestachtige moorden. Hoe hebben jullie me gevonden?'

'De familie. Besef je niet dat mensen ongerust worden als de modellen niet terugkomen?'

'Ik dacht dat het een bewust offer voor de kunst was. Maar ik heb soms spijt. Dan zet ik ze weer in elkaar.'

Lagergren liep naar een bijna volledige sculptuur van iets wat een mens zou kunnen zijn.

'Deze is goed. Jij bent... goed.'

'Zeg dat maar tegen de galeriehouders. En de subsidiecommissie. Of vaardig een soort verordening uit die alleen voor mij en mijn kunst geldt.'

'Zelfs ik heb niet zoveel charme.'

'Vallen de mensen daar niet voor?'

Ze keek naar haar met wenkbrauwen die waren opgetrokken in kleine bogen.

'Jonge vrouwelijke politieagenten?'

Kajsa Lagergren ging met haar rechterhand door haar dikke blonde haar.

'De zaken die ik tot nu toe heb gezien, hebben te maken met wat er in de dunne mappen op mijn bureau ligt. Het is voornamelijk lastig.'

'Geen respect?'

'In elk geval niet voor mijn eventuele vakbekwaamheid.'

Kerstin Johansson haalde haar schouders op en wees naar een klein zinken aanrecht naast de deur, een fornuis met twee platen, een aluminium pan en een pot waar misschien beschuit of koekjes in zaten.

'Wil je koffie? Ik heb net gezet.'

'Graag.'

Kerstin Johansson pakte een thermoskan die uit hetzelfde jaar leek te komen dat de Stones het nummer dat door de kamer galmde hadden opgenomen, *Time Is On My Side*. Een lange reis terug in de tijd, als het 1964 is, dan zijn we even oud. Kajsa vermoedde dat de mooie kunstenares hoogstens vijf jaar ouder was.

Twee niet bij elkaar passende bekers, een liter halfvolle melk.

'We doen onderzoek naar een moord...'

'Vraag me niet of ik iets heb gehoord of iets weet. Ik heb de afgelopen drie etmalen hierbinnen gewerkt om iets aan de galerie te kunnen laten zien. Ze komen vanmiddag.'

Ze glimlachte zwakjes.

'Mijn grote kans.'

Kajsa Lagergren haalde de inmiddels beduimelde foto van Georg Laurelius in zijn betere dagen tevoorschijn.

'Dan heeft het waarschijnlijk nauwelijks zin dat je hiernaar kijkt.' Ze gaf de foto aan Kerstin Johansson.

Het bleef even stil, totdat *The Last Time* uit de speakers begon te janken.

'Deze man herken ik. Hij heeft toch een bedrijf aan de andere kant van de binnenplaats?'

10

Ze had de telefoon in haar niet-gewonde hand gepakt. Hij leunde een stukje dichter naar haar toe om het gesprek te kunnen horen. Ze draaide zich naar de muur, met de telefoon dicht tegen haar oor gedrukt.

Wide nam een slok van de koffie met de sterkedrank. *Hij had het tenslotte nodig.* En er zou geen gelegenheid zijn om nog meer te drinken.

Twintig seconden later, langer had ze niet geluisterd en ze had zelf niets gezegd, stond de telefoon weer op zijn plek, opnieuw een onderdeel van het meubilair.

Hij vroeg zich af wanneer telefoons niet meer gewoon telefoons zouden zijn. Als je een bloemenvaas of een asbak voor een gesprek zou kunnen optillen, een laars in de hal, de staande lamp. Als alles was gekoppeld aan het eeuwige elektronische netwerk. Het zou niet lang meer duren. Boeddha, de hoogste god, zag eruit alsof hij het evengoed naar zijn zin had in het stroomcircuit van een computer als tussen de kroonbladeren van een bloem.

Ze zei niets.

'Ja...'

'Het was Georg.'

'Hij vertelde wie hij was.' Zijn toon was harder dan hij van plan was geweest. Zij was ook een slachtoffer.

'Kon hij ons informatie geven?'

'Integendeel, mag ik wel zeggen.'

Ze zweeg weer.

'Nou?'

'Ik weet eigenlijk niet of dit jou... eh... aangaat.'

'Of het mij aangaat? Jij hebt mij gebeld.'

'Natuurlijk. Het spijt me. Georg... Hij klonk geforceerd. Het eerste wat hij zei was dat ik hem niet mocht onderbreken. Hij had heel weinig tijd om te praten. Daarna zei hij dat hij zich niet kon losmaken van een zaak...'

'Wanneer komt hij thuis?'

'Daar heeft hij niets over gezegd.'

'Je hebt het niet gevraagd.'

'Dat wilde ik doen, maar toen had hij al opgehangen.'

Wide dacht na. Wat doen we nu? Had hij een dieper inzicht nodig in het leven van de familie Laurelius? Ze had immers gelijk, dit ging hem eigenlijk niet aan, meer dan het verband om hun hoofd hadden ze niet gemeen.

'Hij wil me ontmoeten. Vanavond.'

Ze keek met een heldere blik naar Wide en was hem voor.

'Ja, ik weet het, maar ik heb niet kunnen vragen waar...'

'Zei hij waar? Wanneer?'

'Hij praatte snel, maar hij herhaalde het adres. Het is een club, of een bar, hij gaat er soms naartoe met zijn... zijn zakenrelaties.'

In de auto naar de stad keek ze recht voor zich uit. De Säröleden lag als een slapende slang in de zon, er reden weinig auto's. Ze draaide de zonneklep niet naar beneden. Haar ogen leken niets te zien.

Ze was geen mooie vrouw als je uitging van het traditionele schoonheidsideaal. Maar ze was aantrekkelijk, attractief, onder andere omstandigheden... Hij dacht dat ze nog steeds prettig gezelschap zou zijn.

Ze had een gezicht dat lang jong zou blijven. Hij geloofde niet dat ze het type was om een facelift of zo te nemen. Ze was lang, met hooggehakte schoenen zou ze een stuk langer zijn dan hij, maar als ze achter hem stond zou ze bijna helemaal verdwijnen, er zou maar een klein stukje van haar zwarte haar boven zijn hoofd uitsteken.

Hij vond haar pagekapsel mooi. Ze had het verband afgedaan. Hij vond haar aantrekkelijk, met het smalle gezicht met de ver uit elkaar staande ogen, de lange hals met de fijne, lange, verticale rimpels, en de make-up die ze zo zorgvuldig had aangebracht dat het onzichtbaar was.

Hij had gewacht terwijl zij douchte. Ze was maar even in de badkamer gebleven en toen ze naar beneden kwam, droeg ze een lichte jurk die perfect leek voor de temperatuur.

Was het aangeboren? In welke situatie dan ook, in welke toestand dan ook, vrouwen vonden met een volkomen vanzelfsprekend gemak hun stijl terwijl mannen leken te stuntelen met bokshandschoenen aan en een blinddoek voor. Het fascineerde hem.

Wide zou zich nooit prettig voelen in de wereld waarin hij zich nu bevond. Te veel snel geld, een huis gevuld met dingen die in één keer waren gekocht, niets leek gepolijst door de tijd. Hij had gedacht een bepaalde soberheid te zien, die niet overeenstemde met de bruisende kleuren van de gordijnen en de muren en de bar in een van de kamers beneden.

Hij had de deuren gezien terwijl hij wachtte, en had in de kamer aan het andere eind van de gang gekeken. Een tienerkamer, als hij de kleuren van de vloer en muren goed had geïnterpreteerd, een meisjeskamer, veel lichtblauw en witte knuffels die allemaal terugkeken toen hij zijn hoofd om de hoek van de deur stak. Een opgemaakt bed, de hele kamer leek opgemaakt, als de stilte na een storm. *Ziet Elsa's kamer er over drie of vier jaar ook zo uit?* Hij vond die gedachte niet prettig.

'Je... dochter?'

Ze schrok. Iets wat hij niet hoefde te weten?

'Waar is ze?'

'Jeanette maakt een taalreis... naar Engeland. Bournemouth.' Ze had weggekeken, naar de open deur van de meisjeskamer.

'Godzijdank,' zei ze.

Ze reden naar de stad, de Per Dubbsgatan richting Sahlgrenska-ziekenhuis lag er verlaten bij. Wide zag de zwarte vette damp van het asfalt opstijgen naar de gebouwen. Hij sloeg rechts af naar de ingang van de Eerste Hulp. Ze wilde niet naar binnen.

'Ik overleef het wel.'

Hij trommelde met zijn vingers op het stuur, keerde en reed de heuvel af naar zijn flat.

Sven Holte bleef thuis, dat was ongewoon maar gebeurde soms. Hij dacht eraan dat het goed was om alleen te zijn. Het zou heel moeilijk zijn geweest om alles geheim te houden als hij voortdurend iemand anders om zich heen had.

Holte liep drie rondjes door het appartement, ging achter zijn bureau zitten en voelde de hitte door het raam heen. Hij zweette, dat verdomde zweten hield maar niet op en hij merkte dat zijn greep verslapte toen hij de telefoon oppakte. Hij wachtte, vier signalen, vijf. Hij dacht, maar wist niet waaraan.

'Ja?'

'We moeten elkaar snel zien.'

Hij hoorde de stilte heel duidelijk. En iets anders. De hoorn rook naar tabak, haarwater, zweet.

'Als het absoluut noodzakelijk is.'

'Denk je dat het dat niet is?'

'In dit geval? Twee procent is een acute situatie, maar geen noodgeval.'

'Het zou... prettig zijn om erover te praten.'

'Soms is het beter om achterover te leunen en af te wachten.'

'We moeten bij elkaar komen.'

'Nee.'

'Het is echt nodig.'

'Ik neem contact met je op.'

Sven Holte bleef met de plotselinge stilte in zijn hand zitten. Buiten hoorde hij een groep mensen luid pratend langslopen, het geluid zocht zich een weg door het gesloten raam, maar hij kon de woorden niet onderscheiden.

Het briefje zat vastgeplakt op de voordeur van de flat. Niet opnieuw, dacht hij toen hij de trap op was gelopen. *Omdat je niet thuis was zoals we hadden afgesproken, hebben Melker en ik de kinderen naar mijn moeder gebracht. Bedankt voor je hulp.*

Ze schreef met dezelfde nonchalante bekwaamheid als ze alles deed. De mededeling kwam over, ze was er goed in om veel tussen de regels door te zeggen.

Er kwam weer irritatie op. Hij zag voor zich hoe ze tegen de deur geleund stond, haar pen pakkend en snel en vastbesloten schreef. Hoe de trage Melker met zijn eigenaardige glimlachje... wat een naam, had ze hem bewust uitgezocht?... hoe hij naast haar had gestaan en aarzelend zijn gewicht van de ene voet op de andere had verplaatst, als een middenafstandsloper voor een startschot dat nooit kwam. Hoe ze daarna weggebeend waren met de kinderen.

Hij had een koude angst gevoeld toen het menens bleek te zijn.

'Een scheiding. Je wilt onze kinderen toch een goede start in het leven geven?'

'Dat is precies wat ik ze wil geven. Een nieuwe start. Hier worden ze zenuwachtig. Heb je Jons gezicht gezien?'

'Kun je wat minder hard schreeuwen? Wie is de oorzaak dat ze zo gespannen zijn?'

'Jij. Tijdens de paar uur die je thuis bent.'

'Het gaat dus om mijn werk?! Daar heb je niets over gezegd toen we op vakantie gingen. En je leren jack is fijn om te dragen, nietwaar?'

Het was kinderachtig, hij wist hoe hol hij klonk, als een stakker die elke realiteitszin kwijt was. Wanhopig, hij werd heel gemakkelijk wanhopig.

'Het gaat om jou en mij, en om dat daar.'

Ze had naar de vijf flessen op het bureau in de kamer gewezen. Hij had ze daar altijd staan, een sociale drinker bij feestelijke gelegenheden, hier werd de drank niet verstopt.

'Je hebt lang geleden je keuze gemaakt, Jonathan.'

'Je weet dat ik ben gestopt...'

'Gisteren was dus de laatste terugval?'

Wat antwoordde je op zoiets? *Een beetje wijn, dat is toch niet erg?* Hij vond op dit moment niet eens de meest armzalige woorden.

'De kinderen zijn nu zo groot dat ze het merken.'

'Vraag het aan Elsa. We hadden het hartstikke gezellig...'

'Jij had het gisteravond hartstikke gezellig, Jonathan. Alle anderen hadden het absoluut niet naar hun zin.'

'Dankjewel.'

Hij serveerde Lea Laurelius een kop koffie in de geruïneerde omgeving die zijn thuis vormde.

'Dankjewel.'

'Tja, je ziet wel dat ik hetzelfde bezoek heb gehad.'

Wide maakte een onbestemd gebaar naar de chaos in de zitkamer.

'Ik zie het. Wat is er gebeurd?'

'Ik denk dat jij een paar antwoorden kunt geven. Of je man.'

'Georg? Heeft dit allemaal met hem te maken?'

'Misschien is dat een naïeve vraag?'

'Ja.' Ze had haar kop koffie nog niet aangeraakt. Er zat deze keer geen cognac in.

'Hij heeft hier misschien mee te maken.'

'Kun je proberen iets duidelijker te zijn? Jij weet misschien meer dan ik.'

'Ik werd bang toen ik wakker werd en… en gewond was, en het huis…'

'Waarom heb je je man niet gebeld? Hij moet toch een kantoor hebben? Of meerdere kantoren?'

'Dat heb ik geprobeerd, maar ik kreeg hem niet te pakken.'

'Is dat niet vreemd? Hij zal toch wel een secretaresse hebben?'

'Zoals ik al zei werd er niet opgenomen.'

'Wat deed je daarna?'

'Ik belde jou.'

'Waarom een kleine, onbeduidende privédetective? Je hebt toch vrienden? Familie?'

'Ik dacht dat jij beter zou zijn, snap je… Iemand…'

'Iemand die zich in de onderwereld begeeft? Gaat het daarom? Onenigheid in de onderwereld?'

'Wat bedoel je? Is dat een hint dat…'

'Het is meer dan een hint. Ik denk dat je echtgenoot Georg bezig is met een louche zaak boven op al zijn andere louche zaakjes en dat de situatie heel erg uit de hand loopt of al heel erg uit de hand is gelopen, dat denk ik.'

Ze keek nu banger dan ooit, en Wide geloofde niet dat dat was omdat hij harder was gaan praten. Ze begon iets te zeggen, maar er kwam alleen een zwak gekras uit haar halfopen mond.

Ze slikte en deed een nieuwe poging.

'Er is… Er is inderdaad iets misgegaan. Georg heeft de laatste tijd contact met een paar onfrisse types. De zaken gaan heel slecht de laatste tijd.'

Er was in elk geval één artikel dat stil zakendoen vereiste. Het vereiste ook bijzondere pirouettes op een soms heel slap koord. Göteborg was in korte tijd een transitstad geworden, het zware spul was gearriveerd. Een deel ervan bleef hangen.

'Ik denk dat je man van het koord gevallen kan zijn.'

'Wat? Wat bedoel…'

'Ik geloof dat hij zich bezighoudt met drugs. Misschien cocaïne, misschien wiet, nee, dat niet, misschien heroïne, het nieuwe succesnummer in Göteborg. Of crack of smack of zoiets.'

Hij las in haar ogen dat hij gelijk had. Of dat ze hetzelfde had gedacht.

'Dat kan niet waar zijn. Georg handelt in onroerend goed.'

'Dat maakt hem alleen extra verdacht.'

'Meen je dat serieus?'

'De onroerendgoedbron is opgedroogd, dus moeten er nieuwe bronnen aangeboord worden.'

'En narcotica... Zou dat zo'n bron kunnen zijn?'

'Je hoeft niet diep te gaan om voor altijd vast te zitten. Helemaal niet diep.'

Aan het eind van de jaren tachtig had de stad drie bekende heroïnegebruikers gehad. Het was beheersbaar geweest, als een regel met duidelijk begrensde uitzonderingen. In 1990 werd er drie ons heroïne in beslag genomen in Göteborg. Het jaar erna vond de politie 1,2 kilo. Het was een kleine berg, die groeide. De top van een heel koude ijsberg.

In de wijk Västra Frölunda was de bruine heroïne om te roken nu in de aanbieding. De helft van de prijs vergeleken met het centrum van Göteborg: het veroorzaakte al snel nieuwe heroïnegebruikers tussen de flatgebouwen van het miljoenenprogramma.

Wie wilde geen voordeeltje behalen?

Ook dat was beheersbaar. De bruine kristallen werden op aluminiumfolie gelegd, en die hoefde je dan alleen op te warmen. Het was eenvoudig, de gebruikers konden de dampen inhaleren... *op draken jagen*... zo werd het inhaleren genoemd, het moderne Zweeds raakte steeds meer doordrenkt van drugsmetaforen.

De bruine heroïne was een voordelige variant, het eersteklas witte spul voor in de aderen kostte meer dan twee keer zoveel. Maar het effect was in het begin hetzelfde, leegte en kalmte en warmte zonder gezeur. Een betere wereld.

Na een tijdje kwam het gezeur terug. Terwijl verslaafden aan een andere drug met goederen konden betalen, moesten degenen die heroïne wilden met contant geld betalen. Geld dat verslaafden niet hadden. Ze moesten het ergens vandaan halen, met meer of minder gebruik van geweld.

Gedurende de afgelopen jaren had de politie in Göteborg meer dan honderd heroïnedealers opgepakt. Tegelijkertijd verhevigden de dealers hun zoektocht naar nieuwe klanten. Terwijl het vroeger nog ging om grammen, werd het nu de gewoonte om het spul per ons te kopen.

Maar de heroïne had niet de plaats van iets anders ingenomen. Het drugsmisbruik in Göteborg nam toe, op alle fronten en met alle soorten.

Het was een situatie waarin degenen die sterk en snel waren een marktaandeel konden veroveren.

Die groei vond bijvoorbeeld plaats tussen de bosjes naast het Kulturhuset in Västra Frölunda. Drie zestienjarigen: twee jongens, van wie één een baseballcap droeg en een blikje licht bier opentrok. Het meisje in het gezelschap was de enige die normaal gesproken rookte; ze had lucifers en verwarmde de heroïne nu voorzichtig. Het was haar eerste keer, maar een van de jongens had het eerder geprobeerd. Het was lekker geweest.

Ze inhaleerden de dampen om de beurt, eerst voelde het meisje niet zoveel maar daarna voelde het heerlijk, in plaats van de hitte die de hele tijd kriebelde en brandde en al het zweet, werd ze nu als het ware een onderdeel van de warmte, het was fijn om te gaan zitten en naar het Frölundaplein en tramlijn twee te kijken en niet de hele tijd het verlangen te voelen om op de tram te stappen en naar de stad te gaan.

Heerlijk.

11

Sten Ard tekende met zijn wijsvinger op het linoleumblad van de tafel. Een paar druppels koffie vormden een decoratief patroon. Toen hij probeerde 'Laurelius' te schrijven met het vocht, waren er niet voldoende druppels. Hij overwoog een moment om het restant uit zijn kopje ook op de tafel te gieten, maar zag daar vanaf toen hij opkeek en de starende blikken van een aantal collega's zag. Mocht je tegenwoordig niet meer rustig aan je aantekeningen werken?

Hij had de afgelopen uren veel nagedacht en heroverwogen, de anderen hadden hopelijk ook nagedacht, maar het onderzoek begon al koud te worden, net als de drank die voor hem stond.

Als hij de vrouw had opgespoord, zou dat dan een stap vooruit of twee stappen achteruit betekenen?

Het gesprek met directeur Johlin, de partner van Laurelius, was een kwelling geweest. Hij wist nog niet wat het kon opleveren, behalve dat hij de naam die hij van Johlin had gekregen, zou natrekken.

Johlin was een kleine, opgeblazen man met nieuw geld en met zichtbaar last van complexen. De directeur had tijdens het gesprek voortdurend op zijn tenen gestaan en hij rapporteerde keurig alles wat hij had gedaan en gezegd. Sten Ard was na een tijdje gestopt met luisteren.

Sten Ard was een van de vierendertig commissarissen op de rechercheafdeling van het politiekorps in Göteborg. *De recherche ontdekt en onderzoekt misdrijven die deel uitmaken van algemene aanklachten, mits die niet bij een andere afdeling terechtkomen.* De ontdekking had plaatsgevonden en nu konden ze starten met het onderzoek. De zaak-Laurelius was zijn baby, maar hij was niet alleen in het gebouw.

Ard ging staan voor een wandeling van drie minuten door het gebouw en klopte op een deur. Hij hoorde gegrom. Hij werd verwacht.

'Arden! Kom binnen. Ik ben bijzonder vereerd met dit bezoekje van onze mastermind.'

Gert Fylke was een van de drie recherchecommissarissen van de afdeling

Narcotica. Ard had Fylke altijd een onaangename vent gevonden. Fylke verspreidde racistische vooroordelen. Hij verzamelde racistische verhalen, waar verder niemand om lachte. Hij had een gewelddadig verleden bij de afdeling Openbare Orde. Hij was in de vijftig en een snoever, *hard tegen de harde kerels en hard tegen de watjes*, en had een ijzergrijs commandokapsel. Zijn gezicht was smal en bijna week, Ard moest soms aan een bepaalde propagandaminister denken als hij hem zag.

Gert Fylke was ook een heel bekwame onderzoeker.

'Je wilt les van me hebben.'

'Ik wil hulp hebben.'

'Ja, ja, dat zei je al door de telefoon. Maar in dit geval is het een les, ook voor iemand die alles kan.'

Vloeide zijn houding voort uit een gebrek aan zelfvertrouwen? Ard ging op de harde stoel zitten.

Zijn collega-commissaris boog zich over het bureau naar hem toe.

'Gisteren landden er zes goed geklede zakenmannen in de juwelenbranche op vliegveld Landvetter. We besloten om de handel van de mannen te bewonderen. Raad eens wat voor juwelen het waren?'

'Cocaïne.'

'Mis. Heroïne. Raad eens waar ze vandaan kwamen.'

'Thailand.'

'Weer mis. Uit Afrika, Tanzania, dat in de goede, oude tijd Tanganyika heette.'

'En Zanzibar.'

'Wat?'

'Zanzibar. Tanzania is in 1964 gesticht, toen Tanganyika en Zanzibar samengevoegd zijn.'

'Als jij dat zegt.'

Fylke glimlachte breed en peuterde met een lucifer in zijn oor.

'Raad eens hoe al die juwelen het land in gesmokkeld zijn.'

'In hun maag. Ze hebben de troep doorgeslikt.'

'Goed! Nu al! En de les is nauwelijks begonnen!'

Sten Ard besloot om niets te zeggen. Hij kon er tenslotte ondanks alles iets van leren.

'Ze hadden bijna drie kilo bij zich. Een van de zwarte heren had eenennegentig bolletjes in zijn maag en darmen. Eenennegentig bolletjes! Dat moet een record zijn. Bolander hangt op dit moment aan de telefoon met een vertegenwoordiger van Guinness in Stockholm. Ik wil een foto in de nieuwe editie van het boek, waarop de hoofdcommissaris zijn hand uit de kont van het zwartje trekt en er een van de bolletjes uit haalt terwijl ik ernaast sta met een enorme berg en controleer of alles goed gaat. *Caught in the act* wordt de kop, een mooie reclame voor de politie van Göteborg en een waarschuwing voor iedereen die probeert louche zaken op Landvetter te doen.'

'Denk je dat Koskio daaraan meewerkt?'

'Waarom niet? Hoe vaak heeft hij niet gezegd dat politieagenten niet bang moeten zijn om stront aan hun handen te krijgen? Dit is een mooie gelegenheid voor hem om een goed voorbeeld te zijn.'

'Waardoor kregen jullie ze in de smiezen?'

'De zwarten vulden hun kostuums niet. Ze waren keurig gekleed en de douanebeambten verdachten hen ervan dat ze dat niet gewend waren. Dat zie je vaker bij drugskoeriers.'

'Maar dat was waarschijnlijk niet voldoende.'

'Nee, verdomme. We plaatsten de groep onder discrete bewaking.'

Dan kon hij er niet bij geweest zijn, dacht Ard. Hij merkte ook dat Fylke het moeilijk vond het vreemde woord 'discreet' uit te spreken. Maar hij wist dat zijn collega het onderzoek bekwaam had gepland.

'Ze namen hun intrek in een armoedig hotel in het centrum, op de Kungshöjd, en wij klopten aan. Liever gezegd, Bolinder en twee mannen klopten aan en ik ben heel blij dat ik er niet bij was.'

'Heb je die kans laten schieten?'

'Dat was niet het enige wat ik heb laten schieten. Het stonk verschrikkelijk naar stront in de kamer. Ze moeten binnenkort waarschijnlijk iets aan de vliegtuigmaaltijden gaan doen. Als die trend om bolletjes te slikken doorzet, moeten we een praatje met de vliegtuigmaatschappijen gaan maken. Ze moeten een maaltijd serveren waardoor het draaglijk voor de politie is om hun werk te doen.'

'We zijn dus in de kamer.'

'Wat? Juist, we zijn in de kamer. En omdat er geen plee in die eenvoudige hotelkamer is, wordt de situatie nog verdachter, nietwaar?'

'Er was dus een directe indicatie dat ze drugs in hun maag hadden.' Voor één keer had Ard de behoefte om iets formeels te zeggen, bij wijze van tegengewicht.

'Je zegt het. Niemand ontkomt aan de natuur, en zeker niet deze kinderen van Moeder Natuur. Ze moesten hun juwelen kwijt en ik kan me voorstellen dat ze gilden als een mager speenvarken terwijl ze scheten. Maar deze mannen gingen nog verder.'

Fylke keek vol verwachting naar Ard. Wat zou er nu komen, dacht Ard. En waarom zou hij zijn enthousiasme niet een beetje temperen?

'Ze hadden de inhoud van hun maag nog een keer doorgeslikt zodat ze zichzelf niet verraadden voordat ze het spul moesten overhandigen.'

Fylke keek teleurgesteld.

'Zo kun je het formuleren. Ze hadden de bolletjes weer ingeslikt, verpakt in plasticfolie, plakband, een afgeknipte kous. We hebben het hier over een afmeting die overeenkomt met een heel behoorlijke gekookte worst.'

Ard voelde zich misselijk worden.

'Omdat er geen water in de kamer was...'

'Dank je, Gert, maar ik kan me de situatie zo ook voorstellen.'

'We hebben ze, verzadigd maar niet voldaan, meegenomen om röntgen-foto's te laten maken. De situatie was duidelijk. Bovendien hebben we een gedeelte in de schoenen van een van de mannen gevonden. Hij leek bijna fatsoenlijk.'

'Jullie krijgen steeds meer werk.'

'Daar kun je donder op zeggen. Göteborg is een Europoort voor drugs geworden, en maagdelijk terrein voor belangstellenden.'

Gert Fylke ging staan en liep naar het raam. Vanaf zijn stoel kon Ard de gevel van het Wasa-gebouw, de bovenkant van het Postgebouw, achter het station zien.

Fylke draaide zich om.

'Naar alle waarschijnlijkheid zijn er daarbuiten grotere hoeveelheden in omloop dan er verslaafden zijn. Het lijkt erop dat de heroïne een blijvertje wordt. Maar als het gebruik van één drugssoort toeneemt, gaat het met de andere soorten net zo. Het is een paradijs voor zakenmensen.'

'Maar we brengen ze slagen toe...'

'Wíj brengen ze slagen toe, niet jullie. Wij steken onze armen in met hiv besmette kontgaten terwijl jullie keurige moorden onderzoeken.'

Fylke stak zijn armen in de lucht.

'Daarom ben ik hier.'

'Wat?'

'Ik heb een keurige moord en ik zoek geïnfecteerde oorzaken.'

'Ja, de zaak-Laurelius. Helaas hebben we niets over hem voor wat betreft drugs, de afdelingen Fraude en Economische Delicten hebben wel wat, maar...'

'Geen Göteborgse zakenrelaties met wie hij contact had, verdachte...'

'Ik weet dat je vindt dat ik een racist ben, Ard, maar je moet begrijpen dat van de honderd personen die we tot nu toe voor drugssmokkel hebben opgepakt er negentig buitenlanders zijn. Het is een markt van kleurlingen.'

'Maar dealen en verkopen ze niet om hun verslaving te financieren?'

'Het antwoord is ja. In de meeste gevallen.'

'Daar zitten tenslotte hersenen achter.'

'Blanke hersenen, bedoel je?'

'Ik bedoel dat er rasechte Zweden zijn die veel verdienen aan drugs.'

'Natuurlijk. En die wil ik heel graag oppakken en opsluiten en dan de sleutel weggooien. Maar de smokkel en de verkoop hebben een ander patroon gekregen. Het gaat heel vaak om kleine groepen of individuen, die het spul zelf het land in smokkelen en verkopen. En niet om grote bendes met een van bovenaf bestuurde hiërarchie.'

'Dat weet je zeker?'

'Dat is het patroon zoals wij dat interpreteren. Maar natuurlijk zijn er bendes die het om het echt grote geld te doen is. Ik weet alleen niet hoe dat patroon er hier in Göteborg uitziet, nog niet.'

'Is het niet waarschijnlijk dat sommigen nieuwe investeringen doen?'

'Hoe bedoel je dat?'

'Van de ene bron van inkomsten naar de andere overstappen?'

'Op die manier komt Laurelius in beeld, nietwaar? Tja, misschien, maar verdomd moeilijk te bewijzen. Wij kijken daar natuurlijk ook naar, maar wat we hebben is alleen voldoende voor het oppakken van kleine en middelgrote criminelen.'

'Wat lastig is.'

'Daar lijkt het op.'

Fylke wees naar hem met een lange, magere vinger. Ard stak zijn arm uit en wees terug.

'Ik hoop dat je er geen verregaande conclusies uit trekt.'

'Het lukt me zelden om verregaande conclusies te trekken. Maar als je bedoelt dat ik geloof dat alle immigranten crimineel zijn omdat we criminele immigranten hebben die onze afdelingen handenvol werk bezorgen, dan heb je het mis. Weliswaar heb ik geen immigranten onder mijn beste vrienden, maar dat zou net zo goed wel het geval kunnen zijn.'

Heb ik wel beste vrienden? dacht Ard. Hij ging staan, en ging weer zitten.

'Denk jij dat de zaak-Laurelius met een drugsdeal te maken kan hebben?'

'Misschien wel. In deze branche houden ze er wel van om een show weg te geven. Spectaculaire waarschuwingen en zo.'

'Voor wie dan? Er moet een geadresseerde zijn.'

Fylke sloeg zijn armen uit, alsof hij de hele drugswereld wilde omarmen. Sten Ard kwam vastbesloten overeind.

'Ik moet gaan. Het spoor wordt koud. Bedankt voor je hulp.'

Fylke stond op van zijn draaistoel. Het was nog niet helemaal voorbij.

'Voordat je gaat... Ik heb gisteren een verhaal gehoord.'

'Racistisch?'

'Integendeel. Het toont de onbarmhartigheid van de blanken aan.'

'Ik heb geen tijd.'

'Het is maar kort. Een colosseum in het zuiden van Amerika. Een neger is ingegraven en alleen zijn hoofd steekt boven de grond uit. Een leeuw wordt binnengelaten...'

'Helaas, Gert. Ik moet rennen.' Ard liep naar de deur. Fylke begon sneller te praten en liep achter hem aan.

'De leeuw rent naar de neger, die zijn hoofd opzij buigt zodat de leeuw langs hem rent. De leeuw draait zich om en rent terug, de neger buigt zijn hoofd in de andere richting en de leeuw rent opnieuw langs hem.'

Ze waren in de gang. Ard begon in de richting van de liften te lopen. Fylke liep achter hem aan.

'Nu heeft de leeuw er genoeg van. De volgende keer springt hij recht tegen het hoofd van de neger. Weet je wat die doet? Hij buigt zijn hoofd naar achteren en bijt zich vast in de ballen van de leeuw!'

Fylke was blijven staan en Ard liep steeds sneller verder. Hij hoorde achter zich hoe de commissaris zijn stem verhief. Twee secretaresses bleven staan en keken met grote ogen naar Fylke.

'Dan gaat een blanke plantage-eigenaar op de tribune staan en schreeuwt...'

Ard stapte de lift in. De deuren gingen dicht.

'... PLAY FAIR YOU BLOODY NIGGER!'

Sten Ard liep naar zijn kantoor. Naarmate zijn werk zwaarder leek en er meer snelheid geboden was, bewoog Ard steeds langzamer. Degenen die hem kenden wisten dat hij sneller dacht naarmate hij trager werd.

Toen hij langs Ove Boursés kamer liep, bewoog hij zich op een manier die Boursé spottend maar wat voorspelbaar 'ultrasnel' noemde.

Stens hersenen staan op het punt te gaan hyperventileren. Boursé zag hoe zijn collega zich langs zijn halfopen deur sleepte.

Er was nog geen risico op oververhitting. Boursé zou over tien minuten langs Ards kamer lopen om te controleren of hij niet op de bank naast de deur was gaan liggen. In dat geval was het van belang om zijn gedachten af te koelen.

Sten Ard liep zijn kamer in en ging achter zijn bureau zitten.

Hij dacht aan Jonathan Wide. Het was nu een jaar geleden. Hij miste de lichtelijk gestoorde boemelaar. Wide had een krankzinnige fantasie, die goed paste bij Ards logica. Wide was zijn klankbord geweest, een op een terriër lijkende rechercheur, een enorme inspirator en een politieagent die gebruik durfde te maken van zijn intuïtie.

Het was een schande dat Jonathan weg was gegaan bij de politie, dacht Ard voor de duizendste keer. Dat gebeurde vaak als hij naar een bepaalde streep op het behang tegenover hem keek. Die gedachte was gekoppeld aan de streep. Als hij aan Wide dacht, ongeacht waar Ard was, dan dacht hij tegelijkertijd aan de streep op het behang.

Ze zagen elkaar soms in een café, ook al was dat niet zo geslaagd. De gezinnen waren vroeger met elkaar omgegaan, maar dat was gestopt toen Elisabeth haar eigen weg ging, toen ze Melker ontmoette en uit hun leven verdween. Uit zijn leven in elk geval. Maja had Elisabeth nog een paar keer gezien, misschien zelfs vaker.

Wide had met koud sarcasme gezegd dat, als zijn ex-vrouw hulp nodig had bij haar volgende scheiding, hij klaarstond voor haar, in zijn nieuwe functie, om *the dirty work* voor haar te doen.

Een schande. De beste rechercheur van het korps kroop onder de stenen waar overspelige echtgenoten thuishoorden.

Maar hun samenwerking was niet gestopt. Ard had twee keer eerder tijdens het eerste etmaal van een onderzoek gevoeld dat hij afstevende op een mislukking. Hij had Wide gebeld, ze hadden met elkaar afgesproken en hadden de zaak besproken. De volgende dag had Ard een enorme kater, maar hij had nauwgezet aantekeningen gemaakt voordat het promillage hoger was gestegen dan het niveau in de fles. Hij had de goede ideeën behouden, veel daarvan waren van Wide, en had met een nieuwe blik op de zaak verder kunnen werken.

Ard stond erop dat het een beroepsmatige uitwisseling van informatie was, maar Wide had het verradersgeld genoemd en had geweigerd het aan te nemen. Ard had geweigerd de envelop mee terug te nemen.

Na een tijdje had de privédetective beseft hoe belachelijk de situatie was en had hij drank voor het geld gekocht.

Zou hij Jonathan bellen? Misschien was dat verstandig. Als het ging om economische delicten of delicten binnen de financiële wereld was Wide een goede vent om mee te praten. Niet zozeer omdat hij voortijdig was gestopt met zijn studie economie en in plaats daarvan politieagent was geworden, maar omdat hij de sociale bovenlaag altijd in de gaten hield, alsof hij in diepe stilte de revolutie voorbereidde. Hij wist veel. Als privédetective was hij, zoals hij zei, bijna verdronken in het water dat zich tussen de hogere en de lagere klasse bevond. Nu het water tot ijs begon te bevriezen, probeerde iedereen zich onhandig met ijshaken te bevrijden.

Beelden, zoals zoveel andere.

Hallo, met Jonathan Wide. Ik ben op dit moment niet te bereiken, maar als je je naam inspreekt… Een vrolijk ingesproken antwoordapparaat met een licht gekras in de stem. Wide hield strakker vast aan de jij-vorm naarmate het u-zeggen zich verspreidde, vooral onder jongeren. Was dat het leeftijdsverschil? Ard hield het ook op 'jij'. Voelde hij zich oud als iemand 'u' tegen hem zei? Hij brieste altijd 'ik ben het maar' tegen alle snotneuzen die hem zo formeel durfden aan te spreken. Als hij lang genoeg zou leven, zou hij uiteindelijk de enige zijn.

Hij gaapte, een teken van spanning, en boog zich over de papieren op zijn bureau. Hij keek op toen Boursé zijn hoofd om de hoek van de deur stak en het daarna weer terugtrok.

'Ik controleer alleen of je niet ligt,' riep Ove Boursé vanuit de gang, seconden voordat Ard de liftdeur open en daarna weer dicht hoorde gaan. Boursé ging ergens naartoe.

Boursé draaide zich om in de lift en stond oog in oog met Sven Holte, of eigenlijk stond hij op kinhoogte. Holte was groter en hij maakte zich altijd langer als hij tegenover kortere mannen stond.

Boursé onderdrukte, zoals altijd als hij Holte zag, de impuls om zijn rechterhand in de lucht te steken en 'Heil Holte' te schreeuwen. *Misschien zou hij zich gevleid voelen?* In plaats daarvan drukte hij op de knop van de eerstvolgende verdieping onder hem, hij wilde zo kort mogelijk in de buurt van de Baas zijn. Geen van beiden zei iets.

Boursé stapte uit en Holte ging verder naar de benedenverdieping. Holte keek op zijn horloge en liep daarna naar zijn auto. Hij stapte in en bleef een paar minuten met zijn handen om het stuur geklemd zitten.

Over een uur had hij een ontmoeting.

Holte deed iets wat niemand hem buiten de boksring ooit had zien doen.

Hij verborg zijn gezicht in zijn handen, heel even, en toen hij zich weer openstelde voor de buitenwereld was hij bleek: een kleur die overeenkwam met de binnenbekleding van de autoportieren.

De zon had nieuw leven gekregen. Het moest mogelijk zijn om de lijnen weg te krijgen, meerdere, hij wilde eenvoud, maar dat zou tijd kosten, jaren van taxiritten en tijdelijke banen zodat hij tijd had om te schilderen. Op dit moment wilde hij niets liever dan hier staan en het leven voorbij zien rollen.

Ze leefde! Niemand deed moeilijk toen de smeris met de ongebruikelijke naam informatie wilde hebben. *Het was heel ernstig, maar niet levensbedreigend.* Geen hersenschade, ze had voldoende zuurstof gehad. Ze was op tijd geweest. Ha! Kreeg hij nu een medaille?

Hij zou hier blijven staan en de zon nog een keer schilderen.

Zou hij naar het Östra-ziekenhuis kunnen gaan? En wat moest hij dan zeggen?

12

'Er moet nog wel wat gebeuren.'
  'Zoals wat?'
  'De politie. Het is tijd om de politie te bellen.'
  Was het angst of gelatenheid die hij in haar ogen zag? Of een glimp van verdediging voor iets wat zou komen? Misschien was het alleen dat.
  'Ik denk... dat alles een logische verklaring krijgt.'
  'Hebben we met meerdere ongelukken te maken?'
  'Ik bedoel Georg. Hij zal het uitleggen.'
  'Is je man op dit moment het belangrijkst?'
  'Jij wilt toch ook een verklaring hebben?'
  Hij wist niet of hij dat wilde. Misschien wilde hij alleen gaan liggen en wakker worden uit een bittere droom.
  'Is het niet een beetje verdacht om geen aangifte te doen van huisvredebreuk en zware mishandeling?'
  'Kunnen we niet tot vanavond wachten?'
  'Je wilt vanavond aangifte doen?'
  'Wacht tot na mijn ontmoeting met Georg.'
  'In dat geval is het "onze". Wacht tot na ónze ontmoeting met Georg.'
  'Ik geloof niet dat het nodig...'
  'Je eet mijn brood, je drinkt van mijn wijn, je zult iets terug moeten geven. Bovendien geloof ik dat je gezelschap nodig hebt.'
  Lea keek naar de lege salontafel.
  'Het komt eraan, het eten komt eraan. Ik denk dat we dat allebei nodig hebben.'
  Ze protesteerde niet en hij liet haar achter op de in repen gesneden stoffering. Wide wist niet of het moment juist was, maar hij zette de cd-speler aan, aarzelde heel even en zette toen *La Traviata* op, bij *Lunge da lei* uit de tweede akte, *Alfredo* van een jonge Pavarotti, opgenomen samen met het Metropolitan-orkest in oktober 1970, compleet met een kuchend en hoestend publiek. Het klonk alsof je in de zaal zat als je eenmaal gewend was aan de bijgeluiden.

Wat had hij zelf in 1970 gedaan? Wat deed een zeventienjarige op een dag in oktober?

Ze luisterde.

'Dat klinkt als een illegale opname vanaf een staanplaats.'

'Het is van Nota Blu.'

'Misschien niet slecht, maar de aanwezigheid...'

'Je hebt *La Traviata* eerder gehoord.'

'Niet deze versie.'

'Als je me wilt verontschuldigen...'

Hij draaide zich om en liep naar de keuken.

'Ik maak iets te eten voor ons.'

In de keuken trok hij de koelkastdeur open, hij hoefde alleen maar een beslissing te nemen, zoals werken met een kater vol angst, of de laatste honderd meter van een hordeloop rennen.

Hij twijfelde even voor de geopende vriezer, die begon leeg te raken en hij was al een hele tijd van plan om boodschappen te doen, maar dat was er nog niet van gekomen. Hij kookte vaak zelf, en wat er ook gebeurde en hoe groot zijn problemen waren, hij zou proberen eten te blijven koken. Het was meer dan zichzelf in leven houden. Hij hoopte dat Elisabeth hem miste, zijn gerechten. Die gedachte hoorde een beetje bij zijn zelfmedelijden. Hoe zat het met Melker? Moest ze 's avonds water voor de koffie voor hem opwarmen zodat hij de volgende ochtend niet helemaal hulpeloos in de keuken stond?

Ravioli. Hij pakte het pak met pastakussentjes. Opera en pasta was geen slechte combinatie, maar vandaag kreeg het geheel een bizarre wending. Hij moest waarschijnlijk iets zeggen als hij binnenkwam met het eten, *er was niets anders*, en dat was waar.

Hij hoefde het tenslotte niet te vertalen, *Casonsei di Brescia*, kleine deegflapjes met een vulling van zelfgemalen verse ham, even grote delen parmezaanse kaas en geitenkaas, peterselie, het grof gemalen binnenste van een klein witbrood, een beetje melk, zout en versgemalen zwarte peper.

Wide maakte de pastakussentjes voorzichtig van elkaar los, liet de pasta twee minuten ontdooien in de magnetron, legde de kleine pakketjes daarna twaalf minuten in kokend water, goot de casonsei af en schonk er de boter over die hij intussen had opgewarmd.

'Dit is heerlijk.'

Hij had de muziek uitgezet. Hij had geen wijn.

'Ik heb geen salie.'

'Heb je dit zelf gemaakt?'

'Opgewarmd.'

'Maar vanaf het begin? Het deeg en de vulling en zo?'

'Soms vind ik het leuk om daarmee bezig te zijn. Je bent tenslotte wat je eet en zo. En op dit moment voelde ik me een beetje een pastakussentje, misschien zonder vulling.'

'En zonder salie.'

'Ik heb ook geen wijn. Die is op.'

Ze had naar hem gekeken. Hij koketteerde niet, hij leek dit in het dagelijkse leven echt te doen. Koken als een echte man.

Werd dat 'leven voor het moment' genoemd?

'Wil je koffie?'

Hij zag haar lege bord. Dat was vol geweest.

'Graag, dank je. Maar geen cognac.'

Zag hij haar mond licht vertrekken?

'De cognac is op.'

Was het de adrenaline die stroomde? Nu al succes? Kajsa Lagergren was eraan gewend om lang en hard te werken.

'Je denkt dat hij een bedrijf heeft in dit gebouw?'

'Dat weet ik niet, maar ik denk dat ik hem heb gezien. Ik kreeg de indruk dat hij, tja... hier werkt.'

Werkté. Het was verleden tijd voor Georg Laurelius, maar dat wist de vrouw tegenover haar blijkbaar niet. Kajsa zei niets. Ik ben een goede politieagente, dacht ze. Iedereen is schuldig tot is bewezen dat ze onschuldig zijn. Een opwekkend wereldbeeld om met zich mee te dragen.

'Waar heb je hem gezien?'

'Een paar keer op de binnenplaats, hij was me opgevallen omdat hij zo... keurig gekleed was, tot in de puntjes. Dat zie je hier niet zo vaak.'

'Op de binnenplaats. Liep hij een bepaald trappenhuis binnen? Ik bedoel, welk trappenhuis gebruikte hij?'

'Dat heb ik eigenlijk niet gezien. Je weet wel, je ziet iemand langslopen maar je denkt er niet over na waar hij naartoe gaat of vandaan komt.'

Toch zijn er mensen die dat vermogen hebben, dacht Kajsa Lagergren. Als zij zelf dat vermogen had gehad, had ze drie mislukte relaties kunnen voorkomen.

'Er is... Komen er vijf trappenhuizen op de binnenplaats uit?'

Het was geen goede vraag.

'Wacht hier.'

Dat had ze misschien ook beter niet kunnen zeggen.

'Ik ga nergens naartoe.'

Lagergren liep de vier trappen af en liep de binnenplaats op. Jezus, wat was het heet. De warmte bleef hangen tussen de dicht opeen staande gebouwen. Ze keek naar boven en zag een rechthoekig stukje hemel: wit en sissend als kokende melk, als een zacht wild dier. *Ik ben nog nooit zo dicht bij de zon geweest.* Ze haalde een paar keer snel adem en telde de trappen-huizen die half in de schaduw verborgen lagen. Zes. Er hingen kleine naamplaatjes voor de bedrijven, hiervandaan kon ze geen namen lezen maar ze moest zich daar zo meteen mee bezighouden. Het echte voeten-werk, operatie 'op de deuren kloppen'.

Waar was Babington?

Nu komt ze weer naar buiten. Het moet een smeris zijn, ze kijkt naar alle kanten om zich heen... en zoals ze tussen het uitschot bij het water had rond-gelopen, en die ander... waar was hij? Ze kijkt naar de trappenhuizen.

'Ze kijkt naar de trappenhuizen.'

'Het grietje dat we tussen de vissers hebben gezien?'

'Ze verdween in het trappenhuis van die kunstenares en nu is ze weer naar buiten gekomen.'

'Dat is toch logisch. Dat ze naar buiten komt.'

'Niet op deze manier. Kijk zelf, het lijkt alsof ze trappenhuizen telt.'

'Waar is...'

'Niet zo dichtbij, verdomme!'

'Leuk kapsel.'

'Ze gaat weer naar binnen.'

'Ik ben niet blind.'

'Ze gaat naar het atelier. Er is niets anders in dat trappenhuis.'

'Misschien heeft ze iets gezien.'

'Die kunstenares? Wat kan ze gezien hebben?'

'Dat maakt niet uit. We vertrekken zo. We hebben schoongemaakt en geveegd. We hebben het naambord ook weggehaald.'

'We hebben meer dan een naambord weggehaald.'

'Denk je dat ze ons heeft gezien?'

'Wie?'

'Die kunstenares, verdomme!'

'Wij hebben haar gezien. Ze kan ons gezien hebben, of eigenlijk jou.'

'Mij? Waarom juist mij?'

'Omdat jij zo opvallend lelijk bent.'

'Dat is een vermomming, ik moet me zo goed mogelijk aanpassen aan jouw gezelschap.'

'We zijn niet samen gezien.'

Dat is een geluk. Maar toch... Ze kon iets gezien hebben en iets loslaten. Het was een risico... Maar gebeurden er niet de hele tijd dingen? Niemand kon het verband bespeuren.

'Wat doen we met haar?'

'Met wie?'

'De kunste...'

'Ja, ja, ik maakte maar een grapje. Ben je bang voor een getuigenverklaring straks?'

'Ik ben bang voor onvoorzichtigheid.'

'Voor onvoorzichtige uitspraken?'

'Ja.'

'Daar kan altijd iets aan gedaan worden.'

'Zodat dergelijke uitspraken voorkomen worden?'

'Inderdaad. We moeten ervoor zorgen dat ze gewoon niet gedaan worden.'

'We moeten ons gedeisd houden.'

'Dat doen we, dat gaan we doen. We doen het niet hier.'

'Wat doen we niet hier?'

'Het schildermeisje doet misschien geen eventuele uitspraken over iets wat ze eventueel heeft gezien. Maar ze neemt die beslissing niet hier.'

'Ze woont ergens.'

'Precies.'

'Tussen hier en daar kan veel gebeuren.'

'Juist.'

Het was onzeker hoe lang het moest duren, of wat ervoor nodig was. Daar dacht je eigenlijk niet over na, dat kwam altijd vanzelf. Sommigen belandden per ongeluk midden in de strijd, maar er waren geen onschuldigen. Er was altijd een reden, te veel praten op het verkeerde moment, de neus in de verkeerde richting, dat soort dingen. Als er dingen gebeurden wisten de slachtoffers altijd waarom dat was, ze hadden tijd gehad voordat het donker werd.

Toen Jonathan Wide en Lea Laurelius het gebouw uit kwamen, was de agressieve hitte iets afgenomen, was langzaam naar de grond gezakt en sloop rond tussen de gebouwen als een lynx op zoek naar een slaapplaats.

De zon daalde boven Hisingen en kleurde de eenzame kranen van de failliete scheepswerf in vurige kleuren. Al dat licht gaf een paar minuten leven aan iets wat al een hele tijd stillag.

Al snel zou de nacht verschijnen op de plek waar de lynx langs was geslopen, het zou opnieuw een lichte versie van een nacht worden, een Scandinavische zomernacht, en een van Göteborgs buitenlandse bezoekers zou naar de lichte duisternis kijken en zich daarover verbazen, en daarna zou hij in de ogen van de Zweedse vrouw kijken, hij had haar nog maar een uur geleden op het terras ontmoet, hij zou de lichtblauwe schittering in haar ogen zien en denken dat hij begreep waar die vandaan kwam.

Jonathan Wide zag een zwakke blauwe schittering in Lea Laurelius' linkeroog en hij verbaasde zich erover dat ze nog steeds zo beheerst was terwijl ze zonder enige twijfel in gevaar was.

Het was niet helemaal zeker dat ze minder in gevaar was als ze in de buurt van Jonathan Wide was. Hij had nog steeds een keus. Hij kon haar naar de club rijden en adieu zeggen en terugkeren naar zijn kalme en onethische leven in de scheidingsbranche. Hij had nog een andere keus.

'Ik bel de politie.'

Ze draaide zich heftig naar hem om. Zijn blootliggende zenuwen schokten in zijn polsen en zorgden ervoor dat hij het stuur naar links draaide en bijna een vrouw van een jaar of zeventig aanreed. De kilo aardappelen die ze droeg, was daardoor de laatste van haar leven geweest.

'Zit stil!'

'Waarom begin je weer over de politie?'

'Luister naar me. We kunnen nog een keer afgetuigd worden. Of erger.'

Wide ging langzamer rijden.

'Als je me geen goede reden geeft om niet meteen naar het politiebureau te rijden, doe ik het nu. Nu! Onmiddellijk.'

Hij kon naar de Skånegatan rijden in een ergere toestand dan waar hij zich op dit moment in bevond. Na al zijn jaren als politieagent kon hij het geblinddoekt vinden. Feit was dat hij zich gedurende zijn laatste tijd op het bureau had gevoeld alsof zijn ogen dicht waren.

Het enige wat hij miste waren bepaalde collega's. De reden dat hij was gestopt had met de collegialiteit van anderen te maken.

'Ja, ja, ja! Stop de auto. Stop de auto!'

Hij sloeg af van de Allén en reed de wijk Haga in. De lage bebouwing gaf een gevoel van vrijheid, de kinderkopjes glinsterden vriendelijk, als kleine golfjes op het water. Hij parkeerde in een straat met een parkeerverbod en hoopte dat ze met rust werden gelaten.

'Het is zoals je hebt gezegd. Georg is... betrokken geraakt bij... bij de drugshandel. Ik weet niet precies wat het is, maar ik geloof dat hij een paar keer... "heroïne" tegen iemand heeft gezegd.'

Ze zat met haar donkere hoofd gebogen, en op het moment dat ze weer begon te praten, begon de straatlantaarn die twee meter bij de auto vandaan stond te branden. Het licht verlevendigde haar linkergezichtshelft. Hij zag dat ze huilde.

'Ik werd gebeld door een man die zei dat hij zakendeed met mijn man. Hij wilde me ontmoeten. Ik verwees hem naar Georg, maar hij hield voet bij stuk. Eerst was hij vriendelijk... nee, eerder beleefd... maar daarna kreeg zijn stem een harde klank. Dat was onaangenaam.'

'Heb je hem ontmoet?'

'We... we spraken met elkaar af in een café in de stad. Daar zei hij dat Georg zijn werk niet deed zoals was afgesproken. Hij wilde dat ik meeging naar kantoor om te luisteren als hij Georg vertelde hoe hij zijn werk moest doen.'

'Weet je zijn naam?'

'Hij stelde zich niet voor.'

'Gingen jullie ernaartoe?'

'Het was verschrikkelijk. Hij schreeuwde tegen Georg zonder zijn stem te verheffen, behalve op het laatst, hij… zei dat degenen die het spel niet mee-speelden een… probleem hadden.'

'Een probleem? Zei hij dat zo?'

'Georg leek te begrijpen wat het probleem was…'

Ze zat nu bijna dubbelgevouwen op de stoel en had beide armen rond haar bovenlichaam geslagen. Het licht van de straatlantaarn verlichtte haar blote schouders. Op haar bovenarmen glansden donshaartjes.

'Wat zei hij nog meer?'

'Niets. Maar op het moment dat hij weg zou gaan, ging de telefoon en deze man… Hij pakte de hoorn alsof het zijn eigen kantoor was. Hij luis-terde heel even en hing toen op.'

'Luisterde hij? Heb je niet gehoord wie er belde? Waar het over ging?'

'Nee, maar… de stem… Op een afstand klonk die ddd…'

Ze keek plotseling op, haar gezicht dicht bij het zijne.

'Hij klonk… Deens.'

Door de warme avonden verlegden de mensen hun gewoonten naar een eer-der tijdstip. Het was verschrikkelijk druk bij de bar. Het was niet gemakkelijk om je binnen te bewegen, niemand kon zich verplaatsen. Het was net een propvolle sauna. *De Finnen nemen een sauna als het buiten te warm is.* Hij had dat horen vertellen en uiteindelijk had hij het zelf meegemaakt, in Nicosia toen de kleine Finse VN-delegatie hem uitnodigde voor de sauna en brande-wijn toen de buitentemperatuur vijftig graden was. Daarna was hij afgekoeld.

Wide keek om zich heen. Het was alsof de hitte bepaalde instincten in de mensen losmaakte. Om te roken, te drinken, te veinzen en hun kleren uit te doen in het bijzijn van vreemdelingen. Was hij een moralist, en daarmee een huichelaar?

Toen ze de club binnen waren gekomen, had Lea kort geknikt naar een man achter de bar, die op zijn beurt naar een tafel in het donkere achterste deel had geknikt. Het had er vanzelfsprekend uitgezien, bijna alsof het was gerepeteerd, dacht Wide. Hij zag een been naar buiten steken, naast de ta-fel, hij zag een deel van een schoen en het flakkerende licht van het plafond boven de dansvloer dat zich weerspiegelde in het gepoetste leer. De schoen bewoog op de maat van de muziek, iets van Whitney Houston, hoe heette die film ook alweer? *Bodyguard.* Was hij dat zelf nu ook?

Daarna ging het allemaal heel snel. Toen Wide en Lea de tafel naderden, gingen er twee mannen voor Wide staan.

'Privé.'

'Ik hoor bij deze dame.'

'Dit is een privégedeelte.'

Een van de mannen gaf een lichte duw tegen zijn borstkas, vriendelijk bijna, alsof hij Wide er opmerkzaam op wilde maken waar de bar was en dat daar een koude Corona en een nog koudere Cuervo op hem wachtten.

Ze waren allebei groter dan Wide.

Hij voelde zich niet in vorm. Hij kon erover dromen om de een te schoppen op een plek waar het heel erg pijn zou doen en daarna zijn elleboog te gebruiken, maar hij wilde het niet doen en hij deed het niet. Hij wachtte en plotseling deed zijn maag pijn en sloeg hij dubbel. Hij had dit eerder meegemaakt en hij kon zich altijd snel weer lucht verschaffen.

'Het wordt erger als je niet verdwijnt.'

Wide stormde naar voren waardoor de man voor hem, de grootste van de twee, één moment zijn evenwicht verloor en een halve stap naar achteren wankelde. De man verplaatste zijn blik van Wide naar zijn eigen been en Wide maakte gebruik van dat moment door zijn geelgroene stropdas vast te pakken – *Was dat een paisleymotief?* – en die met een harde ruk naar beneden te trekken. Het was een stropdas van goede kwaliteit, hij ging niet stuk, en het hoofd van de man schoot naar beneden en raakte Wides knie halverwege. Het gezicht van de man was ook van goede kwaliteit. Voordat de knie van de detective het raakte was het zelfs knap geweest, maar het geluid van het neusbot dat brak, en misschien ook een jukbeen, maakten aan degenen die luisterden duidelijk dat niets voor eeuwig is.

Het was de eerste keer dat Wide zich in een dergelijke situatie bevond sinds hij zelfstandig was gaan werken.

Hij liet los en de man bewoog achteruit, langzaam, hurkend, hij zwaaide met zijn lichaam als in een exotische dans. Wide hoorde een paar scherpe tikken op de vloer rond de gewonde, het konden tanden zijn, als castagnetten, dansmuziek. Het was een onaangename situatie voor de gasten die daar hadden gedanst.

Waar was ze? Wide keek naar de hoek waar hij eerder het been en de schoen had gezien, de hoek waar Lea naartoe was gegaan, maar het enige wat hij zag was duisternis.

Vanuit zijn rechterooghoek zag hij dat de tweede man een mes in zijn hand had, maar verlamd leek door wat er was gebeurd. Hij liet het los en liep snel en doelbewust weg.

De mensen in de bar beseften dat wat er in hun midden had plaatsgevonden geen discodans was, of een show, of een vrijgezellenavond.

Een man en een vrouw stonden als vastgenageld bij de bar en gilden heel hard. De man die ooit een knap gezicht had gehad, stond over hen heen gebogen, hij lag eigenlijk half, het bloed uit zijn wonden had de roomkleurige jurk van de vrouw een kleur gegeven die bij haar boosheid paste. De stem van haar vriend ging een halve octaaf omhoog, als om duidelijk te maken dat niet alleen vrouwen hun zelfbeheersing verliezen op momenten zoals dit. Hij stopte pas met gillen nadat de gewonde op de grond gleed en zijn hoofd met een doffe, zware *whack* op de tegelvloer belandde.

Wide rende de vijf meter naar de hoek van de bar en stormde door de achterdeur die in een eigenaardige hoek aan de korte kant van de ruimte was geplaatst. Hij rende een gang in en zag twee deuren voor zich. De rechter stond open. Hij ging snel naar binnen, draaide zich om zijn as, bijna alsof hij in een carrousel zat, maar het vertrek was leeg en hij rende terug naar de korte gang. Hij wist dat de tweede deur toegang gaf tot een binnenplaats en dat die verlaten zou zijn.

Buiten zag hij een brandgang, een parkeerplaats voor twee auto's, een uitrit en een deur die naar de Vasagatan leidde. Hij zag Lea niet, en ook geen auto's, en hij merkte nu dat hij ongezond heftig ademhaalde. Dat was op zich niet gevaarlijk, maar het maakte het wel moeilijk helder te denken. Hij moest proberen rationeel te handelen, ook al hyperventileerde hij.

Binnen lag de gewonde nog steeds naast de bar, die niet langer steun bood. Wide liep naar de bewusteloze man toe, draaide hem om en keek lang en geconcentreerd naar hem. Had hij hem al eens gezien? Hij had hem inderdaad eerder gezien. *Zijn gezicht was minder gehavend dan hij had verwacht.* Hij had hem een paar keer gezien, namen onthield hij niet zo goed maar voor gezichten had hij een goed geheugen.

Ver weg klonk het geluid van sirenes. Het was alsof dat geluid hem de associatie gaf die hij nodig had. De *Stena Line*, hij had de man op een veerboot gezien, achter de bar, of was het in het restaurant? Ineens zag Wide de man voor zich toen hij een café in Frederikshavn in liep, *had hij dat echt gezien?*, het café dat vlak naast Frederikshavns Avis lag, en daarna verbond zich nog een gedachte met de eerste twee en zag hij de andere man ook, degene die iets kleiner was. Misschien had hij hem op een andere plek gezien, in een ander café. Was dat ook in Denemarken geweest?

De surveillancewagen naderde de nachtclub, met het geluid van de sirene als een onzichtbare sluier achter hem aan.

Op hetzelfde moment draaide een man aan de andere kant van de straat zich haastig om en begon snel naar de Avenyn te lopen. Zijn gezicht was uitdrukkingsloos. Hij liep ritmisch, bijna alsof hij marcheerde. Hij deed zijn tegenligger denken aan een officier, zo'n Pruisische officier die door het leven marcheert met hoog geheven, gestrekte benen en een blik die naar zijn superieur staart, en de tegenligger onderdrukte een plotselinge, hevige impuls om zijn rechterhand omhoog te steken en 'Heil!' te roepen.

Wandelen in de stad. Waarom deed hij dat niet vaker? De zachte lucht was als een licht doodsgewaad rond zijn lichaam gewikkeld. Hij wachtte terwijl de tram langsreed en lachte om de vergelijking, om de ironie ervan: ik ben een massamoordenaar maar ik ben ook een medemens, ik ben ook een minnaar, soms vooral dat laatste, ik weet me te gedragen in net gezelschap. Ik heb zelfs moraal, het was een goed gevoel om de moraal erbij te betrekken. Massamoordenaar. Wat een eigenaardig woord.

Fredrik Björcke was op weg naar nachtclub Palace. Op avonden zoals deze kon hij voor de club staan, bijna midden op Brunnsparken, met een glas in zijn hand en twaalf mooie vrouwen binnen oogbereik, terwijl dertig meter verderop het gepeupel met flessen zwaaide, bijna als een groet, een knipoog naar het zuipen over de klassengrenzen heen.

Eén keer waren twee agressieve klootzakken Brunnsparken overgestoken. Ze hadden tussen de linnen kostuums en korte, strakke mantelpakjes door gelopen en hadden geprobeerd een gesprek aan te knopen. Björcke was erbij geweest. Hij had een 'pre-neuk'-gesprekje gevoerd met een knappe vrouw die op een bank in een van de westelijke buitenwijken werkte en die langer in zijn groene ogen keek dan nodig was. Toen een van de agressievelingen te dichtbij was gekomen, was Björcke met een glimlach opzij gestapt, hij had helemaal niets gezegd, zoals een aantal van de andere knappe mannen. Björcke had zijn goede humeur getoond en hij wist dat de vrouw daarvan onder de indruk zou zijn. Ze had het later laten merken. Die openheid tegenover een vreemde, hij dacht daar vaak over na. Hij had een krantenaffiche gezien over eenzame mannen die nooit echt dicht bij een vrouw kwamen. Hij begreep het niet. Hij moest ze zelfs op een afstand houden. Hij vroeg zich soms af of hij werd omringd door een speciale geur, of misschien was het de – in de ogen van de maatschappij – gruwelijkheid van zijn werk die hem aantrekkelijk maakte. Vrouwen voelden zich aangetrokken tot geweld en macht, agressiviteit, wreedheid. Daarvan was Björcke overtuigd. Hij wist dat het een onnozele gedachte was, maar toch genoot hij ervan. Het klopte soms en dat was voldoende voor hem.

Hij liep langs de garderobe en wachtte een eind bij de bar vandaan. Hij zou pas over een minuut of tien bij de tap staan. Hij kreeg oogcontact met een vrouw in dezelfde situatie. Ze stond zes meter verder. Zuivere trekken, zwaar aangezette lippen die de indruk van frisheid paradoxaal genoeg versterkten, lichtblauwe ogen. Een gebloemde jurk, alsof ze vanaf een zomerweide hiernaartoe was gedanst. Ze keek hem aan met een blik die hij als ironisch opvatte, *dit was ook een manier om je tijd door te brengen*, hij trok zijn wenkbrauwen op bij wijze van antwoord en wees naar de bar en daarna naar zichzelf, stak twee vingers omhoog en wees naar Brunnsparken. Ze begreep het, knikte, maakte zich los uit het gedrang en stond op hem te wachten toen hij met twee glazen bier naar buiten kwam. Hij begreep het niet. Hij zou al snel weer iemand op een afstand moeten houden.

13

Ze hadden veel om over te praten, en niet over de hitte. Het was middernacht en Ard had contact gekregen.

'Je ziet eruit alsof je je niet goed voelt.'

'Dat is een scherpe observatie.'

Jonathan Wide voelde zich ondanks alles een stukje beter dan de afgelopen achtenveertig uur. Was het de adrenaline die door zijn aderen stroomde? Het kon het eigen genezingsproces van het lichaam zijn, dat onderdanig en loyaal was tot aan het eind. Je kon het slaan, het vergiftigen, het weer slaan en het opnieuw vergiftigen. Het lichaam verdedigde zichzelf, mobiliseerde, repareerde. Hij wist niet of hij het waard was.

Hij moest minder gaan drinken. Misschien zelfs helemaal stoppen? Hij zou een zogenaamde nuchtere alcoholist kunnen zijn, als hij tenminste alcoholist was. Hij had gelezen dat meerdere rockzangers waren gestopt met alcohol. Wide, die niet eens gitaar speelde, zou een ander uitgangspunt moeten hebben. Het was geen aantrekkelijke gedachte, maar zo was het leven immers. Ard zou een citaat paraat hebben over het leven en de acteurs van het leven als hij hem daarom zou vragen. Ekelöf. Hoe heette die ene, *Euforie*, zou hier goed bij passen.

'Het zijn een paar lastige dagen geweest.'

'Vooral op het laatst.'

'Je weet dat ik geen problemen zoek.'

'Nee. Zoals altijd zoeken de problemen jou op. Wat is dat toch met je, dat je dat aantrekt?'

'Een onschuldig uiterlijk. Dan krijg je altijd problemen.'

Ard zweeg. Na een tijdje hoestte hij zachtjes en krabde midden op zijn borstkas. Hield het krabben verband met het hoesten?

'Het is Preben Kragersen. Niet bepaald een lieverdje.'

'Ken je hem?'

'Tja, we hebben hem een paar keer opgepakt voor mishandeling.'

'Mishandeling? Hij?'

'Ik snap dat je moeite hebt met dat idee.'

'Hij leek daar niet echt geschikt voor te zijn.'

'Het is altijd goed afgelopen voor Kragersen. Getuigen en aangiften en aanklachten die zijn opgegaan in dunne, grijze rook.'

'Angst?'

'Onze Deense vrienden samen met onze Zweedse vrienden? Wie zou daar niet bang van worden?'

'Anonieme getuigen?'

'Dat werkt niet, dat weet je. Een enorme ophef onder politici, gerechtelijke commissies... En nu betrekken ze de EU er ook nog bij, als een argument om de anonieme getuigen te bestrijden.'

'Die al zoveel te verduren hebben gehad.'

'Precies, maar niemand luistert hier naar de politie.'

'Carlsson had een interview bij *Svar Indirekt* en hij zei dat ze de kwestie wilden bekijken.'

Rijkspolitiecommissaris Bosse Carlsson had vorige week een van zijn media-optredens gehouden. Geen camera of microfoon was veilig voor de rijkspolitiecommissaris. Er waren mensen die serieus geloofden dat Bosse Carlsson in dienst was van de Zweedse radio, als een soort kroniekschrijver of zo. Hij was bekend omdat hij altijd onmiddellijk een antwoord paraat had, vaak al voordat de vraag was gesteld. Het waren meestal nogal bijzondere antwoorden met een woordenstroom en gedachten die daarbij achterbleven. Het leek een beetje op wildwaterkanoën waarbij de kano naar beneden stort en de kanovaarder achter de kano in het water ligt en door een touw wordt meegesleept.

'Carlsson? Dan is er natuurlijk hoop. Mag ik voorzichtig halleluja zeggen?'

'Als de adressen en identiteitsnummers verdwijnen, zijn we een goed eind op weg, zei hij.'

'Hij is vaak een goed eind op weg.'

Ard hoopte dat hij op die manier loyaal leek aan zijn hoogste chef. Loyaliteit was belangrijk in het korps.

'Ik vraag me af wat hij hier doet...' Wide masseerde zijn achterhoofd voorzichtig.

'Dat vragen velen zich af.'

'Is het al bekendgemaakt?'

'Bekendgemaakt? Je bedoelt dat de mensen al zijn vergeten wie wat heeft gezegd in *Svar Indirekt*? Op zich is dat niet zo vreemd.'

'Kragersen. Ik heb het over Kragersen. Wat doet hij hier? Nu.'

'Nu? Hij belast de gezondheidszorg nadat hij is gevallen en ongelukkig tegen de bar terechtgekomen is.'

'Je weet wat ik bedoel.'

'Hoe moet ik weten wat hij hier doet? Blijkbaar is hij gestuurd om mensen op hun bek te slaan, om iemand of iets te beschermen, om te kopen of te verkopen.'

'Drugs? Een drugsverhaal?'

'Niet voor zover wij dat weten. Maar daarom... Ik heb eerder vandaag geprobeerd contact met je op te nemen... Nee, dat was gisteren.'

'Ik heb het nogal druk gehad.'

'Dat heb ik gemerkt. Heel fijn dat je onze Deense vriend hebt geholpen met zijn ademhaling en alle hulp hebt geboden tot onze jongens er waren. Wat deed je trouwens in een van de meer verfijnde oppikplekken van de stad?'

'Ik pikte niemand op.'

'Je zit thuis en schrijft je memoires van een gescheiden man?'

'Ik was met... volgde een dame. Nu volgt iemand anders haar.'

Ard keek Wide aan. Hij begreep de cryptische formulering niet helemaal, Wide was niet iemand die het vertelde als hij een blauwtje bij een vrouw had gelopen, aan de andere kant probeerde hij dat risico meestal te ontlopen. Het was iets anders.

'Een dame? Ik ben ook op jacht naar een dame. Ze is net weduwe geworden, maar weet dat nog niet.'

'En ben jij degene die het nieuws moet overbrengen?'

'Ja.'

'Wie is het?'

'Je kent hem waarschijnlijk, een groezelige ritselaar in de hogere regionen.'

'Het klinkt alsof het iedere zakenman of politicus kan zijn die de smaak van werkelijke macht en een onbeperkte invloed heeft geproefd.'

'Deze heeft het kapitalisme in Göteborg een nieuw gezicht gegeven. Het is Georg Laurelius.'

'Allejezus... Laurelius! Is hij dood? Sinds wanneer?'

'Gis... eergisterochtend vroeg, rond vijf of zes uur, *give or take* vijfenveertig minuten.'

'Maar dat is onmogelijk! Hij belde naar huis... Hoe laat was dat... Hij belde gistermiddag naar zijn eigen huis.'

Ard keek Jonathan Wide heel aandachtig aan.

'Ik heb het gevoel dat jij iets weet wat ik niet weet.'

Er ratelde een brancard langs, de ziekenbroeder die erachter liep was in een vrolijk gesprek met de patiënt verwikkeld. Hij kon niet op weg zijn naar iets ernstigs, misschien alleen een ritje door de ondergrondse tunnel. Iedereen had verandering van omgeving nodig. De portier had een veerkrachtige tred, hij was waarschijnlijk net aan zijn dienst begonnen. Hij had ergens gelezen dat de ziekenbroeders in het Sahlgrenska-ziekenhuis elke dag bijna een halve marathon achter de brancards liepen.

Deze zag eruit alsof hij van zijn werk hield.

Er zou geen vijftien kilometer aan ondergrondse tunnels in het Östra-ziekenhuis zijn, hij had er niet een gezien, maar hij was natuurlijk niet op de kelderverdieping geweest.

Zaal zeven, een zak bananen in zijn hand. Zoiets moest je bij je hebben, bananen waren neutraal, hij had bloemen willen kopen maar dat zou... verkeerd geweest zijn. *Hallo, kijk eens, bloemen, dat was ook geschikt geweest voor je begrafenis, maar nu hebben we ze allemaal voor de gek gehouden, ik was degene die de taxi reed, je zult het je niet herinneren maar ik heb blijkbaar je leven gered. Waarom ik hier ben? Ik weet het eigenlijk niet.* Hij had het gesprek gerepeteerd, samen met haar antwoorden, hij wilde voorbereid zijn op een aantal varianten. Hij was nog niet klaar met zijn openingszin. Misschien moest hij wachten. Zou ze bezoek hebben?

Dan kon hij altijd omkeren.

Ze was wakker, hij zag dat ze naar hem keek, maar er stonden drie bedden in de zaal en pas toen hij voor dat van haar stond, begreep ze dat ze bezoek had.

'Hoi.'

'H... hoi...'

'Hoe is het met je?'

'Ggg... oed, denk ik.'

'Dat is mooi.'

'Ja...'

'Dit is een goede plek...'

'Ik weet wie je bent.'

'Wat?'

'Ik begrijp wie je bent.'

'Ja?'

'Waarom ben je gekomen?'

'I... ik weet het eigenlijk niet. Ik wilde weten hoe het met je is...'

'Ze zeggen dat ik op tijd binnen ben gebracht.'

'Ja.'

'Waarom?'

'Waarom wat?'

'Waarom ben je hiernaartoe gereden? Hoe wist je dat het ernstig was?'

'Dat was niet zo moeilijk.'

'Luister, ik ben geen junk.'

'Dat geloof ik.'

'Ik ben geen junk.'

'Was het de eerste keer?'

'Nee. Er was een feest, er was een... Ze zeggen dat ik iets heb gedronken...'

'Iemand heeft je die troep stiekem laten innemen.'

'Dat is absoluut niet ongewoon.'

'Maar nu gaat het beter?'

'Het scheelde niet veel, zeggen ze.'

'En het wordt beter?'

'Het eten gaat een beetje lastig, maar verder...'

'Moet je hier nog een tijdje blijven?'

'Ja. Het is heel vreemd... Maar op dit moment wil ik nergens anders zijn.'

'Ik zal de... eh... bananen hier neerleggen.'

'Ga je alweer weg?'

'Ze zeiden dat ik niet lang mocht blijven. Je krijgt waarschijnlijk meer bezoek...'

'Mijn moeder is geweest, en een paar vriendinnen. Blijf, dat kan best.'

'Niet meer?'

'Vrienden...'

'Wat doe je voor werk, Linn?'

'Je weet hoe ik heet.'

'Dat was de enige manier om de zaal in te komen.'

'Hoe heet jij?'

'Manfred.'

'Is dat echt waar! Manfred!'

'Naar mijn opa. Daar ben ik tenminste niet alleen in. Als ik wat stoerder was zou ik mezelf Man noemen.'

'Of Fred.'

'*Peace*, Man.'

'Doe je nog iets anders dan taxi's rijden?'

'Ik probeer te schilderen. Ik ben vorig jaar van Valand af gekomen, de Kunstacademie... en ehh... ik probeer wat te schilderen... Wat doe jij?'

'Ik ben werkloos. Ik werkte voor een computerbedrijf maar... tja, het bedrijf moest sluiten. Ik probeer mijn middelbareschoolopleiding af te maken via volwassenenonderwijs.'

'Wanneer mag je naar huis? Ik moet trouwens waarschijnlijk gaan.'

'Luister...'

'Ja?'

'Kom je terug?'

'Tja, ik wilde zien hoe het met je is, maar...'

'Ik wil graag dat je terugkomt.'

'O... natuurlijk, natuurlijk kom ik weer. Morgen?'

'Doe dat.'

Hij liep snel door de gang en rende de trappen bijna af naar de receptie op de begane grond. Wat liep het gemakkelijk zonder die grote zak bananen! Hij groette de vrouw achter de ontvangstbalie en hield de deur open voor een oude man die naar binnen wilde en liep naar zijn auto en opende het portier.

De lucht voelde als fluweel. Wat een heerlijk weer was het toch!

Wide had het verteld.

'Ik hoorde het antwoordapparaat en heb je meteen gebeld.'

'Dat volstaat niet.'

'Er was geen gelegenheid...'

'Onvergeeflijk! Het is onvergeeflijk! Onze vriendschap stopt hier en nu!'

Het was geen teleurstelling, het was ernstiger dan dat. Het was een ambtsmisdrijf, ook al was Wide niet langer in dienst.

'Maar hoe kon ik de verbinding leggen...'

'Je hoefde helemaal geen verbinding te leggen met die gemarineerde hersenen van je. Je hoefde alleen de politie te bellen.'

'Ik wilde eerst weten wat er speelde, vooral wat er bij mij speelde.'

'Als je meteen had gebeld, hadden we de moord misschien opgelost. Misschien meer dan dat.'

Hoe lang kon hij boos blijven? Het vloeide voort uit zijn eigen missers, een klein deel van hem wist dat, *het verkeerde adres*, het had te lang geduurd. Hoe lang moest de politie de menselijke factor mee laten wegen? Als er meer recherchecommissarissen waren, zou het probleem misschien snel opgelost zijn.

Ze zaten in Wides zitkamer. Ard was een intelligente kerel maar geen genie, en je hoefde geen genie te zijn om te begrijpen dat Wide niet verantwoordelijk was voor de nieuwe inrichting, zelfs een delirium veroorzaakte niet zo'n chaos.

Ard stond op van de grond. Het was alsof hij geen lucht meer kreeg. Hij was stram. *Moest zijn onderrug zo stram voelen*? Hij zat bijna nooit op de grond, behalve als hij plinten moest vastspijkeren en dat gebeurde maar heel zelden.

'De enige plek van waaruit Laurelius heeft kunnen bellen, is het mortuarium. Maar je zou het toch gehoord hebben als het geluid uit een lade was gekomen? Blikkerig, als het ware?'

'Zie je dat ik niet lach? Ik meen het namelijk serieus. Hij belde. Zij nam op. Ze luisterde. We vertrokken.'

'Heb je zelf met hem gepraat?'

'Eigenlijk niet. Ik nam op en hoorde zijn stem.'

'Herkende je die?'

'Ik had de man nog nooit gehoord.'

'Een geluidsopname. Kan het een geluidsopname zijn geweest?'

'Onder bedreiging. Kun je dat zo geloofwaardig doen?'

'Klonk hij dan zo geloofwaardig?'

'Hij klonk, tja... autoritair, zelfverzekerd. Je weet wel.'

'Dan was het misschien niet onder bedreiging. Misschien had hij een duivels plannetje bedacht.'

Ja. Dat wordt langetermijnplanning genoemd. Om op tijd te plannen, meerdere stappen tegelijk. Dat is belangrijk.'

'Tegelijkertijd had iemand een duivels plannetje bedacht voor zijn vrouw, Lea.'

'Tegelijkertijd had iemand een duivels plannetje bedacht voor jou,' zei Ard terwijl hij om zich heen keek.

'Ja. Daar heb ik aan gedacht tijdens de weinige vrije momenten die ik de laatste tijd heb gehad. *Why me?*'

'Heb je de laatste tijd een grote zaak gehad?'

'Je ziet dat ik nu ook niet lach?'

'Iemand wil je duidelijk bij het spel betrekken. Of je erbuiten houden. Nee, je erbij betrekken, denk ik.'

Die verdomde telefoon ging weer.

14

'Ard? Is Sten Ard daar?'

Het was Ove Boursé.

'Met Sten.'

'Onze Deense vriend is bij bewustzijn gekomen.'

'Mmm.'

'Hij zegt dat hij is gevallen. Hij heeft wat moeite met praten. Wil je hem nu verhoren?'

'Nee, we wachten een paar uur. Dan doet het minder pijn.'

Ard legde de telefoon neer en draaide zich naar Wide. Hij zag eruit alsof hij door de woestijn had gezworven, in het spoor van een ontdekkingsreiziger die verdwaald was. Wides gezicht was grijs als zand in de regen. Zijn jack had een decimeterlange scheur in de linkermouw. Het compacte lichaam zag er mager uit, de verhoudingen klopten niet, alsof een operatie maar half was gelukt.

Wide sliep. Zijn hoofd leunde tegen een kussen. De vulling, die eruit hing, bewoog zachtjes heen en weer op de maat van Wides ademhaling.

Hij ziet er vredig uit, dacht Ard, mensen zijn kwetsbaar in hun slaap, de meest geharden krijgen een zachte trek waarin je een spoor van menselijkheid kunt zien, ook al worden ze seconden later wakker en grijpen ze naar het pistool onder hun kussen.

Hij had plotselinge huisbezoeken gedaan, waarbij de slaap nog steeds in het gezicht van de aangehoudenen was gegroefd. Hij had gedaan wat nodig was, maar hij had zich een verkrachter gevoeld. Het was onmogelijk geweest om niet te denken aan razzia's in dictaturen over de hele wereld tijdens de kleine uurtjes, de *wee wee hours*, in het Buenos Aires van de jaren zeventig of het Boekarest van de jaren tachtig, in China klopte het broederschap op de deuren of trapte deuren in en iedereen deed wat nodig was. De orde kwam eerst en de wet eventueel later.

Sten Ard kwam overeind en liep naar de hal. Hij zag zichzelf in de gebarsten spiegel en besefte dat hij al een hele tijd niet had geslapen... hoeveel uur al niet?

Hij deed de deur met een zachte klik achter zich dicht.

De zomeravond bewoog zich loom naar de dageraad. Een paar taxi's reden de laatste cafégasten naar huis.

Bij het Munkebacksplein hielp een chauffeur een jongeman in evenwicht te blijven die tegen een betonnen muurtje braakte. Het gebeurde zo vaak, magen die niet zo sterk bleken als verwacht.

Honderd meter van het Radioplein schreeuwde een man: 'Je bekijkt het maar, klootzak!' terwijl hij uit een taxi stormde. De chauffeur keek beurtelings verward naar het briefje van vijfhonderd dat hij bij wijze van borg aan het begin van de rit had gevraagd en de bon van 372 kronen die hij de man, die nu naar links uit zijn blikveld rende, had willen geven.

Bij de Korsvägen stond een middelbaar stel stevig omarmd terwijl ze allebei naarstig probeerden zich te herinneren hoe de ander heette.

Op het Sigbergsplein week een dronken dertiger uit voor een kat en reed dwars over de kruising de etalage van muziekzaak Bengan binnen. De etalageruit kwam met een heldere, scherpe klank op het trottoir terecht. De grungeband in de etalage van de zaak had het geluid kunnen maken.

'Hier is het, nietwaar?'

Ard werd met een ruk wakker en sperde zijn ogen open, als iemand die door de slaap is overvallen en op dezelfde manier wakker wordt.

Hij snoof de geur op van de kleine tuin, die de Middellandse Zee zo dicht mogelijk benaderde: de geluiden, de krekels.

Hij kwam weinig mensen tegen die niet naar regen verlangden. In Zweden was het normaal dat de mensen na twee dagen zon onrustig werden, *de grond is droog*; in dit land had de bevolking drie generaties terug voor tachtig procent uit boeren bestaan en het vereiste veel meer tijd om de zorg voor grote en kleine akkers uit te wissen, maar nu was de onrust terecht. De grond wás droog. Het binnenland begon eruit te zien als de craquelé aardkorst in Zuid-Europa's lege zoutmeren. Het wás erg voor de boeren.

Voor het eerst had Ard medelijden met de beroepsgroep die altijd in alle omstandigheden medelijden met zichzelf had. De boeren huilden, maar de tranen waren niet voldoende om de velden te bevochtigen.

De vermoeidheid was weg, of het gevoel ervan. Hij was klaarwakker door het dutje. Ard liep de keuken in en deed de deur zachtjes achter zich dicht. Hij liep naar de koelkast. Boter, worst van Bruna Livs op het Kungsplein, *shrjemska*, of was het *krajnsna*, hij wist niet of het Servisch of Kroatisch of Bosnisch was, maar het was erg verslavend en hij dacht er soms aan wat er zou gaan gebeuren met zijn worst. Werd die in het voormalige Joegoslavië gemaakt? Hoe moest het dan met de leveranties? Hij had het niet willen vragen. Het voelde onrechtvaardig om te vragen naar het overleven van een worst als de mensen het al zo zwaar hadden.

Hij smeerde boter op drie zachte schijven roggebrood, belegde er een met een in plakjes gesneden ei, legde drie ingemaakte ansjovisjes over het ei, strooide er waterkers over, sneed de worst in plakjes en legde de worst om en om met plakjes tomaten en Griekse schapenkaas op de twee andere schijven. Hij legde het roggebrood op een groot bord met een paar knoflookolijven en wat ingemaakte aubergine. Hij keek een hele tijd naar het stuk brie in de koelkast, zou hij tot het uiterste gaan? Nu doe ik de deur dicht, dacht hij.

Hij moest zulke maaltijden niet eten, overdag zelden en 's nachts absoluut niet, hij dacht erover na en schonk een deel van de inhoud van een flesje Jever snel in een hoog, slank glas. Hij wilde veel schuim. Hij wachtte even en schonk meer bier in het glas. Toen het flesje leeg was, zette hij het in een krat in de kast onder het aanrecht.

Ard pakte het bord en een vork en mes in zijn linkerhand, het glas bier in zijn rechterhand en liep naar de bibliotheek. Hij ging op een van de leren fauteuils zitten en zette het bord en het glas op het tafeltje ernaast. Voordat hij begon te eten keek hij door de grote ramen naar buiten. Het was niet langer nacht, het Scandinavische licht drong de stad op deze vroege ochtend binnen. Het herinnerde hem eraan dat dit voor altijd hoorde bij dit deel van de wereld. Warmte, nieuwe gewoonten, geuren en droogte mochten uit het zuiden komen, maar het licht... Niemand ontkwam aan het licht tijdens de Scandinavische zomer.

Hij at roggebrood en nam af en toe een slok bier, hij wist dat hij hierdoor het komende uur niet zou kunnen slapen. Of zou het drie uur duren? Dat kwam met de leeftijd, hij had de afgelopen jaren van alles geprobeerd om de hele nacht door te slapen, maar het lukte gewoon niet. Als hij vroeg naar bed ging, werd hij zo vroeg wakker dat hij lood in zijn benen had als hij in het donker naar het toilet ging. Als hij laat naar bed ging sliep hij onrustig. Drank bezorgde hem nare dromen waaruit hij zweterig en angstig wakker werd en waardoor hij zich verre van uitgerust voelde. 's Avonds niet eten zette zijn fantasie in werking; als hij in bed lag en probeerde te slapen gloeiden zijn hersenen en dachten ze op hoge toeren. Het was er vaak mee geëindigd dat hij opstond om iets te eten.

Nu maakte hij zich er niet meer zo druk om.

Ard stond op en liep naar de muziekinstallatie. Hij bukte zich en zocht tussen de cd's. Toen hij de voordelen van de cd besefte, had hij dat als een mooi cadeau beschouwd. Het was nu mogelijk om muziek aan te schaffen van artiesten die lang geleden in vinylvorm verdwenen waren. Ard had lp's die hij zorgvuldig behandelde, maar die niet langer mooi klonken.

Hij hield van soul. De jaren zestig, de jaren zeventig, hij was erin blijven hangen, het was moeilijk om door te gaan. Vooral de overgang van de jaren zestig naar de jaren zeventig.

Ard legde een cd in de speler en zette zijn koptelefoon op. Overton Vertis Wright. Een van de groten en een van de meest vergeten zangers, het was onbegrijpelijk, maar Sten Ard had het gevoel dat hij O.V. Wright voor zichzelf had en dat was een fijn gevoel. Hij bleef bij de kast met cd's staan, deed zijn ogen dicht en luisterde voor de duizendste keer naar *Don't Let My Baby Ride* alsof het de eerste keer was. Toen de schitterende gitaarsolo begon, gleden Ards handen over de mooie luchtgitaar, hij was ervan overtuigd dat het een Gibson Super 400 was. Hij wiegde met zijn lichaam heen en weer en deed zijn ogen pas open toen de solo geëindigd was en hij teruggekeerd was naar een barré-akkoord en een schrapend geluid hoorde.

'Luister je unplugged, papa?'

Ze had de *Posten* in haar handen. Ard zette de koptelefoon af en zette de cd-speler uit. Hij liep naar zijn dochter toe en omhelsde haar. Ze rook niet naar alcohol.

'Het is laat. Of vroeg. Te vroeg.'

'Luister je daarom met je koptelefoon op?'

'Als je mijn gitaar voor me in de hoek zet, kan ik de krant van je aanpakken.'

'Goed, ik ben toch moe.' Ze tilde de luchtgitaar met plechtige gebaren op en bracht hem naar de andere kant van de kamer.

'Moet ik hem naast de andere luchtgitaren zetten?'

'Ja. Naast de Fender. Nee, die niet. De Telecaster.'

'Welterusten, papa. Jij moet ook naar bed.' Ze keek naar het lege bord. 'Als dat lukt.'

'Welterusten, Elsa.'

Ard sloeg de krant open en rook de geur van verse drukinkt. Kon hij zich een ochtend zonder krant voorstellen? Hij wist niet wat ervoor in de plaats moest komen, maar hij was bang dat de papieren krant zijn langste tijd had gehad. Hoe lang zou er nog papier zijn? In Japan waren ze waarschijnlijk begonnen om kranten van plastic te maken.

Cocaïne ter waarde van 75 miljoen in beslag genomen
Göteborg transitstad voor narcotica

In een appartement in Angered heeft de politie van Göteborg afgelopen dinsdag 75 kilo cocaïne ontdekt. De marktwaarde is 75 miljoen kronen. Op dezelfde dag deed de politie op vijf verschillende adressen in Kungälv, Malmö en Göteborg invallen en rolde daarmee de Peruaanse bende in Zweden op, die wordt verdacht van narcoticahandel.

Het beslag van afgelopen dinsdag is de op een na grootste cocaïnevangst die in Zweden is gedaan. De grootste was in mei afgelopen jaar, toen de douane in Göteborg 150 kilo cocaïne heeft gevonden in een olievat.

'Dit bewijst opnieuw dat Göteborg de interessantste stad voor het internationale narcoticavervoer is,' zegt commissaris van politie Sten Sjöberg, hoofd van de afdeling recherche in Göteborg. 'Maar een deel van de narcotica blijft ook hier.'
De twaalf gearresteerden – acht Peruanen en vier Zweden – worden ook verhoord met betrekking tot de overval op een postkantoor in Göteborg afgelopen maandag, waarbij ruim een half miljoen kronen is buitgemaakt.

Peruanen. Waren het niet altijd Colombianen? Er was een tijd geweest waarin de pers heel voorzichtig was met het vermelden van de nationaliteit van criminelen. Het werd niet als relevant beschouwd, maar de tijden waren veranderd. De criminaliteit was veranderd, of misschien was die hetzelfde, maar met een ander tempo. Als voetbal. Hetzelfde spelletje, maar heel veel sneller. Ard liet de lucht tussen zijn tanden door ontsnappen. Misschien was het noodzakelijk om de afkomst erbij te vermelden. Zijn collega's wilden dat tenslotte. Hij was er echter van overtuigd dat het de vreemdelingenhaat aanwakkerde, de angst voor het vreemde. *Ik heb het toch gezegd.* Een Somaliër of een Colombiaan of een Peruaan die vastzat voor drugshandel kon een uitgebrand asielzoekerscentrum betekenen. Haat was niet kleurenblind.

De *Stena Jutlandica* dreef als een steen op de Göta Älv. Het kolossale vaartuig eiste het uiterste van de rivier aan opwaartse druk. De boot dreef als een stuk geslepen graniet.

Het bovenste zonnedek baadde in het verdwijnende maanlicht. Over een tijdje zou de zon haar rode stralen uitzenden, als uit een staaflantaarn met gebroken glas. Een van de stralen zou van het bovenste naar het onderste zonnedak glijden, langs het botendek, het restaurantdek, het entreedek, het bovenste platformdek, het bovenste autodek, het onderste autodek, het middelste dek. Het licht zou daarna met een zwak gesis in het water duiken, aan de andere kant weer boven water komen en de reis in omgekeerde volgorde naar boven voortzetten.

Op het restaurantdek, naast het restaurant, lag de conferentiezaal er eenzaam en stil bij. Het witbleke licht van de overheadapparatuur zou pas over een paar uur warmte en licht verspreiden tussen de conferentiedeelnemers van de universiteit van Göteborg, Pååls, Limco AB, Volvo vrachtauto's, de provinciale raad van Älvsborg.

De gang lag in het halfduister, op dit tijdstip was het uiterst moeilijk om de bordjes op de verschillende deuren te lezen. Francofielen bij de *Stena Line* hadden de conferentie- en vergaderzalen Nice, Cannes, Bre-tagne, Dieppe en Brest genoemd. En Parijs, natuurlijk.

Aan het eind van de rechter conferentiegang, gezien vanaf de receptie, lag het trappenhuis, met een deur naar Cannes 2. Een dubbele trap leidde naar beneden, naar het entreedek en het bardek. Op de zevende verdieping, in de kleine ruimte van het trappenhuis, was een bijna altijd dichte en afgesloten deur naar Bar Lido. Naast deze deur bevond zich nog een deur. Daarop stond: 705 – PRIVÉ. Die deur was ook bijna altijd dicht en op slot.

De kamer was eenvoudig gemeubileerd, een tafel en twee stoelen, een kleine kast. Een opvouwbaar bed, altijd prettig om op lange autoreizen mee te hebben.

Toen het ragfijne licht van de dageraad zich een weg naar binnen zocht via de ventilatieopeningen bewoog de persoon zich, en ging van zijn linkerkant op zijn rechterkant liggen zonder van houding te veranderen of wakker te worden. In een hoek van de kamer, achter het hoofdeind van het bed, vlak bij het hoofd van de persoon, lagen een paar vuilniszakken.

Ze liepen langs het kanaal, naar de haven, de lichte zomernacht lag als een dun laken over de stad en ze bleven even bij het water staan, naast de Opera. Hij vroeg haar of ze er al eens was geweest, maar hij luisterde niet naar haar antwoord. Zelf had hij moeite met operamuziek. Te veel gevoelens, te grote gebaren, te veel geluid om gedachten onder woorden te brengen. Opera was beelden van mensen die high werden van het leven zelf, en het was niet echt zijn ding om je leven te bezingen. Nu vroeg ze hem iets en hij keek naar haar.

'Sorry?'

'En jij? Hou jij van opera?'

'Ik zou het wel willen leren.'

'Waarom?'

'Tja… het voelt… juist op de een of andere manier, alsof je van opera moet houden. Misschien doe je dat als je er wat vaker naar hebt geluisterd.'

Wat een onzin. Hij vroeg zich af of ze een van die vrouwen was die in bed praatten, die jankten en gilden en onophoudelijk praatten, en de hele tijd een heleboel achterlijke vragen stelden, vragen waarop je alleen maar een antwoord kon brommen. Sommigen namen de dingen ernstig. Fredrik Björcke dacht erover na of hij vannacht een bankbiljet zou oprollen en haar iets zou leren waar ze echt van zou houden.

'Ik heb thuis… wat opera.'

Ze schonk hem weer die blik. Hij wist niet meer zeker of hij er zin in had.

'Dat geloof ik graag.'

'Hoor ik een bepaalde ironie in je stem?'

'Waarom denk je dat?'

In plaats van antwoord te geven leidde hij hen naar de stad terug. De nacht was nog jong.

15

Het was een ritueel geworden. Vijf minuten over twaalf voor de hekken, de zuidelijke, meteen naar de kiosk voor twee onbeperkte rittenkaarten, een snelle rit voor Jon Junior in de gratis carrousel op weg naar het Sprookjeskasteel, de mechanische bariton 'hallo hallo lieve kinderen' die opgewekt en doordringend over heel Liseberg schalde en op de koop toe over het pand van Alexandersson aan de Mölndalsvägen. De huurders waren eraan gewend geraakt, het hoorde erbij als ze in de vermoeiende middaghitte op hun balkons zaten. Er waren ergere dingen dan naast een pretpark wonen.

Ze kwamen hier altijd op tijd. Na een uur waren de rijen bij de meeste attracties lang, en het was vermoeiend om in het felle zonlicht te wachten.

Daarom had hij vandaag een uitzondering gemaakt. Liseberg laat in de middag zou een nieuwe belevenis voor het gezin zijn, de rést van het gezin, de vitale delen van het gezin, had hij gedacht.

De kinderen trilden van opwinding terwijl hij de onbeperkte rittenkaarten aan hun polsen vastmaakte. Onbeperkte toegang voor 195 kronen. Dat kon tien keer in de carrousel Slänggungan betekenen voor Elsa, of zeven keer achter elkaar in de draaimolen Kaffekoppen, of vijf keer met doodsverachting in de achtbaan Lisebergbanan. Wide had moeite met zowel de Lisebergbanan als de Loopen. Hij vond het niet prettig om dertig meter boven de grond met zijn hoofd naar beneden te hangen. Zou er deze keer iets gebeuren? Kon je de tieners die de achtbaan met nonchalante vanzelfsprekendheid bedienden echt vertrouwen? Had een jeugd achter computers die zelfverzekerdheid veroorzaakt?

Liseberg had ook bij zijn tienerjaren gehoord. De meisjes naast de dansvloer Polketten, de oude, puffende en rammelende, angstaanjagende achtbaan met voldoende plek op de bankjes voor een meisje en zijn sterke arm om haar schouders. Wat je allemaal niet deed voor de liefde. Hij was er altijd misselijk uit gekomen, terwijl hij tegelijkertijd had gelachen en met een opgezette borstkas naar de Spiegelzaal was gelopen. Een keer had hij van pure zenuwachtigheid zijn entreebiljet stukgescheurd terwijl hij in de rij stond te wachten. Hij had een handvol stukjes papier overhandigd en was daarna opzij gestapt terwijl Eva of Ulla of Katrin, of hoe de meisjes aan het eind van de jaren zestig ook hadden geheten, zonder hem op avontuur was gegaan.

Een suikerspin na het Sprookjeskasteel was ook bijna een ritueel, met de nadruk op 'bijna'. Het was geen absolute must.

'Het is super om iets met z'n drieën te doen.'

Hij herkende zijn eigen stem niet.

'De eerste keer in Liseberg voor deze groep!'

Elsa had niets gezegd. Haar broers pogingen om te bemiddelen, de impasse te doorbreken, was ze nu voorbij. Mama en papa gaan scheiden, ze had het van anderen op school gehoord, zachtjes en verlegen. Het was niet prettig dat het nu haar beurt was. Het had gevoeld alsof haar hamster dood was.

'Wat dachten jullie van de boomstam?'

De wolken gesponnen suiker waren op. Jon veegde de laatste restjes van zijn mond.

'Maar dan worden we meteen nat, papa.'

'Dat maakt vandaag niet uit. Het is zo warm.'

'Ik wil niet nat worden.'

'Je bent meteen weer droog.'

'Misschien staat er een hartstikke lange rij.'

Elsa steunde haar vader.

'Oké.'

Ze liepen de heuvel op naar de hekken. Wide vond het altijd op omheinde kooien lijken, als in wildwestfilms waarin de dieren in rijen werden gedreven, in labyrinten.

Ze hadden hier leuke momenten meegemaakt. Het systeem was zo opgebouwd dat je dezelfde mensen meerdere keren tegenkwam.

'Papa?'

'Mmm.'

'Ken je die ene Zwedenmop al?'

Ze hadden nog drie parallelle rijen naar de boomstamboten in de met water gevulde achtbaan voor zich.

'Het heet een Norenmop,' zei Jon.

Zijn zusje hield voet bij stuk.

'Dit is een Zwedenmop.'

'Maar Noren...'

'Stil, Jon, laat Elsa vertellen.'

'We hebben een Noor op school, in de parallelklas. Hij vertelt de hele tijd moppen over stomme Zweden.'

Elsa haalde adem en keek hem met glinsterende ogen aan. Wide wilde de blik invriezen en voor eeuwig bewaren.

'Weet je wat de Zweed zei die een bananenschil op straat zag liggen?'
'Geen idee.'
'Nee? Hij zei: "Nee, niet alweer!"'

De tijd had niets te betekenen als het werk en de rest van het leven in elkaar overliepen. Wanneer stopte het een en nam het ander het over? Ze had een verhaal gehoord over Evert Taube, of was het Picasso geweest? Nee, het was Taube. Hij had doodstil in de Middellandse Zee gestaan, met het water tot aan zijn middel. Iemand had hem aangesproken en hij had zijn ogen opengedaan en had gezegd: 'Stil, ik werk!'

Kerstin Johansson waste haar armen en onderarmen in de oude zinken wastafel bij de deur. Boven de wastafel had de vorige eigenaar van het atelier een fotokopie van een foto opgehangen waarop koningin Sylvia hardop lachte tijdens een diner om iets wat Ceausescu seconden daarvoor had gezegd. Daarnaast hing een foto van hetzelfde formaat, waarop Margaret Thatcher wijn rechtstreeks uit een fles dronk terwijl op de achtergrond een haveloze persoon op een smerige matras lag. De tweede foto was een knap gemaakte manipulatie, de eerste was geen fotomontage.

Kerstin Johansson stak haar handen in de lucht en liet het water verdampen. Het was minstens vijfentwintig graden in het atelier, misschien zelfs achtentwintig. Ze had geen thermometer maar ze bleef maar zweten, het lag als een plastic laag op haar voorhoofd. Ze voelde de druppels tussen haar schouderbladen naar haar onderrug lopen. Het jeukte in haar liezen en op haar billen. Toch had ze de hele dag gestaan. Ze had om een uur 's middags een douche genomen. Godzijdank had de gemeente gemeenschappelijke douches laten plaatsen. Ze had een schoon slipje en een nieuwe jurk aangetrokken die nauwelijks plaats innamen in haar rugzak en was naar de schaduw op de binnenplaats gelopen, maar had onmiddellijk naar haar werk terug verlangd. Alles liep in elkaar over.

Nu was de schemering voorbij. Ze zat deze keer niet in Parijs achter een glas Ricard, zoals ze al meerdere keren had gedaan tijdens de verschillende stadia van haar carrière die nooit van de grond was gekomen, maar waarvoor ze in elk geval in Parijs was geweest, en dat was een carrière op zich. Ze had zelfs in een open sportauto over de Champs-Elysées gereden, met de wind door haar haren.

Kerstin Johansson draaide de deur met het eenvoudige Blända-cilinderslot zorgvuldig op slot. Het was een massieve deur. Zou iemand het resultaat van haar inspanningen willen stelen? Ze moest erom lachen. Niet voor de vernissage in elk geval, niet voordat duidelijk was of ze een vermogen in haar atelier had staan. De vrouw van Galerie Grate had vlak nadat de politieagente was vertrokken voor haar deur gestaan. De vrouw was vrij stil geweest, maar op een positieve manier. Ze had gezegd dat ze haar kunst wilde hebben, net als haar collega de week ervoor had gezegd. Galerie Grate, Södra Vägen. Het was geen grote galerie, maar chic genoeg om meer publiek te trekken dan alleen haar vrienden, als het echt zover zou komen.

Het was buiten koel en stil. Haar voetstappen echoden op de kleine binnenplaats, die een akoestiek had als een amfitheater. Ze liep de straat op en sloeg links af in zuidelijke richting, sloeg weer links af en liep over het fietspad langs de Carnegie-gebouwen, met de Oscarsleden aan haar rechterkant. De hoge struiken dempten het geluid van de auto's, die op een afstand van vijftien meter van haar hoofd voorbijraasden. De planten die niet waren gesneuveld toen de snelweg was gebouwd, glansden donkergroen nu de zon verdwenen was. Ze begonnen langzamerhand af te sterven door de benzinedampen. De Oscarsleden liep als een levensgevaarlijke grensafzetting tussen de stad en de rivier, als een elektrische afrastering.

De Göteborgers waren gescheiden van hun water. Er verrees een glimmend paleis bij de rivier, waar een hotel en een gebouw voor muziek-dramatische cultuur zouden komen, maar de bewoners moesten hun levens tot de flats en de parken beperken en konden niet bij het water komen, dat toch bijzonder aantrekkelijk was tijdens de warme avonden. Bij Askimsbadet kwamen de immigrantenfamilies 's avonds bijeen, maar het paste niet in het Zweedse levenspatroon om dat te doen. Tussen de grote steiger en de klippen stegen de geuren op van geroosterd vlees en gegrilde paprika's, kinderen speelden in het lauwe water dat zich in de kleine lagunes had verzameld. De oude vrouwen keken uit over de zee, ver voorbij het Bohuslänse Näset en voorbij de windsurfers en zeilboten die in de windstille schemering met acht pk naar de steigers voeren.

Kerstin Johansson liep over het parkeerterrein en langs de bunkerachtige staatsslijterij aan de Karl Johansgatan. Ze wilde vanavond een glas witte wijn, Duits en koel, koud zelfs, tegen middernacht in de keuken met de balkondeur open en heel zachte muziek op de radio. Eenzaam, maar ze kon met zichzelf leven.

De winkel was zwijgend op de achtergrond aanwezig, alsof die uitrustte voor de volgende ronde. Ze keek door de van tralies voorziene ramen. Had ze thuis nog een fles?

Tramlijn drie kwam denderend vanaf het Chapmansplein aanrijden en ze liep op een drafje naar de halte aan het Jaegerdorffsplein. Ze kwam tegelijk met de tram aan. De wagon waar ze instapte was bijna leeg. Helemaal achterin zaten twee jonge meisjes en in het midden een oudere man. Ze ging op de vierde stoel van achteren zitten, bij het raam.

Zoals altijd stapte er iemand op het laatste moment in. De man passeerde haar, zijn blik naar voren gericht. Blond, kort haar, stevig. Zoals zo vaak gebeurde had ze zijn gezicht eerder gezien. En zoals zo vaak gebeurde bedacht ze dat het zinloos was om een poging te doen zich te herinneren waar ze zijn gezicht eerder had gezien. Ze haalde een boek uit haar rugzak.

Blijkbaar in de tram, ze had hem waarschijnlijk tijdens een tramrit gezien. Dat leek logisch.

De man ging drie stoelen achter Kerstin zitten.

Hij verlangde naar een koud biertje. Hij zag het hoge tulpglas voor zich zonder dat hij daarvoor zijn ogen dicht hoefde te doen. Het was waanzin om tijdens de warmste dag van het jaar naar Liseberg te gaan, ook al was het aan het eind van de middag. Veel te veel mensen hadden datzelfde krankzinnige idee. Het pretpark liep snel vol en het kostte tijd om vooruit te komen, de rijen waren lang.

Wide pakte zijn portemonnee uit de borstzak van het dunne, rood-blauwgeruite katoenen overhemd en telde zijn geld. Dat kostte niet veel tijd. Hij had geld voor een kop koffie met iets lekkers, of iets te eten, misschien een worst. Hij begon gewend te raken aan de onregelmatige inkomsten. Vorige week was hij gebeld door een klant omdat ze na een langdurige en ernstige verdeeldheid ging scheiden. Ze wist absoluut zeker dat haar echtgenoot een ander had en dat wilde ze bevestigd hebben. Hij moest meteen met de opdracht beginnen. De vrouw wilde er niet mee wachten.

'Hebben jullie dorst? Ik voel me als een kameel die drie weken in de woestijn heeft rondgezworven.'

'Ik wil fris.'

Jon pakte enthousiast zijn rechterarm vast. Elsa draaide haar hoofd weg.

'Ik wil niets. We zijn nog niet in de Magische Villa geweest.'

Ze begon naar de loopbrug te lopen die naar de Villa en de Skatedance, de spectaculaire carrousel, leidde. Hij moest bijna rennen om haar in te halen. Ze keek weg, en hij moest op zijn hurken gaan zitten om naar haar kleine, gesloten gezicht te kunnen kijken. Hij was niet zo dom, of zo dorstig, dat hij het niet begreep.

'Jij wilt ook wat fris drinken, Elsa... en ik ook.'

Haar gezicht werd iets toegankelijker.

'Fris? Wil je iets fris hebben?'

'Dat is het enige wat helpt in deze hitte. Ik neem een Fanta.'

Jon had hen ingehaald.

'Ik wil een Cola. Ik heb geen honger. Ik wil ijs.'

Jonathan Wide keek naar zijn dochter.

'En jij, Elsa? Heb jij geen dorst?'

'Jawel...'

'Nou dan.' Hij ging staan en pakte de handen van zijn kinderen vast. 'Ik wil twee frisdrank! Een Fanta... en een Fanta!'

Elsa giechelde en haar gezicht trok glad alsof een hand 's ochtends over een kussensloop streek. Jon sloot zich bij hen aan.

'Ik wil een cola... en een cola! En een ijsje... en een ijsje!'

Ze liepen naar het restaurant bij het podium en de fonteinen. Wide bestelde drie frisdrank om mee te beginnen, een broodje garnalen met ei en mayonaise en twee broodjes worst. Hij draaide zich naar Elsa.

'Weet je wat de Noor zei die een fles Fanta tegen zijn hoofd kreeg?'

'Nee...'

'Hij zei: "Nee, niet alweer!"'

'Maar dat kon hij toch niet zeggen, want...'

'Natuurlijk wel. Hij had in Zweden gewoond!'

Had ze hem hier gezien? De man was bij dezelfde tramhalte uitgestapt en ze dacht aan hem terwijl ze langs de voetbalvelden achter de Flatåsschool liep. Twee teams speelden op het keiharde grind, ze zag een zweem van rood en zwart en blauw in het dichte stof en hoorde roepen. Ze moest aan de woestijn en kamelen denken en ze voelde hoeveel dorst ze had. Eerst water, daarna wijn.

Na de winkel sloeg ze rechts af, liep over de grasvelden tussen de huizen door, stak de Svängrumsgatan over en liep naar de meest westelijke portiekdeur van het flatgebouw, naast het wijkgebouw. Vlak voordat ze naar binnen ging, rook ze het zout van de zee door een toevallige windvlaag die de zeelucht over de westelijke stadsdelen blies.

Kerstin Johansson deed de portiekdeur open en zag dat die een moment stil bleef staan terwijl ze naar binnen liep. Waren de scharnieren zo traag door de warmte? Ze kon altijd twee van de drie trappen naar haar flat op lopen voordat ze de portiekdeur op de begane grond dicht hoorde slaan, maar nu was de deur trager dan ooit. Ze had de sleutel in het slot van haar voordeur gestoken en nog had ze de bekende, bijna huiselijke knal niet gehoord. Ze deed haar voordeur open en hoorde snelle voetstappen op de trap onder haar. Ze draaide zich om in de deuropening en zag tot haar verbazing de blonde man uit de tram met twee treden tegelijk de trap op komen. Ze wilde net iets zeggen toen hij naar haar toe liep en haar de flat in duwde. Ze verloor haar evenwicht en viel tussen regenjassen en jacks en duffelse jassen, trok drie kleerhangers in haar val mee en voelde de scherpe rand van een leren laars tegen haar wang, terwijl ze op hetzelfde moment een glimp van het trappenhuis opving, seconden voordat de deur met een zacht *sssjt* dichtging.

Jon sliep, zijn hoofd tegen Wides schouder. Hij droeg de jongen terwijl hij naar Elsa keek, die een laatste keer in de Slänggungan zat. Ze draaide rond en rond terwijl ze voor zich uit staarde en af en toe met een stralende glimlach naar haar vader en broertje diep onder haar keek.

16

Het was nog net de juiste tijd voor zeekreeften. Hij was in juni voor zijn werk in Stockholm en was de overdekte markt Östermalmshallen in gelopen. Tweehonderdvijfentachtig kronen voor de zeekreeften, hij had medelijden met de Stockholmers. Hoe konden ze hier leven? De Östermalmshallen leek een gedesinfecteerde versie van de Göteborgse vishal Feskekörka, steriel en stil. Hij miste de rauwheid en het lawaai en de zoute, scherpe geuren die bij vis en visverkoop hoorden. Hij herkende meerdere gezichten van mensen van vroeger op televisie, vergane glorie, de Östermalmshallen als laatste drinkplaats voor stokoude olifanten.

Nu ontleedde Sten Ard vier kreeften en legde de staarten op een stuk baguette, dat hij in de oven had gebakken en met boter had besmeerd. Hij spoot er mayonaise op in twee achten, legde twee handen fijngehakt ei in de ovalen en strooide er grof gesneden dille, citroensap en een mespunt cayennepeper overheen. Dat wordt mijn dood, dacht hij. Hij nam een hap en kauwde langzaam. *Het is net alsof er een engeltje op mijn tong piest.* Waar had hij dat voor het eerst gehoord? Het was de perfecte uitdrukking voor iets wat lekkerder was dan al het andere.

Maja pakte een nieuwe kreeft.

'Weet je dat je er op dit moment heel zorgeloos uitziet?'

'Hmmm...'

'Op dit moment ben je heel kwetsbaar.'

Op dit moment kon hij geen antwoord geven.

'Het kan niet goed zijn voor een politieagent om zich hieraan te buiten te gaan.'

Zo meteen, zo meteen zou hij antwoord geven.

'Worden er tegenwoordig geen karaktertesten meer afgenomen bij de politie?'

Hij slikte.

'Het ontbreekt je ook aan concentratie als je alleen aan zeekreeften dénkt.'

Hij keek verlangend naar de rest van zijn baguette.

'Daar heb je het al. Denken. Vis stimuleert de intelligentie. En schaaldieren zijn de meest hoogstaande... visdieren.'

'Visdieren? Dat is een nieuw woord.'

'Alleen zodat je het beter begrijpt.'

'Net als kreeften begrijpen hoe ze in de netten moeten klimmen?'

'Ze zijn uitgeput van alle negatieve kosmische storingen die door het water trekken.'

'Lopen kreeften daarom achterstevoren?'

'Nu snap ik het niet meer.'

'Ze lopen achterstevoren omdat ze uitgeput zijn, maar zijn ze slim genoeg om te proberen het net slimmer af te zijn?'

Hij zag zijn redding.

'Juist. Zo gaat het er precies aan toe.'

Maja pakte vijf plakjes ei van de lichtgroene eiersnijder. Niet mooi, maar praktisch, Sten had erop gestaan dat die op tafel bleef staan.

'Dan begrijp ik het helemaal.'

Hij voelde hoe een vlaag van de droge ironie van zijn vrouw een zweetdruppel op zijn rode voorhoofd droogde.

Ze was in een verschrikkelijk humeur geweest toen hij thuiskwam. De zak die hij in zijn hand had, bracht daar niet onmiddellijk verandering in. Het was nu beter, maar nog niet echt goed. Ze had behoefte om erover te praten en hij was bereid om te luisteren. Het was niets nieuws en dat maakte het zo afschuwelijk.

'Vijftigduizend kronen per maand. Van vijfendertigduizend, en dat is al een heel goed salaris. Ik kan wel huilen.'

Dat had ze ook gedaan, echte tranen die niet alleen werden veroorzaakt doordat ze boos was, maar ook uit ongerustheid.

'Dertig procent salarisverhoging of meer voor de hoogste ambtenaren. Blingen gaat van 36 naar 48, Jansson van 35 naar 45, Collander van 27 naar 45. Van 27 naar 45! Dat is meer dan een klap in ons gezicht.'

'Dat zijn de spelregels...'

'Wat zeg je daar, verdomme?!'

'... helaas. Helaas zijn dat de spelregels.'

'De hoogste ambtenaar van de afdeling psychiatrie van het Östra-ziekenhuis krijgt een waanzinnig hoog salaris terwijl 118 psychiatrisch verpleegkundigen en twaalf administratief medewerkers worden ontslagen?'

Het was voor hen beiden een onrustige tijd. Maja was een van de administratief medewerkers. Twee dagen geleden had ze een eigenaardige vraag van kantoor gekregen, voorzichtig bij een kop koffie. Ze wilden weten of zij, met haar ondernemingslust, geen eigen plannen had voor de toekomst. Had ze er weleens over nagedacht om voor zichzelf te beginnen?

'In deze maatschappij dreigt overhead enorm te worden.'

'Is er geen rechtvaardigheid meer?'

Ze beseften tegelijkertijd hoe pathetisch het klonk. Rechtvaardigheid was een relatief begrip. Hoe minder het werd gepraktiseerd, des te meer werd erover gepraat. Als een schreeuw om iets wat lang geleden was gevlucht, dacht Sten Ard. Hij overwoog of hij nog een hap van zijn broodje kreeft durfde te nemen.

Maja durfde het en nam een hap. Ze kauwde, slikte en keek naar hem met die scherpe blik in haar ogen.

'Het is wetteloos, een gangstermaatschappij. Degenen die de macht hebben, doen wat ze willen. Hoe erger het wordt, des te meer doen ze wat ze willen.'

'Mhhmm.'

'Ik weet dat er mensen zijn die in oorlogen sterven en honger lijden, maar dat is in dit land een argument geworden om je mond te houden over de onrechtvaardige dingen.'

'Mhh... ja.'

'Ben je het niet met me eens?'

'Natuurlijk, ik moest alleen mijn mond leegmaken.'

'Als de zogenaamde crisis erger wordt, moet de bovenlaag van de samenleving beter betaald worden om de problemen op te lossen. Hoe erger de crisis, des te meer krijgen ze betaald en des te meer dure experts laten ze aanrukken. Als het helemaal in het honderd loopt, worden de allerduurste experts aangetrokken.'

'Spe...'

'Als je nog één keer "spelregels" zegt, ga ik van tafel.'

'Speciaal nu de situatie op dit moment zo ernstig is.'

Ze keek naar hem met twijfel in haar blik. Nam hij haar in de maling?

'Stel je voor dat ze zich zo bij de politie gedroegen? Zodra de boel een beetje vastloopt, word je opzij geduwd door een kerel die twee keer zoveel betaald krijgt om jouw werk te doen.'

'Tja, we zitten in een situatie waarin kerels zelfs twee keer zoveel geld krijgen als ik, om helemaal niets te doen.'

'Je weet precies wat ik bedoel.'

'Soms zou ik geen nee zeggen tegen een beetje hulp. Als ik mijn salaris maar mag houden.'

'Verdomme Sten, mannen zoals jij leggen de basis voor de onrechtvaardigheid in dit land.'

'Maar liefje, nu overdrijf je een beetje.'

'Buigen en accepteren en bedanken, dat is wat het voetvolk mag doen.'

'Tja, ik ben in elk geval commissaris.'

'Ik heb het niet over je carrière. Het gaat om de instelling.'

Er lag een teleurgestelde uitdrukking op haar gezicht. Hij wist dat ze het niet over hem had. Ze kon de toestand in het nieuwe Zweden gewoon niet accepteren.

'Ik ben het met je eens.'

Ard kwam overeind met zijn broodje in zijn hand.

'De instelling is het belangrijkst. Zal ik nog een stuk baguette in de oven doen?'

Ze lachte en stak haar tong naar hem uit. Toen ging hij weer zitten en bracht voor de derde keer zijn baguette naar zijn mond toen de telefoon ging. Hij legde het brood op zijn bord en liep naar de keukentelefoon op het aanrecht.

'Met Sten.'

Maja zag hoe zijn ontspannen lichaam langzaam verstarde.

'Vanavond?'

Hij luisterde.

'In de flat...'

Hij pakte een pen en schreef iets op de blocnote naast de telefoon.

'Je hebt gepraat... Ja, ik heb het rapport... natuurlijk...'

Ze hoorde de vrouwenstem als een opgesloten wesp in de telefoonhoorn.

'Zijn de buren er?'

Hij schreef nog iets op.

'De Svängrumsgatan. Ja, ik ga ernaartoe.'

Hij keek met de telefoon in zijn hand naar zijn vrouw.

'Dat was Kajsa. Ze heeft vandaag met een vrouwelijke getuige gepraat, die daarna gewond is geraakt in haar flat.'

'Mishandeling?'

'Ernstig. Ze ligt op de intensive care van het Sahlgrenska-ziekenhuis.'

Hij keek naar zijn blocnote.

'Kerstin Johansson. Beeldhouwer. Of is het beeldhouwster?'

Het restaurant was helemaal nieuw en Wide was aangeschoten. Precies op dit niveau zou hij het vanavond houden. Hij had een glas wijn in zijn hand en hij zou het glas heel lang vasthouden, misschien hoefde hij het de hele avond niet bij te laten vullen? De glazen die hij eerder had gedronken waren voor de dorst geweest, en een lichte, droge wijn was lekker na het bittere, donkere bier dat hij op een terras had gedronken voordat hij hiernaartoe was gekomen.

Hij had Jon het huis in gedragen en Elsa had naast hem gelopen, breekbaar, met een zwaar lichaam van de slaap. Ze had hem stevig omhelsd en had uiteindelijk welterusten gezegd en Elisabeth had 'bedankt' en 'tot ziens' gezegd. Hij had Melker in de keuken horen rondscharrelen. Misschien was hij verdwaald? Hij woonde er tenslotte nog niet zo lang.

Wie weet had hij op dit moment een vergiet in zijn hand en vroeg hij zich af wat het was. Een hoed voor rastamannen?

Wim Shaeffer was een oude vriend en een van Göteborgs meest creatieve horecamensen. Hij had een nieuwe zaak geopend in de Kungsgatan, *Colombo*, met een bar op de eerste verdieping en een restaurant op de begane grond. Eenvoudige burgermanskost met een 'zilveren randje', zoals Shaeffer het noemde. Knolgroenten, maar dan anders. Colombo. Wat een naam.

'Voor de couleur locale heb ik een afgedankte rechercheur nodig.'

Shaeffer had hem op zijn eigen manier uitgenodigd.

'Moet ik mijn regenjas aantrekken?'

'Het is voldoende als je komt zoals je bent. De mensen herkennen een afgedankte rechercheur als ze er een zien.'

'Ik hoop dat ik niet elke dag aanwezig hoef te zijn? Als onderdeel van het interieur?'

'Tja, dat is misschien een idee. Je kunt tenslotte koken...'

'... en dat met die couleur locale klopt.'

'Kom je?'

'Ik ben niet bepaald een premièretijger.'

'Daarvan komen er genoeg.'

De inrichting was lichtbruin en glanzend zink en een bar in de vorm van een hoefijzer met de klassieke batterij flessen voor een enorme spiegel, zodat degenen die dat durfden naar hun spiegelbeeld konden kijken. Wide keek nooit in de spiegel als hij bij een bar stond of zat. Dan voelde hij zich overgeleverd.

Hij arriveerde toen het feest al aan de gang was. Shaeffer stond te midden van een kleine kring collega's die hem op de rug sloegen, anderen stonden in de rij om hun boeketten bloemen en boeken en flessen wijn af te geven. Op een deel van de bar en een tafel ernaast was een buffet neergezet. Wide liep achter de vrolijke groep langs, pakte een mooi, wit bord van de stapel naast het buffet en nam een grote plak versgerookte zalm, een schep roerei waarover hij wat bieslook strooide, twee tomaatjes, groene asperges, grote garnalen die er veerkrachtig uitzagen, een klont knoflookmayonaise die niemand beter kon maken dan Shaeffer, een warm maanzaadbolletje en een stuk belegen geitenkaas.

Hij ging aan het andere eind van de bar staan en begon te eten. Hij herkende een aantal restauranteigenaars en een paar journalisten die hij gedurende de jaren weleens had gesproken, maar dat was alles. Er waren opvallend veel mooie, jonge mensen in de grote, lichte zaal met de enorme ramen die uitzicht boden op de Kungsgatan. Gingen die altijd naar dit soort bijeenkomsten? Had Shaeffer de hele groep bij een modellenbureau gehuurd?

'Is de aioli lekker?'

Wide keek op van zijn bord en zag Shaeffer naast zich staan.

'Zoals altijd. Jezus, mooie klantenkring heb je hier verzameld.'

'Geluk... en handigheid. Zie je die vrouw daar?'

Hij maakte een gebaar naar een van de tafels.

'Ik zie zoveel vrouwen.'

'Die met het ravenzwarte haar en de vuurrode lippen, in het mantelpakje.'

Wide zag een vrouw van in de dertig, als hij het goed raadde, met zuivere gelaatstrekken en een breed gezicht, in een licht mantelpakje dat er even vrouwelijk als duur uitzag.

'Ik heb haar nog nooit gezien.'

'Niet in jouw kringen. Ze komt trouwens uit Stockholm. Ze is redactrice van het nieuwe tijdschrift *Elysée*. Mode, nog meer mode, bekende mensen, maar niet vulgair, eerder geraffineerd, en eten.'

Wide zag de tijdschriften op tafel liggen, uitgespreid in een waaiervorm. De vrouw lachte om iets wat een man in een overhemd met mooie bretels tegen haar zei, waarna ze met een lichtelijk nieuwsgierige blik in zijn richting keek... in Shaeffers richting.

'Ze kijkt deze kant op. Ze denkt waarschijnlijk dat een van de clochards van de stad naar binnen is gewankeld en dat jij hem nu voorzichtig naar buiten probeert te krijgen.'

'Dat is precies waar de vrouwen voor vallen, Wide, je zelfspot.'

'"Vallen" is het juiste woord.'

'En je *"down and out"-look*. Die is spannend.'

'Probeer je me te versieren?'

'Dat zou ik nooit durven. Peter zou razend worden. Heb je Peter al ontmoet?'

Dat had Wide nog niet. Hij zag een krachtig uitziende man in een wit overhemd die een oogje op het buffet hield. Wide had door de jaren heen een aantal relaties van Shaeffer ontmoet. Shaeffer was altijd een man geweest met vaste relaties, tegenwoordig nog meer dan eerst.

'Hij is bloeddonor.'

'Dat is vast het beste wat een homo vandaag de dag kan zijn.'

'Niemand gelooft hem als hij dat vertelt.'

'Maar jij wel.'

'Ik heb zijn kaart gezien.'

'Die worden in Nordstan verkocht.'

'Nu doe je flauw, Jonathan,' zei Shaeffer terwijl hij vol zelfspot met een denkbeeldig handtasje naar hem sloeg. Wide kauwde op een garnaal en keek naar Shaeffer, die zich omdraaide om terug te gaan naar de mooie mensen.

'Dus al dat mooie volk hier is in het kielzog van dat tijdschrift gekomen.'

'*Elysée*? Dat klopt.'

'Zijn ze daarom hier?'

'Niet allemaal. De drie mooie mensen die we in Göteborg hebben zijn er ook. Nog niet, maar ik denk dat ze snel komen.'

Shaeffer lachte even vrolijk, gaf een kneepje in Wides arm en liep de menigte weer in. Wide belegde het broodje met de geitenkaas en gebaarde naar de barman. Waar was de wijn gebleven? Hij had nog een glas nodig. Hij moest ook ergens zitten. Toen hij langs de tafel liep waar de vrouw in het mantelpakje zat, keek ze op en ze glimlachte naar hem. Deed ze dat omdat Shaeffer met hem had gepraat?

Wide liep verder met het wijnglas in zijn hand en ging aan een tafel bij het raam zitten. Vijf mannen van een jaar of vijfentwintig keken naar hem, maar niemand zei iets. Ze zaten allemaal met een exemplaar van het nieuwe tijdschrift voor zich op tafel. Wide voelde zich naakt zonder een eigen exemplaar. Hij zag een stapel tijdschriften op een vensterbank liggen en ging staan om een exemplaar te halen.

Hij moest langs heel wat advertentiepagina's bladeren voordat hij bij een reportage over de Franse Rivièra kwam. Hij bladerde verder en keek naar de gezichten die hij ook om zich heen had. De mannen aan de tafel stonden duur en goed gekleed op bladzijde na bladzijde in *Elysée*. Het moest een bijzonder gevoel zijn om jezelf zo te zien, om het resultaat van je werk te zien. Wide hield een van de serveersters tegen en verwisselde elegant zijn lege wijnglas voor een vol. Rood deze keer, maar wat maakte dat uit? Hij voelde zich goed. Het was een mooi restaurant. Het was een leuk tijdschrift. Het waren aardige jongens.

'Hoe is het om op zoveel foto's te staan?'

Ze keken hem aan, maar niemand gaf antwoord. Een van de fotomodellen sloeg een bladzijde om en begon te lezen.

'Stel je voor dat je een slechte dag hebt.'

Geen antwoord. Wide voelde zijn gezicht warm worden. Rustig blijven, misschien weten ze niet dat je tegen hen praat. Moest hij zijn mond houden? Hoorde hij hier niet thuis?

'Wat gebeurt er als je een puist op je neus hebt? Kom je dan in de Ziektewet?'

Een van de knullen glimlachte. Misschien ging hij er op in. Wide keek naar een model met kort, donker haar. Zijn neus leek nog langer dan in de reportage over de Rivièra. Het model had de bladzijden met tekst voor zich liggen.

'Shit, geen foto's! Kunnen jullie lezen?'

Het was een stomme opmerking en hij wist het. Hij kwam overeind en liep naar de bar. Hij merkte dat hij zijn wijnglas op de tafel had laten staan, maar hij ging niet terug om het te halen. Hij zou een nieuw glas vragen, hoewel zijn hoofd bonkte en hij wist dat hij moest stoppen.

'Hallo,' hoorde hij achter zich. Hij draaide zich om en zag dat het mantelpakje heel lichtgrijs was. Ze droeg er een zwarte bloes bij, waarschijnlijk zijde, en een los geknoopte stropdas in dezelfde kleur als het mantelpakje.

Ze had groene ogen en ze lachte haar mooie tanden bloot.

'Eh... hallo.'

'Had je genoeg van je gezelschap?'

'Eh... bedoel je die mooie jongens daar?'

Hij keek naar de tafel waar de jongens opgelucht leken te zijn.

'Is het jouw stijl niet?'

'Hun uiterlijk? Zoveel tijd heb ik niet.'

'Tijd?'

'Het voorbereidende werk. Alle tijd die je voor de spiegel moet doorbrengen.'

Hij zag dat haar glas bijna leeg was.

'Wil je nog een glas wijn?'

'Graag.'

Wide draaide zich naar de bar. De barman was druk bezig, maar een van Shaeffers tijdelijk ingehuurde serveersters liep langs met een leeg blad en Wide vroeg haar om terug te komen met een vol dienblad.

De vrouw in het mantelpakje stak haar hand uit.

'Ik heet Sara.'

'Jonathan.'

'Ken je Wim, Jonathan?'

'Wie kent hem niet?'

Ze glimlachte en stak een sigaret op. Hoe kon ze roken en toch zulke witte tanden hebben? Was dit haar eerste vandaag?

Ze maakte een elegant gebaar naar het restaurant.

'Ik hoop dat het goed gaat... hiermee.'

'Met jouw hulp zal dat wel lukken.'

'Je weet dus wat ik doe.'

'Wim vertelde het. Jullie vullen de zaal vanavond goed.'

'Het is leuk om af en toe naar de pro...'

'... de provincie? Het platteland? Zeg het maar, dat doet ons niets, hoor.'

'Ik kom uit Eskilstuna,' zei ze met een klaterende lach waarmee ze een sliert rook in Wides gezicht blies.

'Wat doe jij?'

'Hier? Me afvragen wanneer de wijn komt.'

'Ik ken je niet uit de branche... de restaurantbranche, bedoel ik.'

'Nee.'

Wat moest hij zeggen? Dat hij zich met heel andere dingen bezighield?

'Ik hou me met... eh... heel andere dingen bezig.'

'Aha. Je bent jurist. Advocaat.'

'Klopt.' Een leugentje om bestwil moest kunnen.

De wijn kwam en hij gaf haar een glas en proostte naar haar. Ze dronken. Hij voelde dat hij de wijn niet langer nodig had. Wat moest hij nu zeggen?

Terwijl hij daarover nadacht praatte zij verder.

'Het begint wat rustiger te worden.'

'Ja.'

'Ga je straks nog naar een andere club?'

'Ik moet eigenlijk naar huis. Het is een lange dag geweest.'

'Voor mij ook. Zullen we een eindje met elkaar op lopen?'

Moest híj dat niet zeggen? Was het haar mantelpakje waardoor ze zo gemakkelijk praatte? Hij voelde een rilling langs zijn rug lopen. Voelde het zo om versierd te worden? Had ze naar zijn linkerhand gekeken?

'Tja... Waar logeer je?'

'Het Sheraton.'

'Dat is mijn kant op.' Hij begon goed te worden in leugentjes om bestwil.

Op straat gaf ze hem een arm en ze begonnen naar de Västra Hamngatan te lopen. Hij voelde dat ze tegen hem aan leunde. De straat was vol mensen. Op de hoek van de straat haalde een oudere man in een rood-zwarte poncho een fluit uit een versleten foedraal. Het dikke, grijze haar van de man was in een paardenstaart gebonden. Toen ze langs bioscoop Downtown liepen, hoorde Wide de eerste tonen. De muziek steeg als een ijle, eenzame roep op en Wide kreeg een beeld voor ogen van mannen in felgekleurde, mooie gewaden op een brede stenen trap in een kleine stad in Guatemala in afwachting tot de mist zou optrekken. Dat beeld bleef hem bij tot ze langs de McDonald's liepen en drie jongens met baseballcaps en de zomernacht in hun ogen naar buiten renden met een Big Tasty in een onzekere greep. Een van hen botste in zijn enthousiasme tegen Wide op, riep 'sorry' en was alweer verdwenen.

17

Hij droeg haar geur de hele weg naar huis met zich mee. Hij deed de deur van het slot, ging naar binnen en ging op de bank zitten. Hij kwam vrijwel meteen weer overeind en schonk een glas Ierse whiskey in. Het barnsteen glansde gemeen toen hij het brede glas tussen zijn vingers ronddraaide.

Ze hadden in de bar van het hotel gezeten en er waren geen woorden nodig geweest toen ze opstond en hij haar voorbeeld volgde. Ze haalde haar kamersleutel en hij liep alvast de trap op. Ze troffen elkaar voor een deur met het nummer dat hij niet was vergeten.

Ze was een rijpe en zelfstandige vrouw en hij wist dat ze niet afwachtend zou zijn in bed. Ze had een manier van uitkleden die zowel sensueel als doortastend was. Ze droeg geen beha en ze liet Wide haar met kant versierde witte broekje uittrekken. Hij voelde steken in de buurt van zijn middenrif, een soort kramp, terwijl hij de zachte binnenkant van haar dijbenen streelde en de rand van de glanzende kousen raakte. Hij kuste haar voor de eerste keer, ze proefde naar wijn en lippenstift en hij draaide haar om zodat hij zijn handen rond haar borsten kon leggen. Ze ging op haar rug liggen en trok haar benen op. Hij voelde de scherpe hakken van haar pumps over zijn dijbeen glijden, als een streling. Ze draaide haar hoofd om beter bij zijn mond te kunnen en hij liet zijn middelvinger tussen haar benen glijden en voelde dat ze nat en klaar voor hem was. Ze trok zijn hand weg en hield die vast.

Hij voelde de warmte en een bijna ondraaglijk intieme, voorzichtige beet van haar tanden en daarna de wervelende bewegingen van haar tong. Hij duwde haar haar uit haar regelmatige, mooie gezicht en ze keek naar hem op met grote, omfloerste ogen. Het was net of ze niets zag. Hij zag haar lippenstift op zijn huid en hij wilde haar vragen om te stoppen en tegelijkertijd nooit meer te stoppen en toen hij zich niet langer kon inhouden, deed hij zijn ogen dicht en explodeerde hij, een lange, lange explosie, terwijl haar tong het onwaarschijnlijke gevoel dat anders na drie seconden verdween vasthield.

Ze kneep hem voorzichtig met haar lange, mooie vingers en hij voelde dat ze hem nog steeds in haar mond had. Ze ging tegen hem aan liggen en hij streelde haar langzaam terwijl hij zich moe, maar tegelijkertijd krachtig en jong voelde.

Het was zo lang geleden dat hij met een vrouw samen was geweest. Hij draaide een lok van haar haar tussen zijn vingers.

'Je bent een mooie vrouw.'

'Jij bent een mooie man.'

'Korte mannen kunnen ook aantrekkelijk zijn.'

'Zo kort ben je toch niet? En ze zeggen altijd dat lengte niet belangrijk is.'

'Alleen in het leger zweren ze bij kort. Korte bevelen om in stijl te blijven.'

Ze glimlachte, liet zich uit bed glijden en liep naar de minibar. Hij zag hoe ze op haar hurken voor de kleine koelkast ging zitten en verbaasde zich over de mysteriën van het vrouwenlichaam, met brede, prachtige heupen die nooit helemaal zichtbaar waren en normaal gesproken waren bedekt met kleding.

'Wat wil je drinken?'

Niet óf hij iets wilde drinken, maar wát hij wilde drinken. Hij wilde wijn, maar misschien moest hij het op water houden.

'Witte wijn, misschien?'

'Ik heb hier een flesje zoete, witte wijn.'

'Dat is voor jou.'

'Het is genoeg voor ons allebei.'

Ze liep naar het bed terug met een piccolo en twee tumblerglazen. Hij zag dat ze een ronde moedervlek op de binnenkant van haar linkerdijbeen had, even groot als een pruim. Hij wilde zijn tong erop leggen.

Hij voelde een soort behoefte om uit te leggen waarom hij bij haar terechtgekomen was.

'Hoe ben ik hier eigenlijk terechtgekomen?'

'Je bent met me meegegaan vanaf Shaeffers restaurant.'

'Het is lang geleden dat ik met een vreemde vrouw ben meegegaan.'

'Het is lang geleden dat ik met een vreemde man ben meegegaan.'

'Waarom deze keer dan wel?'

'Eerst vond ik alleen dat je er interessant uitzag. Daarna werd ik... geil.'

Hij schrok van het beladen woord. Was zijn generatie dan te preuts om dat soort woorden te horen?

'Wordt dat "vrijgevochten" genoemd?'

'Ik weet niet hoe het wordt genoemd. Ik weet alleen dat het gebeurt.'

'Vaak?'

'Zelden, zou ik willen zeggen. Heel zelden, zelfs. Tegenwoordig gebeurt het helemaal niet meer. Het probleem is dat ik niet getrouwd ben terwijl ik tegelijkertijd een mens van vlees en bloed ben.'

'Het vlees heeft ook zijn behoefte.'

'Het is moeilijk om die gevoelens te negeren.'

'Hoe doen de nonnen dat dan?'

'Hoe ze dat tegenwoordig doen weet ik niet, maar tijdens de Renaissance verdronken ze hun pasgeboren baby's in de kanalen van Venetië. De monniken durfden daar niet bij aanwezig te zijn.'

'Ben je getrouwd geweest?'

Ze keek weg, naar het open raam en de heldere zomernacht.

'Ja. Dat was een vergissing. Ik wil er niet over praten.'

'Ik heb dezelfde vergissing gemaakt. Maar het was niet zo dat mijn vrouw me niet begreep. Ze probeerde het, maar niemand kan eeuwig begripvol zijn.'

'Wil je erover praten?'

Hij wilde er niet over praten. Ze dronken hun glazen leeg en hij voelde zich opnieuw jong en krachtig, ze ging op haar rug liggen en hij drong bij haar binnen, met zijn handen onder haar billen. Ze fluisterde woordjes in zijn oor die hij niet kon verstaan terwijl ze met haar lange, rode nagels over zijn rug krabde. Ze lieten zich tegelijk gaan, op hetzelfde moment.

Hij was nog even gebleven en daarna had hij zich aangekleed en zij had zijn hand gepakt. Haar hand voelde warm en stevig. Ze zouden elkaar nooit meer zien.

Nu voelde hij zich zwak en oud, maar de whiskey zou het onmogelijk maken om te slapen. Hij keek naar het bureau, waar de foto was blijven staan tot hij besefte dat niets zou worden zoals het vroeger was geweest. Daarna had hij de foto in een doos gestopt. Hij zag de foto voor zijn geestesoog, de bruiloft midden in de pretentieloze jaren zeventig, zijn bruine ribfluwelen pak en Elisabeths bruine rok en bloes. Niemand wist dat ze trouwden, op twee vrienden na. Ze waren allebei zo jong geweest, minstens tien jaar verwijderd van wat leek op middelbare leeftijd. Wide zette het glas, waar nog een laag whisky ter dikte van een vinger in zat op tafel, ging naar de badkamer en douchte de geur van de vrouw langzaam weg.

Sten Ard snapte dat sommige mensen banketbakker werden omdat ze interesse en aanleg hadden voor de meer verfijnde bakkunst. Of dat mensen journalist werden: ergens was de interesse voor schrijven of een ander communicatiemiddel. Of musici, daar kwam een bepaalde liefde voor muziek bij kijken. Bij alle beroepen, de meeste in elk geval, hadden beoefenaars die belangstelling voor hun werk.

Zelf was hij commissaris bij de afdeling Geweldsdelicten. Betekende dat dat hij een bijzondere belangstelling had voor geweld? Bezaten hij en zijn collega's een uitzonderlijke interesse voor het zwarte roofdier dat diep in ieder mens aanwezig was?

Sten Ard dacht dat hij geweld meer haatte dan iets anders, hij haatte geweld zo intens dat hij zich agressief voelde worden als hij ermee werd geconfronteerd. Het geweld om hem heen deed een gevoel van gewelddadigheid ontsteken binnen in hem. Hij was zich daarvan bewust en werd er soms zelf bang van. Was hij politieagent geworden om dat gevoel naar boven te kunnen halen? Had hij de legitimiteit van geweld die het werk gaf gezocht? In elk ander verband zouden hij en zijn collega's van de recherche en andere afdelingen beschouwd worden als gestoorde mensen. Nu was het geen probleem. Zoals voetballers die elkaar omhelsden in een heftige, goedgekeurde, ongecontroleerde blijdschap. Of misschien eerder zoals ijshockeyspelers die op elkaar in ramden, ernstige mishandelingen die bijna nooit tot een civiele aanklacht leidden. Hoeveel mensen met borderline liepen rond met een ijshockeystick en een helm? Aan de andere kant, wat zou er gebeurd zijn als ze niet hadden leren schaatsen?

Dat alles en nog veel meer dacht hij toen hij bij het bed van de gewonde Kerstin Johansson stond. Iemand had haar toegetakeld zonder rekening te houden met haar menselijke waardigheid en hij kon alleen maar hopen dat ze snel bewusteloos was geraakt en was ontsnapt aan de angst die haar moest hebben beklemd als een strak om haar hoofd getrokken plastic zak.

Haar gezicht was ongeschonden, dat maakte het voor hem gemakkelijker om bij haar te staan. Hij was niet verplicht om naar de rest van haar lichaam onder de deken te kijken, en hij was dankbaar dat hij geen arts was.

De gerechtsartsen, de geestelijke neven van de politie. Sommige mensen kozen ervoor om gerechtsarts te worden. Hij vroeg zich af waarom.

Het was warm in de kleine ziekenkamer. Het was alsof de zomer daarbuiten geen rekening hield met wat de mensen hierbinnen in hun hart of hun lichaam voelden. Een keer was Ard op bezoek gegaan bij een vriend die stervende was aan kanker en die in net zo'n ziekenkamer had gelegen. Het was een zomeravond geweest, Ard had de zomer mee naar binnen genomen, en die zomer was bij hem gebleven toen hij wegging.

Dat gevoel had hij nu ook. De zomer zou met hem mee naar buiten gaan, de geur in zijn kleren. Het koude blauwe licht zou achterblijven, en ook de zwakke schaduwen die hij over Kajsa Lagergrens gezicht zag glijden terwijl ze bleek en stil bij een van de muren stond.

Hij liep naar haar toe en sloeg zijn arm om haar blote, tengere schouders.
'Hoe is het met je.'

Het was geen vraag en ze gaf geen antwoord, ze haalde alleen zwijgend haar schouders op en keek met haar donkere ogen naar Ard op.

'Het is niet vaak genoeg gebeurd, om me er niet beroerd door te voelen.'

'Vertel het me als je je niet beroerd meer voelt door zoiets. Dan wil ik je niet meer in mijn buurt hebben.'

'Maar wij ehh… politieagenten moeten dit aankunnen.'

'We moeten alleen zorgen dat we niet flauwvallen. De rest is noodzakelijk, menselijk gedrag.'

Ze huiverde. Hij voelde het kippenvel op haar schouders en haalde zijn hand weg.

'Hoe kwam je erachter?' vroeg hij voorzichtig.

'Ik belde haar. Ik wilde nog iets weten naar aanleiding van het gesprek dat we eerder die middag hadden gehad, iets controleren... Uiteindelijk nam ze op.'

Ard pakte haar arm vast.

'Kom, laten we een kop koffie gaan halen.'

Ze liepen de kamer uit naar de gang, waar het personeel, in wit en ijsgroen, doelbewust rondliep. Ard botste bijna tegen een jonge arts toen hij opzij stapte voor een brancard die werd langsgereden. De arts had een vlezig, breed gezicht en ogen als zwarte kolen. Hij zag er verdrietig uit.

De cafetaria van het ziekenhuis vormde een onderdeel van het gangenstelsel. Wie hier zat bevond zich midden in de voortdurende beweging in het ziekenhuis, een deel van de wereld hierbinnen en de wereld daarbuiten.

Een vrouw van middelbare leeftijd in een grijs mantelpakje lachte helder en kort terwijl ze snel en als vanzelfsprekend een rolstoel voortduwde. Het tienermeisje in de stoel glimlachte en verborg voor de grap haar gezicht achter het weekblad dat ze in haar handen had.

Ard ging achter een oude vrouw staan die oneindig langzaam een kaneelbroodje pakte en met trillende hand een kop koffie inschonk. Ze legde een suikerklontje op het schoteltje en bedankte met een verbazingwekkend krachtige stem, als een mus die plotseling de baard in de keel had. Ard keek haar na terwijl ze met kleine, onvaste passen naar een tafeltje liep waar een kleine man in een colbertjasje met een dubbele rij knopen zenuwachtig zijn hand op een stoel had liggen, om aan te geven dat de plek bezet was.

Sten Ard schonk koffie in twee bekers en besloot dat ze allebei een gebakje met glazuur nodig hadden, ook al had de cafetaria de echte niet, met frambozencrème onder het glazuur. Het was tegenwoordig bijna onmogelijk om deze gebakjes met frambozencrème te krijgen.

Kajsa Lagergren zag hoe hij betaalde en dacht aan haar werk. Soms was het alsof haar chef rechtstreeks uit een Amerikaanse politiefilm was gestapt, de stille agent bij wie je je veilig voelde en die zelden fouten maakte, maar het onmiddellijk toegaf als hij dat soms toch deed. Waarschijnlijk waardeerde ze Ards gebrek aan prestigedrang nog het meest. Kwam dat met de jaren, of lukte het hem niet meer om het haantje te spelen? Dat eeuwige hanengevecht tussen mannen leek haar verschrikkelijk vermoeiend.

Was Sten Ard ooit het haantje geweest? Hij liep eerder als een eend, zoals hij met twee kopjes naar de tafel waggelde en... Lieve hemel, had hij glazuurgebakjes gekocht? Ze had altijd gevonden dat hij precies op Gene Hackman leek, en dat hij gebakjes had gekocht was iets wat Gene Hackman gedaan zou hebben als hij een Zweedse politieagent was geweest. Hoe heette die film ook alweer waarin hij naar het zuiden van Amerika ging, in de jaren zestig, om de moord op antiracisten te onderzoeken?

'Denk je dat ik dat ga eten?'

'Anders neem ik het wel.'

'Graag.'

Hij liet het gebakje voor haar staan.

'Wat is er zo belastend aan de informatie die Kerstin Johansson heeft?'

'Denk je dat dat de reden is?'

'Dat het te maken heeft met jullie gesprek? Ik weet het natuurlijk niet, maar er is iets…'

'Het kan toch ook toeval zijn.'

'Dat klopt. Maar Flatås is niet bepaald een wijk waar mensen worden gevolgd en daarna in hun eigen huis worden mishandeld.'

'Een paar jaar geleden heeft er een geweldsmisdrijf plaatsgevonden,' zei Kajsa terwijl ze een klein stukje van de rand van het gebakje trok.

'De eerste en hopelijk de laatste keer.'

Ards gebakje was op.

'Ik vraag me af of ze iemand heeft gevraagd om mee naar haar huis te gaan.'

'Daar heb ik ook aan gedacht, maar ze lijkt me het type niet om… vreemde mensen uit te nodigen.'

'Misschien was het geen vreemde.'

'Ze lijkt me ook niet het type om gewelddadige kennissen te hebben.'

'We weten niet altijd hoe onze kennissen er vanbinnen uitzien.'

Kajsa Lagergren dacht aan haar eigen kennissen. Kende ze hen meer dan slechts oppervlakkig?

'Ik heb nog eens over ons gesprek nagedacht. Ze herkende Laurelius, of ze dacht in elk geval dat ze hem herkende.'

'Dat heb ik in het verslag gelezen. Maar de huiszoekingen van de bedrijfjes daar hebben niets opgeleverd.'

'Klopt. Eén bedrijf was net gesloten, we proberen de eigenaar op te sporen. Niemand heeft een naambord van dat bedrijf gezien.'

'Laten we hopen dat we het vinden.'

'Denk je dat het bedrijf iets te maken heeft met de moord op Laurelius?'

'Ik weet het niet. Maar iemand met connecties kan jou of Babington tussen de vissers of in de suikerfabriek hebben gezien. Je bent dat atelier natuurlijk niet binnengeslopen.'

'Het is een akelig idee.'

'Wat is een akelig idee?'

'Die fantastische vrouw is misschien gewond geraakt omdat ik bij haar heb aangebeld en met haar heb gepraat.'

'Zo mag je niet denken.'

Ard zag de blik in haar ogen. Hij nam een slok koffie.

'Ik weet dat het mager klinkt, maar ik kan alleen zeggen dat het goed komt met Kerstin. Dat ze volledig herstelt heet dat waarschijnlijk.'

Ze stak haar hand uit en pakte zijn arm vast voordat hij zijn kopje had neergezet.

'Wat gebeurt er allemaal, Sten?'

'We zitten midden in een uitermate gevaarlijke situatie. Als de toestand met Kerstin... eh... Johansson samenhangt met Laurelius, dan is het een heel duidelijk signaal.'

'Een signaal?'

'"Hou je erbuiten, houden júllie je erbuiten, de mens is een kwetsbaar schepsel", dat soort dingen.'

'Wat gaan we nu doen?'

'We gaan het bedrijf zoeken. En we gaan Laurelius' vrouw zoeken. En met onze Deense vriend praten. En je gebakje opeten.'

Ard strekte zijn arm en pakte haar gebakje.

'Hou je dit werk zo lang als nodig is vol?'

'Dat is de gedachte die erbij hoort.'

'Hoe vind je uiteindelijk een plekje voor het mooie en pure in het leven?'

'Ik denk dat dat niet zo moeilijk is.'

'Bedoel je dat je de contrasten gaat waarderen?'

'Het zijn niet altijd zulke grote contrasten, maar het is natuurlijk belangrijk om de goede momenten optimaal te beleven.'

'Buiten het werk om?'

'Soms ook onder werktijd.'

Ze begreep wat hij bedoelde. Ze zat midden in zo'n moment.

Ard ging staan. Kajsa Lagergren volgde zijn voorbeeld, pakte het dienblad en bracht dat naar de opruimband naast een grote varen. Voor de cafetaria sloegen ze rechts af en daarna links af om bij de hoofdingang te komen.

'*Mississippi Burning.*'

Hij keek naar haar met een rimpel tussen zijn wenkbrauwen.

'Is dat een aanwijzing?'

'*Mississippi Burning.* Die film met Gene Hackman. De naam wilde me daarstraks niet te binnen schieten, ik moest er om de een of andere reden aan denken.'

'Gene Hackman? Dat is toch Amerika's antwoord op Sten Åke Cederhök?'

18

Jonathan Wide was korte tijd assistent bij de afdeling Jeugdcriminaliteit geweest, voor zijn lange, zware jaren bij Misdaadonderzoek. Er waren momenten geweest waarop hij met een gevoel van gemis terug had gekeken op zijn tijd bij de afdeling Jeugd. De grove manier van uitdrukken onder jonge misdadigers had soms een naïeve charme gehad die pas op een later moment op het misdadige pad zou verdwijnen, als de huid blauw en rood was en bedekt was met symbolen en codetaal.

Hij was sommige jongeren later weer tegengekomen, met een carrière die aarzelend was begonnen maar binnen korte tijd op volle toeren liep, dertigers met oudemannengezichten, maar met een glans in hun ogen die binnen twee jaar verdwenen zou zijn. Er zou alleen een schaduw achterblijven, de restanten van woorden en uitbarstingen en angst. En daarna niets meer.

Het waren verpletterde kinderen in verpletterde gezinnen geweest. Veel van hen waren geboren na een verblijf in een baarmoeder vol nicotine en alcohol, waarna ze hadden blootgestaan aan mishandeling en aanranding in een chaotische leefomgeving, met om de week nieuwe vaders en moeders en daarna helemaal niets meer. Ze spijbelden en hielden zich bezig met vandalisme en hadden diep vanbinnen de wens om zo snel mogelijk volwassen te worden om te ontsnappen aan de klappen en de onrust. Degenen die hij had ontmoet, hadden één ding gemeenschappelijk gehad: ze hadden hun jeugd gehaat. Sommigen hadden niet langer willen leven.

Dat was gewoon en niets nieuws. En het ging door. Generatie na generatie van politieagenten zouden in flats staan om de luiers van baby's te verwisselen terwijl de ouders weg waren, of wel aanwezig waren maar toch heel ver weg. Vaak stond de televisie aan, dat was eigenlijk opvallend vaak zo. Hij was al zo vaak naar de televisie gelopen om hem uit te zetten. Voor zijn gevoel hoorde de televisie bij verwaarloosde huizen en verwaarloosde mensen en hulpeloos kindergehuil. Wide keek zelden televisie. Hij beschouwde de uitzendingen voornamelijk als een belediging van zijn intelligentie, of misschien gold dat voor de manier waarop het idee van televisie zich had ontwikkeld. Hij was van mening dat Zweden een beter land zou zijn als er minder televisie werd gekeken. Hij was van mening dat televisie opium voor het volk was.

Hij had een keer een Franse film gezien over een man die een apparaat had geconstrueerd dat via de ether tijdens de uitzending de meest irritante presentator kon vermoorden. Het was een grappige film geweest, verfrissend op de een of andere manier, en kortgeleden had de Franse fictie de Zweedse werkelijkheid bijna ingehaald toen een van de onaangenaamste Zweedse presentatoren op het punt had gestaan zijn collega tijdens de uitzending te onthoofden. Misschien was er zoiets nodig om een eind te maken aan de minachting voor het televisiepubliek?

Wide had geld nodig. Wie niet werkt, zal ook niet eten, en hij had twee opdrachten waaraan hij moest beginnen.

De naam van de eerste opdrachtgever was Erik Nihlén. Hij mocht bellen wanneer hij wilde. Dat was nu, na een laat ontbijt en een derde kop koffie.

'Sörmarkers, goedemorgen.'

'Ik ben op zoek naar Erik Nihlén.'

'Eén moment graag.'

Wide zag zijn gesprek, dat wat zijn gesprek zou wórden, door het netwerk suizen en door het gebouw waar zijn stem zich op dit moment bevond: nog even en dan zou die in Nihléns kantoor belanden.

'Erik Nihlén.'

'Met Jonathan Wide.'

'Wide! Ik had verwacht eerder van u te horen.'

'Er is iets tussen gekomen, zo gaat dat soms in mijn werk.'

'Hmm. Ik hoop dat u hebt nagedacht over wat we hebben besproken.'

'Een beetje,' loog Wide, 'maar ik kan niet zoveel zeggen voordat we elkaar hebben ontmoet.'

'Dat begrijp ik. Ik ga ervan uit dat dat zo snel mogelijk gaat gebeuren.'

'Ik zet het nu in werking, maar eerst moet ik hem vinden. Heb je geen adres?'

Wide hield vast aan de jij-vorm.

'Ik heb het nog een keer geprobeerd, maar niets. Degene die ik heb ontmoet, had er geen belang bij om me wijzer te maken.'

'Geen nieuwe... incidenten?'

'Of hij meer immigranten in elkaar heeft geslagen? Daar is in elk geval geen aangifte van gedaan. De mishandeling blijft natuurlijk staan, hoe noemen ze dat?'

'Je zoon is meegedeeld dat hij verdacht wordt van onwettige bedreiging en mishandeling.'

'Inderdaad. Hij heeft een Somaliër aangevallen. Hoeveel miljard Somaliers zijn er in de wereld? Je vindt ze overal.'

'Is het belangrijk waar het slachtoffer vandaan komt?'

'Nee, natuurlijk niet, ik dacht alleen...'

'In het beste geval kan ik hem vinden en met hem praten. Meer kan ik nu niet zeggen.'

'Dat is het enige wat ik verlang. We zullen het stap voor stap moeten aanpakken.'

De tweede opdracht moest wachten, misschien zelfs tot de volgende avond. Hij zou doen wat hij kon om het onderzoek naar de ontrouwe echtgenoot voor zich uit te schuiven.

Wide trok een gewassen wit T-shirt aan en stapte in een dunne kaki broek. Het was tien uur 's ochtends en de thermometer achter het keukenraam gaf nu al 32 graden aan. Hij transpireerde nu al. Hij trok een paar zomerse sportschoenen aan en stopte zijn portemonnee in zijn achterzak.

Het was leeg en stil in de Såggatan. Hij had behoefte aan beweging, zijn lichaam voelde stram, en hij besloot te gaan lopen. Hij sloeg bij de Karl Johansgatan links af en liep in oostelijke richting over wat de 'Hängmatta' werd genoemd in de richting van het Chapmansplein.

Hij stopte bij Bengans cd-winkel en bekeek een tourneeposter van Aerosmith en een poster voor een nieuwe cd van een band waarvan hij nog nooit had gehoord. Hij vroeg zich af hoe de wereld eruit zou zien als Bengan posters van Puccini en Rossini met dezelfde vanzelfsprekendheid ophing als de laatste van Tom Collins. Of heette hij Phil Collins?

Van de Stigbergsliden naar Masthugget was een ontspannen wandeling in de schaduw. Hij passeerde Henriksberg, de Australische pub met een gevel waaraan elf geelgroene borden hingen. De klassieke gevel was als het ware naar de andere kant van de aardbol verhuisd, en Wide kon zich voorstellen dat de vroegere eigenaren zich zouden omdraaien in hun graf als ze konden zien wat hier was gebeurd. De smakeloosheid was bijna indrukwekkend, er vond op alle gebieden in het land een verandering van identiteit plaats.

Australisch bier was niet eens lekker, dacht hij, het was dun en oppervlakkig en op de markt gebracht met een frustrerende opschepperigheid. Het stond model voor het land.

Op het Järnplein besloot hij twee bolletjes ijs te kopen. Ouderwets vanille-ijs of... chocolade... of aardbeien... Hij aarzelde zo lang dat de vrouw achter hem begon te zuchten en hem dwong om een beslissing te nemen. Het werd vanille en appel-kaneel, maar toen hij betaalde voelde hij al dat hij zich te veel had laten opjutten, vanille en appel-kaneel pasten niet goed bij elkaar en pasten niet goed bij de temperatuur van 32 graden. Hij voelde zich een mislukkeling terwijl hij langzaam naar de Allén begon te lopen en het ijs langs zijn vingers droop: hij had een hoorn genomen terwijl hij een beker had willen hebben. Waarom had dat verdomde wijf niet even kunnen wachten? Hij had niet eens een servet meegenomen.

Toen Wide over het Kungsplein liep, voelde hij de aantrekkingskracht van de Saluhallen. Hij zou er naar binnen kunnen gaan om een kop koffie bij Yossef te nemen, maar dan zou hij het risico lopen dat hij er bleef hangen. Hij kon er misschien later naartoe gaan om er te lunchen. Hij kon een van Alexandros' Griekse stoofschotels nemen of soep uit Alexandroupolis in de Noord-Thracische bergen, naar een recept van zijn moeder. Of de uitermate verslavende groentestoofschotel *tourlou*, of *juvetzi*, een pastagerecht, of een soep zoals *faki* of *fasolada* of *jouverlakia*, of misschien juist vandaag, omdat het zo heet was, alleen een Griekse salade. Alexandros, oftewel Alex, was altijd heel teleurgesteld als mensen alleen een salade namen.

Hij liep van de Östra Hamngatan naar Brunnsparken en dreef met de stroom mee het winkelcentrum Nordstan in, waarnaar hij op weg was.

Nordstan was dé ontmoetingsplek voor jeugdige criminelen en daklozen, jonge nieuwsgierigen en straatmuzikanten, mensen van buitenlandse afkomst, en politieagenten en de arbeidersklasse en de burgerklasse. Er waren veel mensen binnen en het was verschrikkelijk warm. Rechts, naast een grote schoenenwinkel, stond een jongeman met vurige blik religieuze liederen te zingen. Tegenover hem, aan de andere kant van de winkelpromenade, zat een vrouw cello te spelen. Een eind verder naar links, in de hoek bij de Sparbanken, zat een man met een mediterraans uiterlijk. Hij speelde Spaanse muziek op een akoestische gitaar. Een paar mensen stonden in een halve cirkel aandachtig te luisteren. Vijf meter van de cirkel stond een andere, dichtere kring: zes jongemannen met geschoren hoofden, waardoor hun gelaatstrekken grof en tegelijkertijd bleek en onscherp werden, alsof ze een panty over hun hoofd hadden getrokken.

Wide herkende Pontus Nihlén meteen. Hij leek jonger en magerder dan de andere vijf. Dat kon komen doordat hij de langste en de magerste van de groep was. Het kon ook komen doordat hij een bomberjack droeg dat drie maten te groot voor hem leek.

Wide haalde nog een keer adem en liep naar de groep. Het was een actie waar skinheads over het algemeen niet aan gewend waren. Hun afwijkende image moest afstand scheppen. Dat was de manier van rebelleren voor degenen die geen baan hadden, onzeker waren over hun identiteit of geen vanzelfsprekende voorbeelden hadden.

Het was de groep tegen de rest van de maatschappij. Op dit moment was het de groep tegen Jonathan Wide.

'Wat moet je?'

De jongen was een jaar of twintig, had een perkamentachtig gezicht en de letters A.F.C. waren in zijn hals getatoeëerd. Hij ging voor Wide staan en keek eerst naar zijn kameraden en daarna naar Wide, met smalle ogen waarin een glinstering lag alsof hij werd opgejaagd.

'Ik wil even met Pontus praten.'

Wide wist niet of het een goede zet was, maar hij had vaak geluisterd naar zijn intuïtie en die had hem zelden bedrogen.

'Er zijn mensen die je missen, Pontus.'

De zoon van Erik Nihlén schrok op, draaide zich naar de man in het witte T-shirt en spuugde op zijn sportschoen.

'Heeft mijn vader je gestuurd, flikker?'

'Dat zou dan een geluk voor je zijn.'

De jongen naast Pontus Nihlén wreef met zijn hand over een korst op zijn pas geschoren hoofd. Hij deed Wide denken aan een ei dat was gekookt en daarna was gerold zodat de schaal was verpletterd maar toch aan elkaar bleef zitten. Zijn gezicht was zonverbrand als een gepelde tomaat. Wide bedacht dat zo'n gezicht hem goed van pas kwam bij het afstand nemen van de hele wereld.

'Je hebt geluk dat je nog leeft, politieflikker.'

'Ik ben geen agent en ik ben geen homo.'

'Maar dat zou je graag willen zijn! Of een neger!'

Ze lachten, maar echt overtuigend klonk het niet.

Niemand zou hier aangevallen worden. Wide pakte de arm van Pontus vast en gebaarde in de richting van het Centraal Station.

'Heel even maar, een klein gesprekje. Daarna mag je terug.'

'Wie ben je?'

'Een vriend van je vader.'

De jongen leek iets te willen zeggen, maar zweeg.

'Zullen we hem doodslaan, Pon?' Het perkamentachtige gezicht liet zijn blik onophoudelijk tussen Wide en Pontus heen en weer gaan.

'Wa... wacht...'

Wide deed een nieuwe poging.

'Zo langzamerhand is het de vraag wie wie doodslaat. Pontus heeft een gevangenisstraf boven zijn hoofd hangen. Het is het waard om daarover te praten.'

'De gevangenis? Weet je wat de Zweedse gevangenis is, politieflikker?'

Het tomatengezicht keek hem aan.

'Dat is hetzelfde als in je kont geneukt worden door negers! Zo gaat dat tegenwoordig in Zweden. Dat is een onderdeel van het vonnis.'

'Dat is een nog grotere reden dat Pontus niet in de gevangenis terecht wil komen.'

Pontus Nihlén zag er plotseling angstig uit.

'Dat met die negers weet ik niet... Maar als ik naar de gevangenis moet kan het alleen maar erger worden. Dan ga ik naar de verdommenis.'

Wide begon naar het Centraal Station te lopen en merkte bijna verbaasd dat Pontus aanstalten maakte om mee te gaan. De anderen weken uiteen en bleven staan terwijl ze hen met boze blikken nastaarden.

Wide nam Pontus mee naar de Pizza Hut op de kelderverdieping.

'Wil je iets eten?'

'Ja, een stuk pizza, als we hier toch zijn...'

Een meisje in een witte bloes en een zwarte rok liep aarzelend naar hun tafel, ze zag er bang en tegelijkertijd verbaasd uit, alsof ze zich afvroeg wat voor een eigenaardig stel er binnengekomen was.

Voordat Wide iets had kunnen zeggen, kwam er een man van een jaar of vijfentwintig naar de tafel. Wit overhemd, een stropdas die als een wurgkoord moest aanvoelen in deze hitte, brede Amerikaanse bretels en een autoritaire gezichtsuitdrukking die hij moeizaam op zijn gezicht had geplakt en die gemakkelijk zou kunnen verdwijnen.

'We serveren niet aan skinheads.'

'Dat is prima, maar dit is mijn cliënt en we moeten iets eten.'

Wide zwaaide met zijn portemonnee en legitimatie.

'Sorr...'

De man liet zijn autoritaire gedrag varen en draaide zich opgelucht naar het meisje.

'Bedien ze maar, Lisen.'

Pontus Nihlén staarde hem boos aan.

'Je bent dus toch een agent, flikker.'

'Je lijkt een complex voor homo's te hebben. En agenten. Heb je geen andere naam voor die mensen?'

'Je bent een agent.'

'Nee. Op dit moment ben ik een... Je zou het een adviseur kunnen noemen, ik help mensen met lastige kwesties.'

'Een afschuwelijke manier om je geld mee te verdienen. Rebellen oppakken.'

'Zie je jezelf zo? Als een rebel?'

'Het is wij tegen hen. Zo is het gewoon.'

'Wie zijn hen?'

'Dat snap je toch niet, politiefl...'

'Wist je dat de nazi's tijdens de oorlog homoseksualiteit erkenden?'

Lisen kwam aanlopen met de dampende stukken pizza op het moment dat hij over de nazi's vertelde en ze zette het eten met een verbeten gezichtsuitdrukking op tafel. Zou ze gaan huilen?

'Wist je dat?'

Pontus begon snel en gulzig en met wantrouwige blik te eten. Wide kon niet anders dan aan een roofdier denken.

'Dat boeit me niet. Ik ben geen nazi. Ik ben niet bij de VAM. Ik weet verdomme niet eens wat de VAM eigenlijk is.'

Zag Wide een beetje kleur op het bleke gezicht?

'Iedereen zegt het. Het stond in de kranten toen ik... eh... met negers had gevochten. Zodra je kaalgeschoren bent en een bomberjack en legerschoenen draagt ben je bij de VAM en een nazi. Maar zo is het niet.'

Natuurlijk wel, dacht Wide. Hij wist dat nazistische en racistische groeperingen bij voorkeur skinheads wierven. Hij had er het een en ander over gelezen: 'PUNKERS, SKINHEADS EN NATIONALISATIE' en 'TE MIDDEN VAN MISDADIGERS' en 'EXTREEMRECHTS'. Hij had de film *Romper Stomper* ook gezien, een parel in al zijn weerzinwekkendheid.

'Waarom ben je dan skinhead geworden? Was het de muziek?'

De jongen keek op. Zag Wide een zweem van belangstelling in zijn ogen?

'Hoezo... Wat weet jij van muziek?'

'Een beetje. Maar laat ik meteen tegen je zeggen dat ik die muziek verschrikkelijk vind.'

'Noem dan eens wat.'

'Ik heb No Remorse afgelopen herfst in Londen gezien.'

Dat was niet gelogen. Hij was op weg geweest naar Islington en had de tourneebus langs zien rijden. Hij had het zijn Engelse vriendin gevraagd en zij had verteld over de Engelse tegenhanger van Ultima Thule.

'Je liegt.'

'Het is waar. Hoe zou ik dat anders moeten weten?'

'Oké. Maar het klopt, het was de muziek. No Remorse, Ultima Thule, vooral de teksten. Hardrock werd te... kinderachtig, dat is voor kleuters. Alsof je net doet alsof, snap je? Ik hoorde Screwdriver, dat was nieuw. Heftig.'

Pontus Nihlén stak een hand op en Wide zag de tatoeages op de binnenkant en tussen de vingers, HATE en NO SURRENDER. Er was ook voldoende plek geweest voor WHITE POWER en een paar horens op een hoofd, als een vikinghelm.

'Je bent geen nazi, maar je haat andere rassen.'

'Het was een ruzie. Die anderen zijn begonnen.'

'Het is de vierde keer dat er aangifte tegen je is gedaan.'

De jongeman streek over zijn gladde hoofd. Toen hij zijn arm optilde, zag Wide dat het groene bomberjack bij de oksels kapot was.

'Buitenlanders hebben hier niets te zoeken. Ze moeten naar hun eigen land terug.'

'Waarom mag je ze niet?'

'Het zijn er gewoon te veel, veel te veel. Dat vind ik. Het is de schuld van de regering.'

'Heb je iets tegen de conservatieven?'

'De conservatieven? Ik weet verdomme niet eens wie er in de regering zitten. Maar het is hun schuld, van de regering. Ik heb zelf gehoord hoe de mensen... de politici... erover praatten dat de buitenlanders naar huis moeten. We zijn naar een politieke bijeenkomst geweest. Ze zeiden dat de nieuwe democratie was gekomen, en dat de buitenlanders maar naar huis moesten gaan als ze daar moeite mee hadden. En dat vind ik ook. Maar niemand noemde de sprekers skinheads of nazi's.'

Die discussie woedde al een tijdje. Bepaalde politieke partijen kregen meer aanhang, dacht Wide. Pontus Nihlén begon een eigen stem te krijgen. Was het destijds in de jaren twintig ook zo gegaan?

De skinheads zouden de voorhoede vormen als het bezette gebied bevrijd moest worden en moest worden beschermd tegen onzuivere immigratie.

'Het gaat tenslotte om onze banen en zo, er is toch geen werk.'

Wat moest je daarop antwoorden? Hoe moest je ethiek en moraal en solidariteit uitleggen aan iemand die zo vervuld was van haat?

'Ik wil je iets vragen.'

'Wat dan?'

'Dat je contact opneemt met je ouders. Dat je hun vertelt waar je woont.'

'Waar ik woon? Ha! Dat weet ik zelf niet eens!'

'Binnenkort heb je een heel duidelijk adres. Heb je al eens in de gevangenis gezeten?'

'Als het de gevangenis wordt gaat alles naar de verdommenis. Dat trek ik niet.'

'Je hebt een grotere kans om op vrije voeten te blijven als je naar huis teruggaat.'

Hij keek Wide weifelend aan. Was er misschien nog hoop?

'Dat is een leugen.'

'Ik beloof je dat ik weet hoe het zit. Ik ben politieagent geweest.'

Hij zag de twijfel groeien.

'Het is waar. Ik ben er een tijd geleden uit gestapt.'

'Wat moet ik dan doen?'

'Bel naar huis. Dan regelt je vader de rest.'

19

Ze kwamen in Ards kantoor bij elkaar. Het onderzoek naar geweldsdelicten was niet altijd een rondtasten in de duisternis. Vaak was de dader al bekend voordat het misdrijf was gepleegd. Deze keer was het anders.

'Geweldsdelicten heeft onder alle stenen gekeken,' zei Boursé. 'Zonder resultaat.'

'Zijn er sporen die naar de drugshandel wijzen?'

'We werken eraan met Fylke en zijn mannen.'

'Heb je hem gesproken?'

'Fylke? Helaas wel. We hebben zo meteen weer een bijeenkomst. Wil iemand in mijn plaats gaan?'

Ard voelde het zweet in zijn oksels en onder het haar in zijn nek. Hij zweette altijd in zijn nek als de temperatuur voorbij de dertig graden kwam. En als hij een goede curry at. Hoe erg zou hij zweten als hij in India was en curry at? Of als hij vanavond curry at? Niemand hoefde de grens nog over om de warmte op te zoeken. Hij voelde een soort melancholie nu het dag na dag warm was. In de zintuigen van de mensen van de noordelijke landen kwam die sterker tevoorschijn wanneer de hitte onveranderlijk was.

Hij deed het raam dicht, zodat het koeler werd.

'Er is een brief gekomen.'

Dat was nieuw voor de meesten in de groep, en elk nieuws was goed nieuws in deze situatie.

'De rechercheleiding heeft een brief gekregen waarin iemand verdenkingen in een andere richting koestert.'

'Dat is niet de eerste keer.'

Calle Babington begon zich thuis te voelen in de groep. Wanneer had hij voor het eerst aan de gesprekken mee durven doen? Ard kon het zich niet herinneren.

'Het kan de enige brief niet zijn.'

Babington leunde naar voren.

'Natuurlijk niet. Maar het gaat om details waar buitenstaanders geen weet van kunnen hebben.'

'Interne dingen dus.'

Ove Boursé verlangde naar een koud biertje, en een koude lunch.

'Wie is het? Iemand van ons?'

Kajsa Lagergren grinnikte. Ze was moe. Het was een deprimerende dag. Ze had zich rot gevoeld toen ze vanochtend na een nacht slecht slapen wakker werd.

'We gaan dat nu na.'

Ard keek op de klok.

'We moeten de kamer waarschijnlijk vrijmaken.'

Hij was er niet helemaal zeker van, maar hij had een bepaald vermoeden wie de *ex-smeris met zuiver meel in zijn zak* kon zijn. Er hadden details in de brief gestaan die alleen Wide kon weten... of iemand die bij Wide thuis was geweest.

Zuiver meel in zijn zak? Drugs? Het was een onzinnige beschuldiging. De vraag was waarom deze was geuit. Afleiding misschien... maar waarom dan?

'Heb je al resultaten van de technische afdeling, Ove?'

'De dode was schoon. Geen bloed, geen vreemde haren, zelfs geen huidschilfers. De jongens bekijken de sigarettenpeuken van de plaats delict nu, en zuigen naar speeksel.'

'Jesses. Dat zou mijn baan niet zijn.' Kajsa Lagergren vertrok haar gezicht.

Ove Boursé keek haar geamuseerd aan.

'De ontwikkeling gaat door. Ze hoeven niet langer zelf te zuigen. De techniek gaat snel vooruit. Een microscopisch beetje speeksel kan tot de veroordeling van een misdadiger leiden.'

Calle Babington deed opnieuw zijn mond open.

'DNA.'

'Dat klopt, Calle. Een doorbraak binnen de forensische geneeskunde, halleluja. We hoeven niet alleen meer te zoeken naar sperma of haren. Of bloedvlekken.'

Babington ging erop door.

'Niemand ontkomt aan zijn erfmateriaal.'

'Dat klopt opnieuw, Calle. We kunnen niet alleen DNA van speeksel op sigarettenpeuken veiligstellen, maar ook van speeksel op de grond. Dat is helemaal nieuw. En bovendien uitgevonden in Zweden!'

'Dat betekent dat het slecht kan uitpakken voor degene die de brief naar ons heeft gestuurd,' zei Kajsa Lagergren.

Sten Ard keek op van zijn papieren.

'Voor zover ik het kan bekijken is er maar één ding dat een gunstig resultaat kan verstoren met betrekking tot de methode die inspecteur Boursé net heeft beschreven.'

'En dat is?'

'Dat de postzegel met water op de brief is geplakt.'

Sten Ard wist niet of Preben Kragersen aan zijn postzegels likte of water gebruikte. Waarschijnlijk deed hij geen van beide. Hij vermoedde dat Preben nooit brieven schreef. Deze had hij in elk geval niet geschreven. De afdeling forensische geneeskunde in Göteborg was net zo ver als Ove Boursé had beweerd en had geconstateerd dat Preben Kragersens erfmateriaal niet aanwezig was op de achterkant van de afbeelding van de Zweedse koning. Eigenlijk was het een veilig idee dat Kragersens erfmateriaal niets gemeen had met Carl Gustaf op de postzegel, maar aan de andere kant zou dat het recherchewerk gemakkelijker gemaakt hebben.

Kragersen had moeite met praten na de confrontatie met Wide. Hij had maximaal gebruikgemaakt van dat feit en had in het begin ook geweigerd om zijn antwoorden op te schrijven.

De verpleegster had medelijden met Kragersen gehad toen ze hem kwamen halen. Ze had ook andere gevoelens voor hem. Ze kon zich voorstellen dat ze die een andere keer zou ontwikkelen. Ze had haar best gedaan zodat Kragersen haar om haar telefoonnummer zou vragen. Uiteindelijk had ze het nummer op een klein wit kaartje geschreven en had dat in zijn zak gestopt. Ze wist op dat moment niet dat hij haar weliswaar de komende paar maanden zou kunnen bellen, maar de volgende zeven jaar zou ze geen mogelijkheid hebben om haar gevoel samen met Kragersen te ontwikkelen.

Ze zag de politieagenten weglopen met de grote blonde man die met de juiste chirurgische ingrepen misschien ooit weer knap zou worden.

Sten Ard was daar niet in geïnteresseerd.

'Tijdens je afwezigheid ben je gezocht door de politie.'

Geen antwoord.

'Er zijn een aantal gevallen van mishandeling en roofovervallen...'

De Deen wist dat hij midden in zijn eigen vergissing terecht was gekomen. Tijdens zijn afwezigheid in Göteborg was hij gezocht. Het was stom geweest om terug te gaan. Waarom had hij dat gedaan?

Kragersen draaide zijn in wit verbonden hoofd af. Het was alsof je met een mummie praatte. Het stelde grote eisen aan de verhoorleider om een mummie te interviewen. Ard dacht aan het verhaal over de Franse archeologen die in de jaren zeventig een nieuw koningsgraf in Egypte hadden ontdekt. De mummie was perfect bewaard gebleven.

Zou hij dat verhaal aan Kragersen vertellen? De Fransen hadden de codes niet kunnen ontcijferen. Het schrift was uit een andere tijd. Een Engelse groep in de buurt werd erbij geroepen, maar het lukte hen ook niet. Een Russische expeditie, met de beste deskundige ter wereld, arriveerde op de plek. Hij ging samen met twee KGB-mannen het graf in. Na achtenveertig uur kwam hij uitgeput naar boven. In zijn hand had de professor een briefje met de oplossing van het raadsel: jaartal, naam, alles. De naam van de koning was Kham. Op het feest erna werd een van de lijfwachten nogal dronken, waarna hij de onderzoeksmethode onthulde: 'Die Kham was een keiharde, maar uiteindelijk sloeg hij door.'

Zou Ard dat verhaal aan Kragersen vertellen?

'Wat deed je in Yokohama?'

Geen antwoord.

'We weten dat je een pak slaag hebt gehad. Van een kleine kerel.'

Kragersens ogen schoten vuur achter het verband.

'We willen graag dat je aangifte doet. Kleine kerels horen geen mensen op hun bek te timmeren.'

'Ij ijgjer sjij vjan...'

'Wat zeg je?'

'Ij...'

'Schrijf het op, man. De blocnote ligt voor je.'

Kragersen schreef: *Hij krijgt er spijt van.*

'Denk je dat? Misschien is hij geen bekende? Misschien vinden we hem nooit.'

Ard zag hoe het verband rond het onderste gezichtsdeel van de gevangene verschoof. Ard nam aan dat hij glimlachte. Misschien lachte hij zelfs, op zijn manier.

'We weten dat je als uitsmijter in de club werkt.'

Kragersen zag eruit alsof hij was getroffen door schrijfkramp.

'We weten ook dat jij weet dat je niet welkom bent in Göteborg. Waarom ben je hier?'

Kragersen schreef 'zaken' op. Hij had een verbazingwekkend klein handschrift.

'Wat voor soort zaken zijn dat?'

Kragersen schreef 'dameslingerie' en Ard zag het verband opnieuw samentrekken.

'We weten ook dat je in andere zakelijke kringen bent gezien. Dit is je kans om daarover te vertellen.'

Kragersen hield de pen boven het papier, maar hij schreef niet.

'Ik bedoel dat je uit deze situatie kunt ontsnappen zonder jaren achter de tralies te verdwijnen.'

Ard zag de pen trillen in de hand van de Deen.

'Er is een moord gepleegd in Göteborg. We zijn degenen die ons daarbij helpen dankbaar.'

Ik weet niets over een moord, schreef Kragersen.

'Dat lieg je. We geloven dat je erbij betrokken bent. En het gaat niet alleen om geloven.'

Kragersen schreef 'bluf' en legde de pen weg.

Ard begreep dat hij later verder moest gaan. De man was uitgeput, het zweet stroomde van zijn haargrens en voorhoofd naar beneden. Het witte verband begon grijs te worden. Op de plek waar zijn neus zat verscheen een bloedvlek.

'Het is geen bluf, dat weet je. Denk er maar over na.'

Ard schreef een paar woorden op de blocnote en keek daarna op.

'Wat heb je 3 juli gedaan? Op donderdag?'

Kragersen schreef 'slapen' op de blocnote en wilde dat hij dat weer mocht doen.

'Alleen?'

Een meisje. Zijn handschrift werd steeds slechter.

'Wie? Kun je me een naam geven?'

Bitt.

'Bitt? Dat is niet veel. Waar woont ze?'

Weet ik niet.

'Waar sliepen jullie?'

Göteborg.

'Waar vind ik Bitt?'

Kragersen aarzelde met de pen in zijn hand.

'Het gaat tenslotte om jou.'

Fitness, schreef hij en daarna viel hij flauw.

Ze stond in zijn atelier en bekeek zijn schilderijen.

'Die zon heb ik geschilderd sinds we... eh... elkaar hebben ontmoet, en eerder trouwens ook al.'

'Mooi.'

'Het is voor jou.'

'Dank je.'

Ze zeiden een tijdje niets.

'Wat doe je als je geuren wilt schilderen?'

'Tja...'

'Heb je al eens geprobeerd om geuren te schilderen, Manfred?'

Hij zag de glimlach op haar smalle gezicht. Ze zag er sterk uit.

'Elke dag.'

'Ik maak geen grapje. Het kan geen geheel zijn zonder geuren. Toen ik jonger was, wilde ik het liefst manicure worden, of in een parfumeriezaak werken. Die interesse is altijd gebleven, snap je.'

'Gelukkig maar,' zei hij terwijl hij haar neus voorzichtig vastpakte. 'Anders had je niet zo lekker geroken.'

Ze deed een stap naar voren en pakte zijn neus vast.

'Maar jij zou lekkerder kunnen ruiken. Die aftershave... Waarom heb je Lagerfeld gekozen?'

'Heet dat zo? Ik heb hem twee jaar geleden van mijn moeder gekregen.'

'De geur is te zwaar voor je. Te zoet. Je hebt iets lichters nodig, iets wat beter bij je persoonlijkheid past.'

'Ik ben dus geen zware jongen? En niet zoet genoeg?'

'Je hebt iets frissers nodig.'

'Wat denk je van terpentine?'

'Heb je al eens lijnzaadolie geprobeerd?'

Hij maakte een gebaar naar de grote, lichte kamer.

'Er bestaat eigenlijk geen parfum dat de lucht in een atelier overstemt.'

'Ik heb me in geuren verdiept… Het lijkt erop dat ik er aanleg voor heb. Ik herken geuren van vroeger. Als je hier bezoek hebt gehad, zou ik zijn of haar geur herkennen, of de geur van een parfum, aftershave…'

'Het lukt dus niet om jou voor de gek te houden.'

'Ik zou het niet eens proberen als ik jou was.'

'Wil je iets drinken?'

'Graag.'

Hij liep naar de kleine kookhoek.

'Verdorie, er is niets meer. Laten we naar het café beneden gaan.'

Ze namen de oude, krakende lift naar de achterkant van het atelier van het kunstenaarscollectief en liepen de paar meters naar het Konstkaféet, dat was ondergebracht in een oud geelwit pakhuis met een afbladderende gevel die Göteborgs voormalige rol als zeevaartstad illustreerde.

'Wat is dat eigenlijk?'

Ze bleef voor het café staan en wees in westelijke richting, naar het twintig meter hoge bakstenen skelet dat onder de Älvsborgsbrug heen en weer zwaaide, grijnzend met zijn kaken vol gebroken ramen.

'Dat is het oude stoomketelgebouw van de fabriek en tegelijkertijd het vlaggenschip van het cultuurproject Röda Sten.'

'Laten we ernaartoe gaan.'

Ze liepen langs de rijen amateurvissers naar het gebouw en stonden even later binnen, op de begane grond die een plafondhoogte van vier meter had.

'De verdieping hierboven bevat een grote zaal met een plafondhoogte van twaalf meter. Er zijn plannen om het om te bouwen tot een kunstmuseum. Een aantal kunstenaars in de stad werkt aan het project.'

'En daar is wel geld voor?'

'Nee. Bovendien is er een ander voorstel om er kantoren van te maken, met daarnaast nieuwe gebouwen en onderaardse parkeergarages.'

'En daar is wel geld voor?'

'Ja. Dat is er altijd. Mensen en kunst komen niet bij elkaar. In dit geval niet bij het water.'

'Je hebt daarboven vast een prachtig uitzicht.'

Dat was zo. Ze liepen de draaitrappen op en kregen hun beloning. Je kon helemaal naar Angered in het noorden kijken en naar de vuurtoren van Vinga, het punt waar de zee begon.

'Als je van de zee komt is dit de plek waar je de stad ontmoet,' zei Manfred Bergman, waarna hij Linn Svanberg een kus op haar mond gaf.

Hij zag de *Stena Danica* onder de brug passeren en hoorde de zwakke, verrukte uitroepen en het gelach van de passagiers op het dek. Het vrolijke geluid werd met de wind meegevoerd. Het klonk als het gekras van kraaien.

De roltrap naar de vertrekhal stond vol mensen. Het leek alsof grote delen van de Zweedse bevolking hadden besloten om juist vanochtend met de veerboot van halftien naar Frederikshavn te vertrekken. Veel mensen hadden al de halve nacht gereisd, vanaf Karlskrona en Hagfors en Eksjö en Borensberg.

Wide liep over het bovenste zonnedek. Drie jachtvliegtuigen tekenden witte strepen aan de blauwe hemel. In oostelijke richting zag hij het splinternieuwe Operagebouw. Wide was blij met het gebouw. Hoe meer en groter de heiligdommen voor operamuziek, des te beter, maar dit gebouw werd belast door de oppervlakkige discussies tussen de lakeien van de verfijnde cultuur. Lakeien, een mooi, oud woord dat nog maar zelden werd gebruikt.

Als het ging om de klassieke muziekcultuur, die ook zíjn cultuur was, klonk het trompetgeschal uit de directiekamers. Wanneer was dat anders te horen? De nieuwe Opera zou een kathedraal worden, maar hij was bang dat het een kathedraal zonder ziel zou zijn.

Hij had honger. Terwijl hij in de rij stond voor het restaurant van de *Stena Jutlandica* vond hij het moeilijk om aan iets anders te denken dan aan het ontbijt dat op hem wachtte. Hij wist bijvoorbeeld niet precies waarom hij naar Denemarken ging. Hij moest daar aan boord over nadenken.

Wide vond een afgelegen tafeltje, niet ver van de ingang. Het lukte hem te wachten tot de rij niet meer zo groot was voordat hij eten ging halen. Hij at uitgebreid en zorgvuldig en knikte kort naar twee vrouwen van in de zestig die aan het tafeltje naast hem gingen zitten. De een haalde eten terwijl haar vriendin na een snelle blik op Wide de tassen bewaakte.

Na het eten dronk hij eerst een kop thee en daarna een kop koffie en aarzelde een moment bij de koffiebroodjes, maar hij voelde een lichte misselijkheid opkomen.

Het restaurant begon leeg te lopen. Een groep met vijf gehandicapte mensen en drie jonge, vrouwelijke verzorgsters bleef zitten. De vijf aten langzaam en met intense concentratie. Een kleine man kwam overeind van zijn stoel en liep langs iedereen terwijl hij deed alsof hij iets opdiende... Was dat het toetje? De kleine man glimlachte en voerde zijn bewegingen met ingehouden zelfspot uit.

Daarstraks had Wide op de roltrap achter twee mannen gestaan die ze duidelijk niet allemaal op een rijtje hadden. Ze hadden wild met hun hoofden gezwaaid en hadden van niemand hulp gehad.

Gedurende het afgelopen jaar hadden de psychiatrische ziekenhuizen steeds meer patiënten ontslagen, die daardoor werden gedwongen tot een pijnlijke integratie in de Zweedse samenleving. In de centrale en westelijke stadsdelen liepen mensen rond die letterlijk om hulp schreeuwden. Wide kon de angstige kreten in de flats van zijn wijk elke avond horen, nu de ramen openstonden tijdens de warme nachten.

Soms plantte iemand een bijl in het hoofd van een medemens. Soms sprong iemand van de Älvsborgsbrug. Anderen verborgen hun gezicht achter een krant en weigerden de pagina's om te slaan. Wide had vanochtend over zijn eigen krant gebogen gezeten en tegelijkertijd in zijn pijnlijke gezicht gewreven. Toen hij zich wilde scheren had hij gemerkt dat hij geen scheerschuim had.

Hij liep het restaurant uit en ging naar dek zeven, naar de taxfreeshop. Het was er druk, vooral bij de planken met mannengeurtjes. Zou hij Land blijven gebruiken? Of teruggaan naar Hugo Boss? Of zou hij de zurige limoengeur van Lacoste een kans geven?

Zou hij een nieuwe vrouw aantrekken als hij zich insmeerde met Calvin Kleins *Obsession For Man*?

Of betekende de naam juist dat hij een nieuwe man zou aantrekken?

20

In 1965 was er een avondspreekuur opgezet in de psychiatrische kliniek van het Sahlgrenska-ziekenhuis. Er kwamen jongeren naartoe die niet in de overige ziekenzorg pasten. Sommigen hadden uit de medicijnkast van hun ouders gesnoept: preludine, ritalin. Velen rookten wiet. Amfetamine was populair.

De politici begonnen na verloop van tijd een probleem te signaleren. Göteborg werd de eerste stad in het land met een gemeenteoverkoepelend spreekuur voor drugsverslaafden die vrijwillig hulp zochten.

De afgelopen jaren hadden meer dan vierduizend mensen gebruikgemaakt van het spreekuur.

Voor velen was het drugsgebruik een vorm van zelfmedicatie. Het was een manier geworden om het leven aan te kunnen.

Ove Boursé had geen moeite met het leven, maar wel met Gert Fylke.

Fylke begroette hen uitbundig terwijl Boursé, Babington en Fylke plaatsnamen in een van de vergaderzalen van de afdeling Narcotica.

Fylke kwam meteen weer overeind en maakte de twee bovenste knoopjes van zijn overhemd open.

'Het is hier verdomme heter dan in de reet van een hoer in de hel.'

Zijn uitzonderlijk behaarde borstkas werd zichtbaar. Fylke had dik haar over zijn hele lichaam, ook op zijn hoofd. Was dat een teken van een lage productie van mannelijke geslachtshormonen? Was hij daarom zo grof en macho in alle situaties, bij wijze van compensatie? Boursé zou het vragen op de dag dat hij bij de politie stopte.

'Ik geloof dat er een verband kan zijn.'

Fylke ging weer zitten.

'Met de hoer?'

Boursé kon het niet laten.

'Wat?'

'Niets. Je denkt dat er een verband met de moord op Laurelius kan zijn?'

Gert Fylke keek hem een hele tijd aan. Hij wilde net iets zeggen toen een portier koffie kwam brengen. Niemand zei iets voordat ze koffie in de ooit witte koppen hadden geschonken. Tegenwoordig had de binnenkant een vaalbruine kleur die geen afwasmachine ter wereld weg kon krijgen. Wat zou er met de Zweedse bevolking gebeuren als ze geen koffie meer kregen? Boursé durfde er nauwelijks aan te denken.

'Ik baseer mijn mening op wat mijn rechercheurs de afgelopen tijd naar boven hebben gehaald. Het is volkomen duidelijk dat de drugsdealers bezig zijn om nieuwe troep in het land te introduceren.'

'Nieuwe... troep?'

Calle Babington leverde zijn eerste bijdrage. Fylke draaide zich in zijn richting.

'Heroïne is een blijvertje. We hebben in samenwerking met de douane te veel in beslag genomen om de trend niet te zien.'

'Landvetter,' zei Boursé terwijl hij naar Fylkes hals keek. Het haar groeide helemaal tot zijn kin.

'Uiteraard, maar het is interessant dat het vervoer over zee steeds meer toeneemt. We hebben een deel onderschept, maar we houden ons voornamelijk bezig met droogzwemmen. Er komt veel met boten binnen. Göteborg kan zijn reputatie als zeevaartstad misschien terugkrijgen.'

'Hoe kan dat verband houden met de moord?'

Boursé voelde de behoefte om het gesprek te sturen. Hij wist niet zeker of het hem zou lukken.

'Er is een patroon dat we herkennen. Er heeft een tijdlang een zenuwachtige spanning gehangen. Nieuwe goederen, nieuwe investeringen. We hebben Laurelius wat nader bekeken en hij heeft een aantal onroerendgoedzaken gedaan met een paar kerels die ook opduiken in onze randgebieden.'

'Wat bedoel je?'

'Zoals gewoonlijk is er geen bewijs, alleen vermoedens, maar er kan een patroon zijn...'

Boursé kon de drie puntjes na Fylkes zin duidelijk zien. Een aarzeling van Fylke was ongewoon.

'Het is altijd verdacht als er nieuw geld op de markt komt, vooral nu, tijdens de heersende laagconjunctuur. Waar komt het geld vandaan? Hoe komt het geld hier? Hoe vindt de ruilhandel plaats, en waarmee?'

Fylke vuurde de vragen af.

'Het kan geen kwaad als er meerdere mannen discreet bij de haven werken. Er vindt hier iets eigenaardigs plaats. We hebben goede sporen gehad die oplossen als een scheet in de wind. Dat weten jullie ook. Je zou bijna zeggen dat er een informant binnen het korps is. Misschien ben jíj dat wel!' riep Fylke plotseling terwijl hij naar Calle Babington wees, die schrok en zowat van zijn stoel viel. Gert Fylke lachte hevig en maakte nog een knoopje van zijn overhemd los.

'Jammer dat we geen dertienjarigen in dienst hebben in het korps. Het begint tijd te worden voor undercoverpatrouilles.'

'Raveparty's?'

'De politie wordt belachelijk gemaakt over die verdomde ravefeesten. In de pers ziet het eruit alsof we de situatie erger maken dan die is en dat de jeugd gewoon wil dansen. Wat?! Hoe kun je verdomme geloven dat iemand met een greintje hersenen acht uur achter elkaar op betonmolengeluiden kan dansen zonder high te zijn van het een of ander? Zelfs een tiener houdt dat niet vol zonder hulpmiddelen.'

'Techno,' zei Babington, die zich enigszins had hersteld.

'Wat?'

'Technomuziek, ze dansen op technomuziek... denk ik.'

'Noem het verdomme zoals je wilt, ze zouden vierentwintig uur achter elkaar op Arne Quick kunnen dansen met de rotzooi die ze naar binnen werken.'

'Crack,' zei Boursé terwijl hij tegelijkertijd een mariakaakje in tweeën brak voor het effect.

'Arne Crack?' vroeg Babington met een uitdrukkingsloos gezicht.

Fylke stond op het punt van zijn stoel te springen, maar herstelde zich snel.

'Grote zaken, grote investeringen om nieuwe verslaafden te werven. Tegelijkertijd veel kleine handelaars. Crack, zeker. En LSD is terug, hare krisjna. Het wordt verkocht in de vorm van tabletten of postzegels met grappige figuurtjes erop. Een trip hoeft niet meer dan een briefje van honderd te kosten. Zo meteen hebben we de psychodelische muziek ook nog terug. Het is de vraag of dat het moment is om te stoppen met dit werk.'

'Psychedelisch heet het.'

'Wat?'

'Psychedelisch, niet psychodelisch.'

'Ben jij een expert?'

'Nee, maar ik heb een paar platen van heel, heel lang geleden.'

'Verbrand ze. Of rook ze op.'

Boursé was bezig met een lang afscheid van de rockmuziek. Als het hem lukte, zou hij vanavond wat platen tevoorschijn halen, na een jaar of vijfentwintig. *Electric Music for the Mind and Body*. Had hij niet iets van The Peanut Butter Conspiracy liggen? Hij herinnerde zich een unieke tijdskarakteristieke opname van Quicksilver Messenger Service. Heette dat nummer 'The Fool'? Achttien minuten lang, misschien was dat een goede therapie. Mocht je er een biertje bij nemen?

Sten Ard liep binnen bij Fitness Gym & Health en werd er meteen aan herinnerd wat hij niet deed met zijn lichaam. Hij moest ernaar vragen nu hij hier toch was. Was er een remedie tegen stramheid van het lichaam? Het was moeilijk om geen 'fatness' te lezen in de naam van de sportschool. Hij had het ergens gezien... fitness fatness... Het zou gebruikt moeten worden in een reclamecampagne.

Een jonge vrouw met een hard, gebruind gezicht stond achter de balie. Ze keek naar hem met haar lichtblauwe doorschijnende ogen die pas gewassen leken, als een blauw katoenen overhemd dat was geboend en geboend tot het uiteindelijk meer wit dan blauw was. Ze droeg zwarte, nauwsluitende kleding. Ard zag biceps en triceps, terwijl haar kleine stevige borsten bewogen onder het dunne shirt dat op een opperhuid leek. Ze bladerde in een stapel formulieren en kauwde kauwgom. Ze leek te stoer voor hem en Ard voelde zich onhandig in zijn jeans en witte overhemd en colbertjasje dat waarschijnlijk als een handicap beschouwd moest worden.

Hij kon vanaf hier de zaal zien, met zijn eigenaardige apparaten die eruitzagen als miniatuurolieplatforms. Hij zag hevels en hefarmen: het leek een combinatie van lego en meccano.

Waar was hij de afgelopen jaren geweest? Hij had stangen verwacht, en gewichten die op een stapel lagen te wachten tot ze vrij door de lucht mochten zweven. Stangen en schijven waren hier niet te vinden. Wat zou er gebeuren als hij hier binnen kwam lopen met een Bullworker in zijn hand? Had Arne Tammer, die beroemde Zweedse bodybuilder uit vroeger tijden, dat voorzien?

Het enige wat hij van zijn voorstellingswereld herkende, was het gekreun en de grimassen en het bijna obsceen diepe in- en uitademen. Geen knalroze kleding en oogverblindend witte beenwarmers ter wereld konden dat geluid weghouden.

'Eenmalig of een jaarkaart?'

Hij zag een spottend lachje op het gezicht van het blonde meisje.

'Tja... Wat is er nodig om de stramheid uit mijn lichaam te krijgen?'

'Welk deel van je lichaam?'

De spottende glimlach werd breder. Zou hij Moberg citeren? *Toen ik jong was, waren al mijn ledematen zacht, slechts een was er hard.* Het zou grappig zijn, maar niet gepast.

'Rug... armen... mijn benen 's ochtends...'

'We hebben op dit moment een aanbieding. Vijf keer op proef voor tweehonderd kronen. Je krijgt iemand die je instructies geeft.'

'Is dat voldoende?'

'Om de stijfheid kwijt te raken? Of om te leren hoe je dat doet? In jouw geval kan ik daar geen antwoord op geven.'

Wat bedoelde ze daarmee? Was het een belediging?

'Ik zal erover nadenken, maar... er is nog iets anders... eh... eh... Is Bitt aanwezig?'

Het meisje legde de stapel formulieren neer en keek hem een hele tijd aan. De opgewektheid was verdwenen.

'En wie ben jij?'

Hij haalde zijn portefeuille tevoorschijn en liet zijn legitimatie zien.

'Maar een paar vragen,' zei hij terwijl hij zich afvroeg waarom hij zijn werk probeerde te rechtvaardigen.

'Bitt kan nooit iets… onwettigs gedaan hebben.'

'Daar gaan we ook niet van uit. Werkt ze hier?'

'Ja, ze is een van onze instructrices. Je vindt haar in de zaal, waarschijnlijk probeert ze iemand te laten ontspannen die net zo stijf is als jij.'

Sten Ard bedankte haar zonder goed te weten waarvoor en liep de grote, lichte zaal in. Ze riep hem 'rood haar' na.

Hij had gedacht dat er alleen vijfentwintigjarigen die hier eigenlijk niet naartoe hoefden rond zouden lopen, maar er waren mensen. Hij zou niet de oudste sporter zijn als hij los zou gaan op een van de… apparaten, of als ze los zouden gaan op hem.

Een man van zijn leeftijd stapte van een toestel dat eruitzag als een guillotine en liep met een uitgeputte maar tevreden uitdrukking op zijn gezicht in de richting van de kleedkamers. Hij zag een vrouw van een jaar of vijfentwintig met rood haar. Ze zag er krachtig uit, was lang en had sproeten. Ze had de badjuf uit Ards jeugd kunnen zijn. Waarom had ze in vredesnaam in één bed gelegen met die slijmerige Kragersen? Dachten vrouwen soms ook alleen met hun onderlichaam?

Hij liet meteen zijn legitimatie zien, om een net zo lange introductie als met het meisje achter de balie te voorkomen.

'Heb je even tijd? Ik heet Sten.'

Ze keek geschrokken. Dat deden ze allemaal, schuldig of niet. Het had waarschijnlijk iets met de bloeddruk te maken.

'Waar gaat het over?'

'Is er ergens een plek waar we ongestoord kunnen praten?' vroeg hij vriendelijk.

Ze keek enigszins verward om zich heen en wees naar de kleedkamers.

'Er is een kantoor boven de kleedkamers. Daar is waarschijnlijk niemand aanwezig.'

Het kantoor was leeg en spartaans ingericht: een bureau, stoelen, een archiefkast en een paar ingelijste foto's van bodybuilders. Twee ervan waren vrouwen. Geen van beiden zag eruit als Bitt. Hij hoopte voor haar dat zij er niet zo uitzag onder het loszittende shirt.

Ard haalde een foto van Kragersen tevoorschijn, Kragersen v.W. noemde hij de foto, voor Wide.

'Ken je deze man?'

'Waar gaat het over?' vroeg ze opnieuw.

'Het gaat om moord. Ken je hem?'

Ard voelde zich moe en meedogenloos.

'Het lijkt Jens...'

'Jens? Heet hij zo?'

'Ja... Jens Kaspersen of zo... Hij is hier een paar keer geweest.'

'Wanneer heb je hem voor het laatst gezien?'

'Wat heeft hij gedaan?'

'Mag ik de vragen stellen?'

'Ja... natuurlijk...'

'Wanneer heb je hem voor het laatst gezien?'

'Vorige week, geloof ik... woensdag...'

'Waar?'

'Hier op de sportschool...'

'Woensdag. Hier op de sportschool.'

'Ja...'

'Nergens anders?'

'Nee... Waar zou...'

'Zijn jullie niet nog ergens naartoe gegaan?'

'Nee...'

'Weet je dat zeker? Het is niet handig om te liegen.'

'Ja... We zijn nog een biertje gaan drinken.'

'Waar?'

'Dubliners. In Kungshöjd.'

Ard zei niets.

'En daarna zijn we nog even naar mijn huis gegaan...'

'Hoe lang duurde dat?'

'Tja... nogal lang...'

'Hoe lang?'

'Hij is blijven slapen.'

Ze zag er verlegen uit. Was dat tegenwoordig normaal? Aan haar uit-spraak te horen leek ze uit Bohuslän te komen. Misschien was ze opgevoed met regelmaat en tucht en een dogmatisch geloof.

'Weet je zeker dat hij de hele nacht is gebleven? Tot de volgende och-tend?'

'Ja. We hebben samen ontbeten.'

Was het mogelijk om met Preben Kragersen aan één tafel te zitten? Waar hadden ze over gepraat? Anabole steroïden?

'Welke avond zei je dat dat was?'

'Woensdagavond... en de nacht daarna, tot donderdag... donderdagoch-tend dus.'

'Heeft hij verteld waar hij zich mee bezighoudt?'

'Nee, ja... Hij werkt in een club en eh... in Jutland.'

'Hij wordt verdacht van mishandeling en beroving. Misschien van ergere dingen.'

'Hij heeft niets...'

'Hoe vaak hebben jullie elkaar ontmoet?'

Ard vroeg zich af hoe lang hij vragen kon blijven stellen. Het effect van de shock begon te verdwijnen bij Bitt.

'Maar een paar keer. Het was de eerste keer dat hij met me mee naar huis is gegaan.'

Ze vouwde plotseling haar handen ineen. Het waas dat ze voor haar ogen had, leek te verdwijnen. Ze keek een tijdlang naar Sten Ard, en daarna zwierf haar blik door het kantoor. Hij hoorde haar zachtjes vloeken, als een fluistering die onder grote druk naar buiten kwam.

'Hij heeft mijn horloge gestolen. Ik had het thuis... dacht ik eerst... maar daarna dacht ik dat ik het verloren had.'

Ze keek met een heldere, doordringende blik naar Ard.

'Kan hij het horloge gestolen hebben?'

'Hij kan meer dan dat gedaan hebben.'

'Waar is hij nu?'

'In veiligheid.'

'Voor wie?'

'Voor jou en mij en de rest van de mensheid.'

'Is het zo erg?'

Ard kwam overeind en liep naar de deur. Vanaf de plek waar hij stond kon hij een deel van de sportzaal zien. Vlak bij de ingang werkten een paar tieners hard aan hun lichaam. Twee van hen hadden krachtige spieren. De bovenarmen van de derde waren nog veel krachtiger, als de dijbenen van een volwassen man.

Ard draaide zich om naar de vrouw.

'Het is erg. Is er hier... eh... gehandeld... misschien toen onze Deense vriend verscheen?'

'Voor zover ik dat weet lukt het ons om deze plek schoon te houden.'

'Hoe merk je zoiets?'

'Tja, in het begin kun je natuurlijk niet aan iemand zien of hij anabolen gebruikt. Maar na een tijdje wordt het zichtbaar. We hadden hier een stel agressievelingen, maar die zijn gestopt. Ik geloof dat de eigenaar met ze gepraat heeft.'

'Weet je iets over die handel?'

'Luister, als je denkt...'

'Nee, nee, ik bedoel of je er iets van hebt gemerkt.'

'Bodybuilders gebruiken steroïden, dat is volkomen duidelijk. Maar hier bij Fitness... Tja, je hebt het zelf gezien. Er trainen hier geen grote namen.'

'En die jongens daar?'

Ard knikte in de richting van de tieners. Hij wist dat ze begreep wie hij bedoelde.

'Misschien wel. Ze zijn hier nog niet zo lang. Maar grote spieren zeggen niet alles. Soms kan het andersom zijn. Degenen met de grote spieren kunnen groen zijn. Soms zijn de spieren niet belangrijk, maar de kick die je van de drugs krijgt. Het geeft ze... grootheidswaanzin.'

'Zoals met elke drug.'

'Gewichtheffers die geen andere ambitie hebben dan hun kick krijgen, slikken momenteel iets wat B52 heet. Dat is een mengsel van amfetaminen en anabole steroïden.'

'Dat klinkt beangstigend.'

'Vroeg of laat veroorzaakt het een levensgevaarlijke buiklanding.'

'Heb je daar weleens over gepraat met een paar van de jonge gewichtheffers?'

'Jazeker. We proberen ze zo goed mogelijk over de gevaren te informeren. We kunnen ons geen slechte reputatie veroorloven. We willen er tenslotte van leven... van echte training dus.'

Ard zag dat een van de tienerjongens twee eigenaardige schilden van een verticaal raamwerk haalde. Ze zagen er zwaar uit.

'Is er iets wat indruk op ze maakt?'

'Dat weet je nooit. Maar één ding schudt ze misschien wakker.'

Ard liep terug naar het bureau.

'Dat ze het risico lopen krankzinnig te worden? Of een hartinfarct te krijgen?'

'Geloof je dat dat indruk maakt op tieners? Hoeveel jonge meisjes roken er?'

'Goed, wat dan?'

'Een vijftienjarige luistert als je hem vertelt dat hij misschien nooit vader kan worden.'

Bitt glimlachte zwakjes.

'Anabole steroïden zijn een perfecte en permanente anticonceptiepil. Voor altijd onvruchtbaar.'

21

Om tien uur zag hij alleen zee en hemel. Hij zat op het zonnedek met een koud flesje Hof in zijn hand, waar hij de helft van had opgedronken. In één enkel flesje bier lag dronkenschap op de loer, of een glimp ervan. Wide voelde het altijd als hij 's ochtends alcohol dronk: de warmte en de moeite die het kostte om de absolute controle te bewaren.

De mensen zochten bescherming voor de zon bij de bar op het achterdek, waar de ronde tafels en de stoelen vastgeschroefd waren op het dek. Het was alsof iedereen last had van een stijve nek, het lukte niet om de stoelen te draaien, de mensen bleven zij aan zij naast elkaar zitten. Hij keek naar een gepensioneerd stel dat via hun mondhoeken tegen elkaar praatte. Ze hadden bier en Gammeldanks voor zich op tafel staan en rookten sigaretten die zachtjes oplosten in de ijle lucht.

Het dek achter het overdekte gedeelte schitterde wit en rood in de oogverblindende zonneschijn. Een veerboot op de terugweg naar Göteborg voer hun tegemoet. Het water was rimpelloos, wat nog duidelijker werd toen het schuim rond de boeg van het tegemoetkomende schip wervelde. Twee kleine jongens stonden op de reling. Een jonge vrouw liep met snelle passen naar hen toe en tilde hen eraf. Hij zag aan haar lippen hoe ze hen ernstig toesprak en de vastbesloten manier waarop ze hun armen vastpakte. De vrouw en de jongens gingen op een bank midden op het dek zitten. Even later stonden ze op en liepen de trap af.

Wide liet de rest van het bier in het flesje opwarmen door de zon. Hij liep naar de reling en zag de kustlijn van Denemarken in de ochtendnevel groeien, alsof de klippen zachtjes en ongemerkt uit de hemel waren neergedaald.

Vijfenveertig jaar geleden had zijn vader deze kust achter zich gelaten en gezworen om nooit meer terug te keren. Hij had zijn belofte tijdens zijn leven gehouden, maar had tien jaar later een laatste reis gemaakt, in een kist waar de vijfjarige Jonathan naast had gezeten gedurende de drie uur en twintig minuten lange tocht over Deens en Zweeds water. Het was de eerste keer dat hij de Deense kust had gezien en later, tussen de in het zwart geklede mensen, had hij voor de eerste keer een Deens kerkhof gezien.

De *Stena Jutlandica* voer tot aan het begin van de 'Valutaslangen'. De lange, overdekte loopbrug naar de stad had die bijnaam gekregen omdat de Zweden hier doorheen liepen op weg naar de winkels aan de andere kant van de slang, om er bier en varkensvlees en biefstuk te kopen.

Hij liet zich met de stroom meedrijven naar Brotorvet en liep daarna door de korte Havnegade naar de voetgangerspromenade Danmarksgade. Het hardnekkige hogedrukgebied hield de bezoekers uit de zon, ze liepen dicht langs de gevels en zochten verlichting onder de parasols op de terrasjes. Er waren geen groepen dronken jongeren, die waren opgelost door de krachtige zonnestralen. Een paar overlevenden spoten krachteloos naar elkaar met groteske, bovenmaatse waterpistolen.

Aan de noordkant van de Danmarksgade stapte Wide binnen bij een van zijn bestemmingen. Café Munken lag op een gunstige plek, maar er kwamen zelden toeristen. Een halve minuut hierbinnen was voldoende om te begrijpen dat ze niet welkom waren.

Wide wierp een blik op de twee biljarttafels in het donkere achterste deel van het café en liep daarna naar de bar van glanzend mahoniehout. De vijf mannen die er zaten keken hem aan. Die staat over een halve minuut weer buiten, dacht Kim Hansen terwijl hij de laatste slok uit zijn flesje Tuborg nam.

Wide had de man hier gezien. Hoe heette hij ook alweer? Kaspersen? Hij had hem een halfjaar geleden een keer uit dit café naar buiten zien komen. Hij had hem diezelfde week ook naar binnen zien gaan, een dag later of zo. Was dit zijn stamkroeg? Kragersen. Hij heette Kragersen. Preben.

'Komt Preben vandaag nog?'

De barman wierp hem een onaangename blik toe, droogde de bar af en pakte een schoon glas van het rek achter hem.

'Preben Kragersen. De man van de *Stena Line*.'

Even leek het dat een kleine man met dun haar en een donkerrood gezicht iets wilde zeggen, maar hij hield zijn mond na een blik van de man achter de bar.

'Wat wil je hebben?' vroeg hij kortaf.

Wide bestelde een Hof en een borrel, een Havstryger.

'Er zijn zoveel Prebens.'

Plotseling glimlachte de barman naar hem.

'Deze Preben is groot en blond en heeft een tijdlang in Göteborg gewerkt.'

'Dat geldt voor meer dan de helft van de mannelijke bevolking van de stad.'

'Hij ziet eruit als een filmster.'

'Knap?'

'Erg knap.'

'Dan weet ik misschien wie je bedoelt. Maar die is hier al een hele tijd niet meer geweest. Zei je dat jullie elkaar hier vandaag zouden treffen?'

'Om twaalf uur, hier in café Munken.'

De kleine man met het rode gezicht leek weer iets te willen zeggen, maar er kwam alleen een zacht gerochel uit zijn keel. Links van hem zat een man die Wide alleen schuin van achteren zag.

Hij had geen oorlelletjes. Wide had het eerder gezien, bij anderen, maar hier was het een bijzonder kenmerk, oren als een schep zonder steel. Het oor lag als een eigenaardige uitgroei op zijn hoofd.

'Ik kan je helaas niet helpen.'

Wide liet de drank met de exotische kruiden rond zijn tong en verhemelte draaien en voelde hoe de warmte ervan langzaam door hem heen stroomde. Hij nam een lange slok uit het bierglas en voelde plotseling een sterk verlangen om hier in de koelte en de duisternis te blijven zitten, dronken te worden en de wereld verder te laten draaien zonder hem.

Hij nam nog een slok bier, liet zich van de barkruk glijden en liep de zon in. Het licht was intens en hij voelde hoofdpijn boven zijn rechteroog opkomen.

Toen Wide het café uitgelopen was, in een scherm van wit scherp licht, draaide de barman zich naar een gordijn dat de kleine keuken verborg. Een stevige man met dik grijs haar en in een dun katoenen pak kwam naar buiten.

'Is dat hem?'

'Ja.'

'Waarom is hij hier? Wat wil hij?'

'Dat moet je mij niet vragen. Als hij maar snel weer vertrekt.'

De grafsteen was wit, net als de andere vierenzestig stenen op het Britse oorlogskerkhof dat in het noordelijke deel van kerkhof Fladstrand lag.

Piloot C. Robotham, sergeant. Eeuwige rust in Deense grond.

Drie Engelse zeemannen en tweeënzestig piloten van het Gemenebest: zesenveertig Britten, negen Canadezen, een Australiër, vijf Nieuw-Zeelanders. En een man die Engels had gepraat maar achteraf niet geïdentificeerd kon worden.

Er waaide een zwakke wind over het kleine, vierkante kerkhof. Op een paar graven lagen bloemen.

Betaalden de families Deense burgers om verse bloemen op de graven te zetten?

Geliefden? Er waren mensen die niet vergaten.

Robotham. In 1942 neergeschoten bij Fragthavnen in de buurt van het centrum. Hij was nog in leven toen een paar Deense havenarbeiders hem uit het water visten en in veiligheid brachten. Het was een wonder dat ze hem in veiligheid konden brengen voordat de Duitsers bij de kade waren.

Een van die Deense havenarbeiders was zijn opa geweest. Johannes Wide, verzetsstrijder. Clive Robotham werd verborgen gehouden in de kelder van het huis van de familie Wide aan de Enghavevej midden in de stad. Ole Wide, Jonathans vader, was toen zeventien jaar.

In de nacht na oudejaarsavond 1942 ging er veel mis. Toen Robotham en drie andere Britse piloten naar de haven werden gebracht om naar Engeland en Brighton vervoerd te worden, werden ze bij de Andelskaj opgewacht door een Duitse patrouille. Clive Robotham werd doodgeschoten toen hij naar de stad terug probeerde te rennen. Er werd nog een Engelsman gedood, *airgunner* R.H. Dyson. De twee overige Engelsen werden gevangengenomen en verdwenen.

Twee Deense verzetsstrijders werden ter plekke doodgeschoten. Een werd gemarteld, maar weigerde te praten. Hij moest met zijn hoofd op de motorkap van de auto gaan liggen en werd onthoofd, zoals de gewoonte was.

Opa Johannes wist te ontsnappen. Het was een wonder. Het was eigenlijk een dubbel wonder omdat een soortgelijke tragedie twee maanden daarvoor ook had plaatsgevonden. De Duitsers hadden staan wachten. Johannes Wide had het gered.

Zijn kleinzoon liet zijn vinger glijden over de bescheiden grafsteen. Wat was het heet! Zou er weleens iemand uit Engeland hiernaartoe komen om Clives steen aan te raken? *Eenentwintig jaar and a long way from home.* Wide zag de beelden voor zijn geestesoog, het eind van de oorlog en de zwaaiende mensenmassa's toen de schepen van het Europese vasteland binnenliepen. Wat had de familie Robotham in die tijd gedaan, toen het te laat was voor *we'll meet again*? Het was een nummer waaraan velen zich hadden vastgeklampt tijdens die afschuwelijke jaren. Misschien hadden de vader en moeder van Robotham dat nog jarenlang gedaan.

De waarheid kwam aan het eind van de oorlog aan het licht. De verzetsstrijder, de ruwe havenarbeider en socialist, was in dienst van de Duitsers geweest. Hij was een verrader die was doorgeslagen. Zijn broer werd geëxecuteerd terwijl hij verhoord werd en de Duitsers hadden heel duidelijk gemaakt dat zijn zoon de volgende zou zijn.

Johannes Wide had pure pech gehad. De documenten waarop zijn Duitse indiensttreding stond vermeld, waren nog niet verbrand door klerk Ernst Stehle op het moment dat de deur van het Duitse hoofdkwartier werd geforceerd en toen was het te laat.

Johannes Wide was al dood, verdronken in de haven op een vroege voorjaarsdag in 1943. Het was zelfmoord geweest. Iedereen had het als een ongeluk beschouwd, tot de documenten onder de loep werden genomen.

Mathilde, Jonathans oma, bezwoer dat ze nooit iets had geweten van het dubbelspel dat haar man had gespeeld.

In de herfst van 1945 werd Ole Wide overal waar hij in de stad kwam in elkaar geslagen, en als hij terugsloeg kreeg hij nog meer klappen. Toen hij een jaar ouder was, werd hij niet meer geslagen, maar hij was eenzaam geworden. Tot zijn verbazing ontmoette hij uiteindelijk een meisje dat om hem gaf. Ze was afkomstig uit Ålborg.

In zijn geboortestad vergat niemand de kwestie. Het leek of zelfs niemand in het land het vergat. Ook omdat de herinneringen elk jaar sterker werden, was het voor Ole Wide uiteindelijk onmogelijk geworden om in Denemarken te blijven wonen.

De gedachten van zijn zoon werden onderbroken door het gekrijs van een ekster in de buurt. Hij keek op van Robothams grafsteen en liep langzaam in zuidelijke richting. Wide liep over het grotere, Duitse oorlogskerkhof, waar honderden jonge mannen lagen die nooit thuis waren gekomen. Hij had misschien wrok moeten koesteren, maar hij voelde alleen verdriet en machteloosheid terwijl hij langs de kleine grijze kruisen liep: KARL RETTENBACHER 3.4.20 – 18.12.42, ANTON SISTERMANN 15.8.21 – 16.3.42, HANS-GÜNTHER DEMSKI 22.7.23 – 24.12.41. Kerstavond. Achttien jaar.

Hij ging een tijd voor het lege podium in stadspark Plantagen zitten, alsof hij erop wachtte tot iemand de trap op zou lopen, het toneel over zou lopen, een microfoon aan zou zetten en hem zou uitleggen waarom hij in vredesnaam hiernaartoe was gekomen.

Even later zat hij in de carrousel naast Plantagen en toen hij Nörregade voor de derde keer tussen de bomen door zag schemeren, wist hij wat hij moest doen.

22

Was hij een moordenaar? Waarom was hij nog niet zo lang geleden 'the killer' genoemd door de kleine donkere man in de donkere kamer? Björcke dacht daar soms aan, als een stukje concrete moraal. Het gaf hem een goed gevoel. Hij kon opnieuw een lange reis maken, zijn voorraad moraal aanvullen en tegelijkertijd dichter bij de bron komen. Mensen van andere culturen, ver verwijderd van het eenvoudige spoor dat zijn werknemers hier volgden.

'Het is toch de eenvoud die het hem doet.'

'Wat zeg je?'

'Niets. Ik dacht alleen ergens aan.'

'Denk in plaats daarvan hier maar aan.'

Björcke keek naar de gedrongen man aan de andere kant van de tafel.

'Luister. We hadden nooit... hmm... contact met je opgenomen als we niet in je kalmte geloofden.'

'Ik dacht dat jullie op mijn meedogenloosheid uit waren.'

'Dat ook.'

'Jullie hebben allebei gekregen.'

'Maar jij wordt ook door iets anders gedreven.'

'Haat? Dat kun jij niet begrijpen.'

'Zo erg dat je het... andere niet hebt genoemd.'

'Is dat belangrijk?'

'Nee.'

De bezoeker haalde zwaar adem. Björcke zag dat hij zijn rechterhand tot een vuist balde voordat hij verder praatte.

'Je vertrouwt ons niet.'

'Dat zou jij in mijn positie ook niet doen.'

'Het hangt allemaal van jou af.'

'Je beseft misschien niet wat een hoog spel het is geworden toen jullie mij binnengehaald hebben.'

'Wat een nederigheid.'

'Ik bedoel iets anders en dat weet je heel goed.'

Björcke boog zich naar voren en deed de bureaulamp aan.

'Je moet één ding goed snappen. We doen het kalm aan.'

'Maar aan het eind...'

'Ik beloof het. Aan het eind krijg jij hem.'

'Ik moet gaan.'

'Weer een... bijeenkomst?'

'Smeerlap.'

De bezoeker kwam overeind. Hij voelde zich warm en voorbereid. Hij was met zijn gedachten ergens anders.

Jonathan Wide transpireerde in de middagzon. Als de hitte bleef aanhouden, moest hij een hoed gaan dragen. Zijn huid voelde gespannen.

Het huis aan de Enghavevej leek te zijn gekrompen sinds hij hier jaren geleden voor het laatst was geweest. Het lag naast het stenen gebouw van de Odd Fellows, was begroeid met druivenstruiken en zag eruit als een sprookjeshuis.

De Odd Fellows wierpen elke dinsdagavond een blik op het huis voordat ze hun bunker betraden, die ze zelf zo noemden en die enige tijd bescherming bood tegen de realiteit.

Het huis van de familie Wide was al zoveel jaar in het bezit van de familie dat degenen die nog leefden niet eens meer wisten hoe lang dat was.

Wide belde aan. Hij belde opnieuw aan toen er niet werd opengedaan. Ineens viel het hem op dat de deur op een kier stond.

Met een griezelig déjà vu-gevoel liep hij de hal in. Verwachtte hij iets anders aan te treffen dan een hal? Hij keek om zich heen, maar zag niets ongewoons. Rechts stond een kleine tafel met een telefoon, links hingen drie jassen en op de vloer eronder stonden twee paar stevige damesschoenen. Schoenen voor een oudere dame. Wide keek om zich heen en zag een keuken die in het donker lag. Hij riep de naam van zijn tante, maar kreeg geen antwoord.

Hij bekeek de twee kamers en de kleine keuken op de begane grond. Alle gordijnen waren dichtgetrokken en hij schoof ze open om het licht binnen te laten. Het stof speelde in de zonnestralen. Had zijn tante eigenlijk hulp in de huishouding?

Hij liep de trap op naar de bovenverdieping. Links hing een stevige houten trapleuning in een bruine houtsoort die hij niet herkende. Het hout glansde en voelde zacht onder zijn hand en hij merkte dat de oude trap geen geluid maakte.

In de linkerslaapkamer vond hij zijn tante. Ze lag in een eigenaardige houding in de oude fauteuil naast het bed. Voor haar op de grond lag een omgevallen kopje, de thee lag in dikke lichtbruine druppels op het witte kleed. Het kunstgebit van de oude vrouw was half uit haar mond gevallen.

Ze zag eruit alsof ze niet kon stoppen met lachen om iets wat ooit was vertoond op het televisiescherm dat nu als een grijze, stomme spiegel tegenover haar stond.

'Grethe!'

Hij rende naar haar toe. *Nee nee nee.* Het was zijn bloed en haar bloed en dat was dikker dan water en tante Grethe was Jonathan Wides enige familielid dat hij nog had. *Als ze nog leeft.*

'Jezus! Wat laat je me schrikken, jongen!'

Ze was overeind gevlogen als een duveltje uit een doosje.

Hij omarmde de vrouw. Ze voelde zo mager, als een kind zonder veerkracht in de huid... Het was alsof hij een stel botten vastpakte.

'Jonathan. Wat vreemd dat je er bent...'

'Het is een tijd geleden, tante Grethe.'

'Het is een hele tijd geleden dat ik iets van je heb gehoord, maar dat is het niet...'

Ze keek naar de vloer.

'Nu ben ik alweer in slaap gevallen. Dat is niet de eerste keer. Ik kan dat kleed niet langer houden.'

Hij keek in haar onrustige ogen.

'Je wilde iets zeggen, tante.'

'Het is zo lang geleden dat ik iets van je heb gehoord, en ineens... Een paar dagen geleden zijn er hier een paar heren geweest, Zweden, die naar jou vroegen. Ze wilden weten waar je tegenwoordig woont. Het waren vrienden van je.'

'Vrienden?'

'Dat zeiden ze.'

'Zeiden ze niet hoe ze heetten?'

'Ja, misschien wel... Maar je weet... mijn geheugen. Maar ze waren aardig, misschien een beetje... Tja, hard leken ze. Waren het misschien politieagenten?'

'Misschien. Wat wilden deze heren nog meer?'

'Niets... vreemd eigenlijk... Maar dat ben ik misschien vergeten omdat ik zo'n warhoofd ben...'

'Luister...'

'Nu weet ik het weer! De ene, de grootste, zei dat ze bij je op bezoek zouden gaan.'

'Ja.'

'Zijn ze geweest?'

'Ja, ehh... Ik geloof dat ik ze vorige week heb gezien.'

'En daarna... daarna zei de ander, de kleinste, dat ze waarschijnlijk terug zouden komen.'

'Sorry?'

'Ze zeiden dat ze jou zouden bezoeken en dat ze dan weer hiernaartoe zouden komen.'

Hij keek naar haar. Zag ze er bang uit?

'Naar deze woning?'

'Ja, naar deze woning. Naar mij. Ze zeiden dat ze me nog een keer wilden zien.'

Toen de man was vertrokken, kwam Björcke overeind. Hij ging bij het raam staan en keek naar het verkeer op de rivier. Het bewoog stil en rustig vooruit.

Een simpel en rijk leven. Dat was mooi en goed uitgedrukt. Hij stond lang in westelijke richting te kijken en volgde met zijn blik een klein Oost-Europees vrachtschip op weg naar het open water. Hij verlangde naar het oosten, naar het Verre Oosten. Goede contacten in Zuidoost-Azië hadden hem de sleutel gegeven tot de bronnen van inkomsten van de nieuwe tijd. China White, het antwoord op de cocaïne uit Zuidoost-Azië, was in grotere hoeveelheden dan ooit op weg naar Europa. Het was pure heroïne volgens de beschrijving.

Vier jaar geleden kwam bijna alles vanuit de zogenaamde gouden driehoek via Thailand binnen. Maar de smokkel had zich inmiddels verspreid naar een hoeveelheid routes in zes tot zeven landen.

India was een van die landen. Madras was een van die steden. De Birmanen hadden Madras ontdekt en begonnen daar nu groot te investeren. Madras lag eigenlijk gunstiger dan Bangkok. De Thaise hoofdstad was tegenwoordig vergeven van de narcoticapolitie uit de hele wereld maar steeds minder van narcotica zelf. Björcke hield van India, hoe weinig hij ook van het land had gezien. Hij hield van de kleine donkere man in de donkere kamer.

Hij hield daarentegen niet van de kleine ex-politieagent die tegenwoordig in het privéleven van andere mensen wroette. Misschien was het een vergissing geweest om zijn flat binnen te dringen, maar ze hadden niet veel keus gehad. Het had trouwens ook geen groot risico geleken. De kerel kreeg steeds meer vijanden naarmate hij meer informatie vergaarde.

Fredrik Björcke masseerde zijn linkerslaap en richtte zijn blik op de deur aan de andere kant van de kamer. De hoofdpijn was het afgelopen jaar erger geworden, naarmate hij meer succes kreeg. Misschien was het beter om op dit niveau te blijven.

Wat had de vrouw gezegd? Waarom was die bemoeial naar hem toe gegaan? Twee vragen op rij, dat was meer dan hij gewend was.

Hij pakte de telefoon om een waarschuwing te uiten, een verwarrende waarschuwing. Het was moeilijk om zich stuntelig genoeg voor te doen.

Jonathan Wide zette thee, die ze in de keuken dronken.

Iemand deed moeite om hem duidelijk te maken dat hij niet anoniem op deze aarde leefde. Het was met een zekere ambitie gedaan en hij voelde de dreiging. Die zweefde boven hem en het enige wat hij kon doen om het te stoppen... Tja, hoe kon hij het stoppen?

Iemand had de mogelijkheid gehad om tante Grethe te verwonden, maar had dat alleen aangekondigd. Hij wist niet helemaal zeker of ze de inhoud van de boodschap van de vreemde man begreep.

Wide stak de Enghavevej over en liep het Kennedypark in. Het water van het meer in het kleine park was rimpelloos, met een klein eiland dat als een vlot in het midden dreef. De wilgen hingen met hun dichte bleekgroene bladeren boven het water. Drie Deense mannen zaten in de schemering op een bank in het verste eind van het park met bierflesjes in hun hand. Hij kon niet verstaan wat ze zeiden vanaf de plek waar hij stond. Hij pakte een kleine platte steen, gooide hem en telde één-twee-drie-vier voordat de steen onder de wateroppervlakte verdween.

Het had de steen vier miljoen jaar gekost om de oever te bereiken en hij had hem in vier seconden teruggegooid.

Toen hij het park uitliep en even later afsloeg naar de Rimmens Allé, zwaaiden er een paar schoolmeisjes naar hem vanuit een bus.

De zon was weg, maar de warmte bleef hangen. Wides achterhoofd bonkte, alsof de wond open zou barsten. Het was of niets ooit voorbij zou gaan. De martelgang op het spijkerbed van het leven ging door, die oneindig lange weg, tot je eindelijk met rust werd gelaten en geen last meer had van alle dagen die voortstormden als wilde paarden over de heuvels.

Was het de eeuwige warmte die herinnerde aan het bestaan? Wide had de afgelopen jaren regelmatig over het bestaan nagedacht, of misschien was hij alleen elk jaar een beetje cynischer en gedesillusioneerder geworden. Rond zijn vijfendertigste had hij een tijdlang gedacht dat hij zichzelf leerde kennen, voor het eerst, en een paar dingen die hem opvielen bevielen hem zelfs. Nu was hij daar niet zo zeker meer van.

Ineens dacht hij terug aan zijn jeugd in de kleine Smålandse stad waar hij was opgegroeid, en de trein die erdoorheen denderde en zelden stopte en hoe hij en de andere kinderen naar het spoor renden als ze de stoomfluit ver weg hoorden en hoe ze zwaaiden en zwaaiden als de wagons passeerden en bleven zwaaien tot de trein uit het zicht was verdwenen en alles was opgelost in de lucht die van lichtblauw glas had geleken. Daarna gingen ze weg en wachtten op de volgende stoomfluit.

Hij had zo graag aan boord van een van die treinen willen zitten. Uiteindelijk was hij inderdaad op de trein gestapt om naar het andere leven waarover hij had gedroomd te vertrekken. Daar was hij nu. Hij verlangde naar een nieuwe trein, maar hij verlangde het meest naar het gevoel dat hij ooit had gehad. Het geloof in het heerlijke onbekende.

In de Kalkvaersvej, bij de Söndergade, had kapsalon Jensen zijn zeventiende facelift ondergaan en ontving nu klanten zoals Monsieur Robert. Wide zag de kale schedel van Jensen niet achter de rood-wit gestreepte zonneschermen.

Jensen had altijd lange dagen gemaakt. Wide kon Frederikshavn niet zijn stad noemen maar hij kende het goed, omdat hij er een deel van zijn leven had doorgebracht.

Misschien was Jensen dood, misschien was iemand anders Monsieur Robert geworden.

Op het parkeerterrein van Damsgaard was een bus van Sparlunds Busstrafik in Grästorp stuurloos geraakt. Hij stond in een kring van omver gereden winkelwagens.

Wide stond in het donker in de Brotorvet toen hij een auto hard door de Havnegade hoorde rijden. Een seconde later zag hij de koplampen. Ze beschenen hem met volle kracht en kwamen steeds dichterbij en ineens besefte hij dat ze met een enorme vaart naderden en dat ze recht op hem af kwamen. Hij zou geplet worden tegen de betonnen trap achter hem als hij niets deed. Het gezicht in de auto werd plotseling verlicht door een neonbord. Hij zag het duidelijk, gedurende een fractie van een seconde.

Wide gooide zich opzij, terwijl hij zijn lichaam tegelijkertijd naar boven draaide. Hij kreeg grip onder zijn voeten en het lukte hem met de kracht die de angst hem gaf om zijn zware lichaam omhoog te gooien op de afbrokkelende traptreden.

Toen hij het bovenste deel van de trap bereikte, was de auto onder hem met piepende banden voor de vvv blijven staan. Wide hoorde een portier opengaan en daarna stemmen. Hij wachtte en dacht na of hij meteen door de Valutaslang naar de boot moest gaan. Daarna hoorde hij een korte, harde lach, waarna het portier werd dichtgeslagen. Even later werd er een automotor gestart en reed de auto onder hem plankgas weg.

23

Hij probeerde het in bedwang te houden, maar het trillen ging door. Uiteindelijk deed hij zijn ogen open. Vlak boven hem zag hij het gezicht van zijn oude tante Grethe. Ze zat in een donkere badjas met brede revers op de rand van zijn bed en hield hem in zijn armen. Ze had hem opgetild... Was dat mogelijk?

Hij lag in de zitkamer op de begane grond, op de bedbank die ze voor hem had opgemaakt. Was dat dezelfde avond geweest?

'Tante, hoe laat is het?'

'Het is midden in de nacht, Jonathan. Bijna ochtend, eigenlijk.'

Hij zag het licht onder het rolgordijn binnensijpelen. Had hij dat zelf naar beneden getrokken?

'Je schreeuwde zo verschrikkelijk. Ik moest wel naar beneden gaan om je wakker te maken.'

'Ik... ik droomde over een heleboel vreemde dingen.'

'Dat begrijp ik. Wil je iets drinken?'

Hij merkte nu dat hij verschrikkelijk veel dorst had. Hij wilde limonade, citroenlimonade en hij transpireerde hevig.

'Wanneer ben ik thuisgekomen?'

'Herinner je je dat niet?'

'Zo meteen misschien...'

'Ik hoorde je om een uur of één vannacht,' zei ze terwijl ze naar hem keek met groene ogen die in de steeds lichter wordende kamer glansden als kattenogen.

'Had je gedronken?'

Had hij dat? Hij had een taxi van Brotorvet naar Bangsbo Park genomen, naar Möllehusets Kro, een kroeg: dichter bij een kroeg kwam je niet in Frederikshavn. Hij had twee bier en vier Bröndums gedronken, en daarna had hij iets gegeten... of had hij alleen gedronken? De fles brandewijn was op tafel blijven staan en hij had meer bier besteld. Hij had met iemand gepraat. Ze waren in de kleine bar achter de ingang en de grote kassa gaan zitten. Had hij whiskey gedronken? Ze hadden gepraat over... Frederikshavn... en Zweden... Waar hadden ze het nog meer over gehad? Ze hadden gelachen en hij herinnerde zich dat hij had gedacht dat hij niet dronken was, dat hij controle had over de drank en dat hij dat zou bewijzen door nog twee whisky te bestellen. Er had een kern van waarheid in gezeten. Hij was tenslotte teruggekomen in het huis van tante Grethe. Een auto, hij was in een auto gebracht. Hij dacht dat hij de vrouw achter de kassa had gevraagd om een taxi te bellen.

Wide ging zitten. Hij voelde zich niet goed, maar nog niet echt misselijk. Het was meer het zenuwachtige gevoel van een beginnende kater, van de roes die zich terugtrok uit zijn lichaam als het water dat zich met eb terugtrekt van het strand. Zijn lichaam was een strand naast een zee van drank. Het was een prachtige vergelijking. Hij moest stoppen met drinken. Hij had het niet onder controle. Het was gevaarlijk, op meer dan één manier.

Jonathan Wide zette zijn voeten op de koele gepolijste houten vloer en kneep in Grethes hand.

'We nemen een kop koffie.'

Hij wist geen andere manier te bedenken om de dag af te wachten.

24

Ze konden Jeanette Forsell, Lea Laurelius' dochter uit haar eerste huwelijk, niet vinden. Het leek alsof de taalreis van het meisje een onbestemd vervolg had gekregen. Toen de plaatselijke politie langsging bij het gastgezin in Bournemouth was ze daar niet meer. De agenten kregen te horen dat ze daar al een etmaal weg was. Sten Ard had telefonisch contact gehad met een van de leerkrachten. De ene avond was er een feest geweest, de volgende dag was ze verdwenen.

Waarom had ze geen contact opgenomen? Ze was ook niet naar huis gegaan. Ze had de boot kunnen nemen, maar Scandinavian Seaways had geen passagier met haar naam gehad. Dover? Dat was een mogelijkheid. Of een misdrijf? Dat moest hij ook in overweging nemen.

Hij zocht deze ochtend bescherming in de schaduw van het hoofdbureau van het vierde district. Het was er koeler dan in de auto.

De Tredje Långgatan zag er nog net zo uit als destijds. Hier was hij begonnen, als jonge politieagent. Hij zag zichzelf weer door de straten van het vierde district lopen: Majorna, het Slottspark, Annedal en Haga, het kleinste district van de stad. Er was af en toe iets gebeurd, en dat gebeurde er nog steeds. Drie weken geleden was er een politieauto in brand gestoken.

Hij reed door de steeds legere stad. De vakantieperiode was begonnen, en de mensen verlieten de steden en trokken naar de eilanden. De files naar Saltholmen waren lang. De boten naar de eilanden van de zuidelijke scherenkust hadden hun vaarschema uitgebreid. Hij had graag bij de mannen op Vrångö willen zitten. Zijn schoonvader was zo verstandig geweest om daar een vakantiehuis te kopen toen dat mogelijk was en de familie van Sten Ard kende het verste eiland goed. Daarachter begon de zee.

Op de Avenyn, tegenover het theater, zag hij hoe de straatverkopers zich klaarmaakten voor de dag. Ze bewogen langzaam, met tegenzin bijna, afgezien van de man die jaar na jaar terugkwam en die op het moment dat het stoplicht voor Ard op groen sprong in een van zijn te verkopen waren ging liggen: een hangmat. Hij had een mooie baan.

Sten reed door Heden en parkeerde voor het politiebureau. Ove Boursé stapte de lift in voordat Ard op de knop had kunnen drukken.

'Achtendertig graden!'

'Ove Boursé. Brenger van vrolijk nieuws.'

'Wees blij dat het zomer is. Nog even en dan zit je te zeuren over de oktoberregen.'

'Ik zou drie zomers willen geven voor een oktoberbui.'

Boursé keek aandachtig naar hem. Ze liepen de lift uit en gingen Ards kantoor binnen. Het rook er bedompt.

Boursé keek opnieuw naar hem.

'Heb je slecht geslapen?'

'Ik heb helemaal niet geslapen. En dat komt niet alleen door de warmte.'

Drie vliegen zoemden tegen het raam. Waren ze hier de hele nacht geweest? Was het mogelijk om een nacht in het politiebureau te overleven?

'Die vrouw... Lea Laurelius. Ze is uit club Yokohama verdwenen, als ze verdwenen is.'

Boursé liet zijn laatste woorden in de lucht hangen zodat Ard erop kon reageren.

'Denk je dat ze helemaal vrijwillig naar buiten is getrippeld en is vertrokken? Na een grote show voor Wide?'

'Tja, het kan een show zijn geweest, en mensen verdwijnen soms heel doelbewust.'

'Zonder ruzie, bedoel je?'

'Zoiets.'

'Er is niemand in Hovås, en dan de verdwijning van die dochter...'

'Het is onmogelijk om haar te zoeken als Europa door elkaar krioelt omdat iedereen op vakantie is.'

'In Europa gaan ze niet zo vroeg op vakantie.'

'Dat zeggen de Fransen.'

'Ja, ja, de Fransen. Die bedoelen de rest van Europa.'

'De rest van Europa?'

Het was een gesprek zonder eind. Ard zuchtte en kwam overeind. Hij kon niet langer doen alsof hij nadacht. Hij had het begin van de dag geprobeerd zijn hersenen te laten werken, in elk geval het linkerdeel, maar na een paar uur had hij beseft dat zijn denkvermogen weg was. Misschien definitief. Op dit moment deugde zijn hoofd alleen om er koffie in te gieten. Hij had de afgelopen dagen koffie gedronken alsof de cafeïne samen met wat er nog in zijn hoofd zat een zodanig chemisch proces in werking moest zetten dat hij zijn denkvermogen terug zou krijgen.

'Ik kan niet meer denken, waarschijnlijk is het de warmte. Laten we naar de sauna gaan.'

Boursé keek naar hem met een medelijdende uitdrukking op zijn gezicht. Ard was blijkbaar gek geworden.

'Kijk niet zo verdomd medelijdend. Een sauna is goed in de hitte. Geloof me maar.'

Het was zo. Hij had het leren waarderen toen hij vijftien jaar geleden als politieagent voor de VN had gewerkt, tijdens de eeuwigdurende helse zomerhitte op Cyprus. De Finnen waren met vier man vertegenwoordigd in Nicosia, midden in het dode rode hart van het eiland. De vier brachten het grootste deel van hun tijd in de sauna door. Toen Ard het ook probeerde, was zijn lichaam licht en koel geworden. De zomer was koel geworden en het was mogelijk geweest om verder te leven. Het denken lukte beter. Hij deelde die saunabelevenis met Jonathan Wide.

De twee mannen liepen net het kantoor uit toen de interne lijn van Ard op zijn bureau begon te knipperen.

'Britta? Ja...'

Hij luisterde aandachtig.

'Wanneer? Is hij hier?'

Hij gooide zijn autosleutels naar Boursé.

'Twee keer? Zei hij dat?'

Boursé wachtte. Ard liep haastig naar de deur.

'Iemand in het volkstuinencomplex bij Klippan, Sjöbergen, heeft een paar keer naar het bureau gebeld. Hij zegt dat hij... Verdomme, hoe kunnen ze iemand wegdrukken die belt met een tip over een moordonderzoek?'

Ze stapten in de auto en reden langs het gebouw van de *Göteborgs Posten*. Voor het Centraal Station wankelden de reizigers in half bewusteloze toestand over straat, op weg naar trams en bussen, nadat ze urenlang in treinwagons hadden gezeten met een binnentemperatuur die boven de veertig graden lag.

Boursé laveerde handig tussen de mensen door en sloeg links af naar de Oscarsleden. Vijf minuten later sloeg hij af naar Klippan en het Mariaplein, en daarna rechts af naar het Jaegerdorffsplein. Voor de staatsslijterij moest hij remmen omdat twee dronken mannen de Karl Johansgatan overstaken. Ze wilden naar hun kameraden, die in een groep aan de overkant van de straat stonden, bij de trap naar de videowinkel. Het waren jongeren en ouderen met getekende gezichten en een harde blik in hun ogen, zenuwachtige honden en twee vrouwen met een kinderwagen. Een man, een van de jongeren, wilde de kinderwagen van haar overnemen maar werd tegengehouden door de vrouwen. Ard hoorde een fles breken terwijl Boursé verder reed. Hij sloeg rechts af, reed langs de remise en parkeerde de auto voor de stropdassenfabriek, die nog een zekere mate van elegantie aan de omgeving gaf.

Het volkstuinencomplex van Sjöbergen was een idylle die verder mocht blijven leven. Verborgen op het bergplateau gaven de huisjes en moestuinen de mensen rust. Smalle trappen kronkelden als regenwormen rond de huizen, aan de randen van het complex was het gras hoger en waren de huisjes kleiner: sommige zagen eruit alsof ze elk moment van de berg naar beneden konden storten. Het contrast met de snelweg in het zuiden, de rivier in het noorden en het verkeer was groot.

Drie kinderen knikkerden op het grindpad.

Adam Kieowsky woonde hier het grootste deel van het jaar met zijn konijnen. Hij had wortelen en kool in zijn tuin staan. Hij sliep slecht, maakte vroege ochtendwandelingen en praatte niet graag.

'Ik ben vanmorgen vroeg naar het water gelopen,' zei hij tegen de twee rechercheurs.

Ze zaten in Kieowsky's kleine tuin, onder een parasol die bescherming bood tegen de zon die hier niet kwam. Het huisje was klein, met fineer en houtvezelplaten en dakshingles die vervangen moesten worden. Boven de deur hing een Zweedse vlag.

Ard zei niets. Hij keek naar Boursé, die ook zo verstandig was om te zwijgen.

'De oeverpromenade is om halfvier 's ochtends altijd leeg, maar nu zag ik daar beneden een paar mensen.'

Ard zei nog steeds niets.

Het was prettig in Bar Broadway, rokerig maar prettig. Op Wides tafel stonden een fles Ramlösa mineraalwater, een glas en een schaaltje pinda's. De muziek van Carli Tornehave, live op de *Stena Danica*, stroomde als een milde en zeldzame regenbui van het podium in zijn richting. Ze was niet Wides absolute favoriet, Tornehave hoorde bij een eerdere generatie, maar Wide waardeerde de ontspannen afstandelijkheid van Carl, als een sympathieke Sinatra voor de armen. *Don't talk about me when I'm gone.* Tornehave kreeg veel verzoekjes tijdens haar drie kwartier op het podium.

De veerboot passeerde het eiland Vinga en naderde de brug. Göteborg lag aan beide kanten van de rivier, lamgeslagen door het moordende hogedrukgebied, maar toch dreigend. *Out there like a killer in the sun.* Hij had over Springsteen gedroomd. Er waren veel duistere kanten aan Springsteen. Hij was een complexe man.

Göteborg. Stad van burgers en arbeiders, stad van bobo's, stad van verkeerde beslissingen, stad van landheren. Voetbalstad. Plotseling voelde Jonathan Wide het verlangen om met een zuivere wreeftrap tegen een voetbal te schoppen. Hij zou zijn kameraad, een nachtredacteur in Varberg, deze zomer een keer bellen. Dan zouden ze samen naar een zacht, mooi voetbalveld gaan om de bal over te schieten en ze zouden de zeventienjarige zoon van de nachtredacteur dwingen om mee te gaan zodat het in elk geval nog ergens op zou lijken. Daarna zouden ze het ervan nemen in het huis van de redacteur, met een koud biertje en hun voeten in een bak warm water.

De veerboot had de terminal bereikt en draaide nu als een stenen walvis langzaam in de rivier. Wide wachtte zo lang mogelijk. Daarna liep hij door de lange, lichte gang, alsof het een galerie was. Hij liep over de loopplank, passeerde de douane zonder iets aan te geven en liep de trappen af naar het dampende asfalt.

Adam Kieowsky vertelde. Hij was naar de kleine heuvel gewandeld, meteen rechts van wat de mensen de Rode Steen noemden.

'Hoewel hij een tijd geleden blauw was.'

'Blauw?'

'Dat gebeurt soms, meerdere keren per jaar. Iemand verft hem groen of blauw. Eén keer was hij zelfs oranje.'

Hij had drie personen in de vroege ochtend vanaf Nya Varvet zien lopen.

'Weet je… Weet u zeker dat het vanaf die kant was?'

Ard legde Boursé met een blik het zwijgen op. Hij zorgde ervoor dat de getuige het zag.

'Ik denk dat we meneer eh… Kislowsky gewoon moeten laten vertellen wat hij heeft gezien.'

'Kieowsky.'

'Ga uw gang, meneer Kieowsky.'

'Goed, het was vanaf Nya Varvet. Ik zag drie personen, en ongeveer honderd meter daarachter liep nog iemand. Het was een beetje vreemd dat er op dat vroege tijdstip zoveel mensen waren. Ze droegen geen sportkleding, anders was het misschien niet zo vreemd geweest. Mensen met sportkleding duiken op elk moment van de dag of de nacht op. Deze mannen waren heel elegant, mooi in het pak.' Hij had hun monden zien bewegen maar hoorde niet wat ze zeiden. Ze praatten zachtjes, flarden van woorden dreven met de zwakke bries naar de plek naast een wilde perenboom, waar hij had gestaan.

Een kraai vloog plotseling naast hen op met een kreet die de stilte verbrak. Boursé schrok. De oude man krabde aan zijn ongeschoren kaak en vertelde verder.

Ze waren op een bank gaan zitten. Kieowsky zag dat twee van de mannen heel jong waren. De oudere man zat in het midden. Hij was… kon hij vijftig zijn? Op het moment dat Kieowsky verder wilde lopen, zag hij dat een van de mannen ging staan, ergens om lachte en een gebaar maakte alsof hij een toost uitbracht. Hij trok de rits van zijn gulp naar beneden, ging achter de bank staan en plaste op de margrieten in de greppel. Toen hij klaar was deed hij een stap naar achteren, naar het fiets- en wandelpad. Hij keek snel in beide richtingen en daarna zag Kieowsky dat een van de mannen op de bank, de andere jonge man, zich naar achteren draaide en hoe de man achter de oude man leek te knikken en iets uit zijn colbertje haalde. Vervolgens hoe de man op de bank, degene die naar achteren had gekeken, de man naast hem plotseling omarmde en hoe de man achter de bank, die iets tevoorschijn had gehaald, een armbeweging naar achteren en daarna naar voren maakte, in de richting van de man op de bank, maar niet degene die achterom had gekeken... en hoe de man die was omarmd als het ware opsprong toen degene die achter hem stond naar hem stootte. Kieowsky kon zien dat de man hevig trilde, het leek heel lang te duren en de twee anderen hielden hem vast, een van hen liet hem alleen heel even los om een stukje in beide richtingen te lopen en om zich heen te kijken. Daarna werd degene die had getrild helemaal stil en de twee anderen gingen weg. Kieowsky was naar zijn huisje gegaan en had een hele tijd in zijn piepkleine slaapkamer gezeten. Hij was alleen nog naar buiten gegaan om de konijnen te voeren, en uiteindelijk was hij naar de telefooncel gegaan om de politie te bellen.

'Waarom hebt u niet eerder gebeld?'

'Ik weet het niet, of misschien ook wel. Het gevoel was te sterk, de herinneringen...'

'Begreep u dat u een moord had zien plegen?'

'Ja.'

Hij wilde nog meer zeggen.

'Ik heb veel moorden zien plegen.'

'Wat?'

'Ik heb veel moorden zien plegen. Ik ben een Poolse Jood. Ik zat op zolder toen ik hoorde hoe mijn vader en twee kleine zusjes werden doodgeschoten.'

Sten Ard en Ove Boursé waren even stil.

'Kunt u ons nog meer vertellen over deze mannen?'

'Alleen wat ik heb verteld. Ze droegen elegante kleding, degene... die is vermoord iets minder dan de andere twee.'

'Hebt u gehoord wat ze zeiden?'

'Dat was onmogelijk. Dan hadden ze me gezien.'

'U zei eerder dat er nog iemand achter liep?'

Boursé had zich al afgevraagd wanneer Ard de vraag zou stellen.

'Ik zag die persoon pas toen alles voorbij was. Toen kwam ze achter de klippen vandaan, in de bocht.'

'Zé!?'

'Zei ik dat niet? Ik zag het duidelijk. Het was ook lichter geworden. Het was een vrouw. In een broek en een shirt, maar het was een vrouw.'

Er waren mensen die beweerden dat politiewerk 2 procent inspiratie en 98 procent transpiratie was.

Sten Ard had dat altijd onzin gevonden. Politiewerk was 90 procent routine en moeizaam onderzoek, 3 procent creatief denkwerk, 5 procent nutteloos aandacht besteden aan een steeds slechter wordende maag, 1,5 procent diplomatie en 0,5 procent krankzinnigheid.

Soms was er krankzinnigheid nodig om het werk vol te houden.

Vandaag bestond het werk echter uit transpiratie. Honderd procent transpiratie. In de sauna van Ruddalen dachten Ard en Boursé na over het onderzoek.

'Heb je nog met je vriend gepraat... met Wide?'

Boursé ging verzitten, alsof hij de stroom zweetdruppels gelijkmatiger over de bank wilde verdelen.

'Ik denk dat Wide ons verder kan helpen met het onderzoek.'

Sten Ard verschoof. Hij vroeg zich af hoe lang hij hier kon blijven zitten. Wat was zijn record?

'Je hebt vrij genomen.'

'Wat?'

'Je hebt gisteren vrij genomen. Ik was naar je op zoek.'

'De hitte. Ik heb me teruggetrokken en heb geprobeerd na te denken.'

'Dat heb ik ook geprobeerd.'

'Heeft Wide je eerder geïnspireerd?'

'Getranspireerd? Sorry, dat is de omgeving. Wide? Ik denk dat hij op dit moment moeite heeft om zichzelf in de hand te houden. Hij beweert dat hij tijdens een inbraak is neergeslagen.'

'Waar?'

Sten Ard goot voorzichtig een schep water op de steen, ging weer op de bank zitten en voelde de intense hitte in zijn huid trekken. Heel even had hij het gevoel dat hij op zou stijgen.

Nu zou hij zijn bloeddruk moeten opmeten.

'In zijn flat.'

'Daar heb je niets over gezegd.'

Ard deed geen moeite antwoord te geven.

'Ik heb nagedacht over een eventueel verband,' zei hij even later.

'Met Hovås?'

'Ja, en Laurelius.'

'Was dat de vrouw die de Pool bij Nya Varvet heeft gezien?'

'Tja, iedereen is onschuldig tot het tegendeel is bewezen, maar ze heeft een aantal vragen te beantwoorden.'

'Als ze antwoord kán geven.'

'Hetzelfde lot als haar echtgenoot?'

'Als dit met drugs te maken heeft, tellen oude loyaliteiten niet.'

Boursé ging staan en liep naar de douche. Ard zag door het glazen raam van de saunadeur hoe hij zijn gespierde lichaam inzeepte. Het was grappig om de gewoonten van mensen in de sauna te zien. Sommigen wasten zich voor de sauna en anderen gingen naar binnen zonder hun lichaam zelfs nat te maken. Velen wasten zich als ze uit de sauna kwamen.

Ard begreep dat Boursé zich tussen de perioden in de hitte waste.

'Dat heb ik nog nooit gezien.'

'Wat?'

'Dat iemand zich inzeept en daarna weer in de sauna gaat zitten.'

'Alles wordt een gewoonte. Ik heb een oom die zich helemaal niet waste. Hij beweerde dat hij zijn poriën niet dicht wilde smeren als ze eindelijk open waren.'

'Was hij een verstokte saunabezoeker?'

'Hij ging drie keer per dag.'

'Het klinkt als een afwijking. Zo vaak?'

'Die kerel verdampte bijna. Hygiëne was alles voor hem.'

'Hij moet lekker geroken hebben.'

'Hij werd overal in Redbergslid "parfum" genoemd.'

Sten Ard glimlachte. Hoe goed kende hij Ove Boursé eigenlijk? Boursé werkte nog niet zo lang op zijn afdeling. In het begin had hij gedacht dat Boursé niet veel humor had. Het contact tussen hen was strikt beroepsmatig geweest, maar dat zou kunnen veranderen. Boursé vertoonde steeds vaker een glimp humor en daarmee zijn ziel.

'Ik denk dat we contact met de top moeten opnemen.'

Boursé draaide zich naar Ard.

'Laurelius' vrouw kan het lot van haar man hebben getroffen, ze kan dood zijn.'

'En als ze leeft?'

'Des te meer reden om de boel in de gaten te houden.'

'Ik weet niet of we zoveel hebben om in de gaten te houden.'

Boursé veegde het zweet van zijn gezicht en bovenarmen.

'Fylke zei iets interessants...'

Hij zag de uitdrukking op Ards gezicht.

'Nee, echt. Hij vertelde over mislukte invallen, raadselachtige omstandigheden en missers die niet hadden mogen plaatsvinden.'

'En?'

'Kunnen we iedereen in het korps vertrouwen?'

'Natuurlijk niet.'

'Drugstransacties?'

'Jezus, jij stelt moeilijke vragen. Er zijn smerissen die zich laten pijpen op de achterbank van auto's en het komt voor dat collega's de andere kant op kijken...'

'In Norrmalm is vorige week een agent opgepakt voor drugsbezit. Amfetamine. Interne Zaken is een onderzoek gestart.'

'Interne Zaken doet altijd onderzoek.'

Ard ging staan en keek naar de thermometer. 89 graden, het was niet goed als de warmte boven de 90 graden kwam. Eigenlijk was het 78 graden te warm. Boursé krabde aan zijn voet.

'We kunnen erover nadenken tijdens verloren momenten.'

'Waar wil je beginnen?'

Sven Holte nam de veerboot *Silvertärnan* naar Vrångö en liep snel naar het westelijke strand. De boot zat vol met jonge, bruingebrande gezinnen. Holte moest lang in de rij wachten voordat alle kinderwagens van de boot gereden waren.

Hij vond een afgelegen plek bij een rozenstruik, kleedde zich snel om en liep daarna het heldere, ondiepe water in. Toen hij vijftig meter had gelopen, dook hij onder de wateroppervlakte en bleef zo lang onder water als zijn longen het uithielden.

Toen Jonathan Wide net was begonnen als politieagent waren ze hier een keer samen naartoe gegaan, Wide, Holte, Ard en nog een paar mannen, voor een uitgebreide werklunch in de zon. Hij had gedacht dat het goed zou komen. Dat was lang geleden. Hij was toen anders geweest. Wide was anders geweest. Het was niet goed gekomen.

Holte hoorde van ver het geluid van kinderen die op het strand speelden. Dat vond hij niet prettig. Hij deed zijn ogen dicht.

25

Ze zag er jong uit voor haar zeventien jaar, je zou haar eerder vijftien schatten. Haar haar was kort en opzij gekamd in een stijl die hem deed denken aan de meisjes in het midden van de jaren zestig. Ook haar kleding deed hem aan die periode denken. Ze droeg een dofgroen, nauwsluitend shirt, een smalle, zwarte broek met licht uitlopende pijpen, schoenen met hoge hakken en plateauzolen, een dikke, zilveren ketting rond haar tengere hals en drie ringen in haar rechteroor. Ze was tenger en had een wat jongensachtig lichaam. Ze had donkere kringen onder haar ogen en zag eruit alsof ze een week niet had gegeten. Ze rook lekker, bijzonder, naar een tropische vrucht of zo.

'Mag ik roken?'

'Jazeker.'

Ze haalde een gekreukt pakje Commerce tevoorschijn en pakte er een sigaret uit. De eerste lucifer brak in tweeën. Ze streek de tweede aan en rookte de sigaret op tot het filter. Commerce... dat dat nog bestond. Hij had gedacht dat het merk was opgegaan in de rook en het stof van de meirevolutie.

Jeanette Forsell was het politiebureau binnengelopen en had gevraagd naar 'iemand die zich bezighield met de moord op Georg Laurelius', en nu zat de stiefdochter van de vermoorde man tegenover hem.

Eén raadsel was opgelost.

'We hebben naar je gezocht.'

'Dat is niets vergeleken bij wat ik zelf heb gedaan.'

'Wat bedoel je?'

Ze blies rook uit en gebaarde licht met een hand voor haar gezicht, in een imitatie van volwassen rokersgedrag. Hij vond het moeilijk om tegenover kinderen die rookten te zitten. De stad was vol jongeren, voornamelijk meisjes, met brandende sigaretten in hun hand. Toen zijn eigen dochter vijftien jaar werd, had hij gezegd dat hij geen cent aan haar rijlessen betaalde als ze ging roken. Als ze dat deed, had ze namelijk een besluit genomen over de manier waarop ze wilde omgaan met haar gezondheid en haar geld, en dan kon ze net zo goed meteen leren dat het veel geld kostte om ernstig ziek te zijn. Hij had zich behoorlijk onnozel gevoeld toen hij het tegen haar zei, maar hij had het gemeend.

'Ik bedoel dat ik ook naar mezelf heb gezocht.'

Ze nam een trekje, begon plotseling geluidloos te huilen en legde de sigaret in de asbak die Ard van de archiefkast naast de deur had gepakt.

'Als ik had geweten...'

Ze kon het niet weten omdat ze op zoek naar zichzelf door Frankrijk reisde. Twee weken geleden had ze de trein naar Londen genomen en had ze met haar koffer naast zich op een bank in Covent Garden gezeten. Ze was bij Shelleys naar binnen gegaan, had een paar schoenen gekocht en had daarna door Neal Street gewandeld. Ze was op een terrasje op de hoek van Neal Street en Shaftesbury Avenue gaan zitten en was na een tijdje in gesprek geraakt met een jong stel.

'Die taalcursus was waardeloos, we leerden niets en het was net of de leerkrachten of leiders of hoe je ze ook noemt er niet op rekenden dat iemand ook maar iets wilde leren.'

De lessen waren vermoeiende uren van dagdromen geweest in afwachting van een douche in de middag en de feesten 's avonds.

'Het gezin waar ik logeerde wilde nauwelijks met me praten. Het ging ze heel duidelijk om het geld.'

Ze had haar spullen gepakt en was vertrokken. Het vreemde was dat het Engelse gezin haar niet als verdwenen had opgegeven voordat de bobbies van Bournemouth voor de deur hadden gestaan. Waren de Engelsen eraan gewend dat jongeren hele nachten wegbleven?

'Was je gastgezin niet ongerust?'

'Die! Ik geloof dat ze blij waren als ik niet naar beneden kwam voor het ontbijt.'

'Was je al eerder in Engeland geweest?'

'Een paar keer. Maar alleen in Londen.'

Op het terrasje in Neal Street had ze een beslissing genomen. Het stel waarmee ze praatte vertrok 's middags naar Parijs en zij besloot mee te gaan.

'Vanaf Victoria?'

'Vic... Nee, ze hadden een auto.'

'Waren het Engelsen?'

'Zei ik dat niet?'

Jeanette besloot op haar gemak naar huis te liften en naar zichzelf op zoek te gaan.

'Dat was een drastisch besluit.'

'Het voelde goed.'

'Heb je geen contact met thuis opgenomen?'

'Ik heb gebeld, maar er werd niet opgenomen,' zei ze en hij zag tranen in haar ogen. 'Ik heb meerdere keren gebeld.'

'Dus je ging liften? Alleen?'

'Ja, maar je bent onderweg nooit alleen.'

'Het kan gevaarlijk zijn.'

'Er zijn veel meisjes die alleen liften. Hoe vaak gebeurt er iets?'

Veel te vaak, dacht Ard. Op de wegen in de wereld zaten genoeg gevaarlijke gekken die op zoek waren naar hun eigen vorm van liefde en gezelschap.

Hij bladerde langzaam door haar paspoort.

'Je hebt geen stempels van je liftavontuur.'

'Stempels? In welke tijd leef jij? Europa is tegenwoordig een open werelddeel.'

Waarschijnlijk was dat zo. Hij hield het niet bij. Wanneer was Sten Ard voor het laatst in het buitenland geweest? Hij was een paar jaar geleden drie dagen naar een conferentie in Amsterdam geweest, maar het enige wat hij zich daarvan kon herinneren was het Indonesische buffet waarvan hij veel te veel had gegeten.

'Je moet je paspoort toch laten zien?'

'Neem je me in de maling? Auto's worden gewoon doorgezwaaid, als er tenminste iemand staat te zwaaien.'

'En jij zat in auto's.'

'Natuurlijk. Ik liftte tenslotte.'

Uiteindelijk was ze thuisgekomen, bij de lege villa in Hovås. Ze had een vriendin gebeld en had het verhaal over de moord in de krant gelezen.

En nu zat ze hier.

'Waar is mijn moeder?'

Jeanettes hand trilde heftig terwijl ze een nieuwe sigaret opstak.

'Dat weet ik niet. Misschien kun jij ons helpen.'

'Ze is dus verdwenen?'

'Ze heeft in elk geval geen contact met ons opgenomen. Misschien is ze erg geschokt en komt ze tot rust bij een kennis. We hebben degenen van wie we weten een bezoek gebracht, maar nu kun jij ons misschien helpen.'

'J... ja, natuurlijk. Als ik dat kan.'

'Wanneer hebben jullie elkaar voor het laatst gesproken?'

'Dat was voordat ik vertrok.'

'Naar Engeland? Wanneer was dat?'

'Vrij... nee, zaterdag. Zaterdag twee weken geleden.'

'Hebben jullie afscheid genomen op het vliegveld?'

'Nee, we hebben thuis afscheid genomen. Mijn moeder voelde zich niet goed, maar ik zou toch alleen gegaan zijn. Ik kan voor mezelf zorgen. Ik ben met een taxi naar de Scandiahaven gegaan en ben daar op de boot naar Engeland gestapt.'

Ard zweeg even, in de hoop dat de stilte hem iets zou vertellen.

'Wil je iets drinken?'

'Nee, dank je.'

'Heb je een adres waar je naartoe kunt?'

Ze rekte zich uit en keek hem met vermoeide ogen aan.

'Kan ik niet naar huis?'

'Nee, op dit moment niet.'

'Ik kan een vriendin bellen...'

'Wij kunnen je eventueel ook helpen.'

'Nee, ik bel een vriendin.'

Ze zwegen weer. Ard hoorde het zwakke gezoem van de airco... of was het van de computer op het bureau? Het klonk alsof de harddisk harder nadacht dan hij deed. Soms vroeg hij zich af of die ook niet béter nadacht.

'Hoe is het gebeurd?'

Sten Ard was bang geweest voor die vraag, maar begon te vertellen.

Toen Kajsa Lagergren thuiskwam lag er een brief op haar te wachten. Ze legde hem op de keukentafel en dacht eraan terwijl ze een douche nam.

Een brief was ongewoon in deze tijd van snelle communicatie. Ze sloeg een zachte, grote badhanddoek om zich heen en liep terug naar de keuken, waar een muffe lucht hing. Ze deed het raam open, maar rook niet veel meer dan de uitlaatgassen van de Smålandsgatan. De comfortabele afstand was het voordeel van dicht bij haar werk wonen. Het drukke verkeer was het nadeel.

Kajsa Lagergren voelde zich trots toen ze de vriezer opendeed en de tien eenpersoons lasagnevormen netjes op elkaar gestapeld zag staan. Drie lagen pasta met een heerlijke saus ertussen.

Ze stopte een portie in de magnetron, zette hem op ontdooien en deed het deurtje dicht. Ze had net genoeg tijd om een glas rode wijn in te schenken en die, met haar voeten op een keukenstoel, op te drinken. Het was vrijdagavond, ze was helemaal alleen op de wereld en daar kon ze mee leven. Toen ze had gezien wat er met Kerstin Johansson was gebeurd, haatte ze de kracht die de almachtige aan mannen had gegeven. Was dat om hun leeghoofdigheid te compenseren?

De magnetron tingelde en ze draaide de knop naar opwarmen, stelde de tijd in op twee minuten en maakte de brief open.

Na drie weken stilte had hij dus een brief geschreven. Het speet hem dat het zo was gelopen.

Het speet Kajsa Lagergren helemaal niet.

Hij had veel nagedacht over hen en hun relatie en hij vond dat ze een vergissing hadden begaan. Hij had haar de brief geschreven als teken dat hij opnieuw wilde beginnen, op een persoonlijkere manier. Het was persoonlijk om brieven te schrijven.

Ze hoorde de magnetron, haalde de lasagne eruit, sneed een tomaat in dikke en een halve ui in dunne schijven, nam een slok wijn en begon te eten.

Persoonlijk. De pen die hij had vastgehouden toen hij de brief schreef had meer persoonlijkheid bezeten. Ze had de fout gemaakt dat ze was begonnen aan een leven met een man die heel goed alleen kon leven. Een knap gezicht was niet alles.

Een relatie met een muziekrecensent had spannend geleken, maar het leven was bijna onmiddellijk ondraaglijk geworden.

'Een goed voorbeeld van de blanke Amerikaanse authenticiteitsrock,' had hij zonder glimlach gezegd toen ze John Mellencamp voor het eerst had gedraaid.

'Luister naar die hese stem. Een absoluut kenmerk,' had hij gezegd terwijl *Love and Happiness* speelde. Daarna had ze in zijn aanwezigheid niet meer naar John Mellencamp of andere Amerikaanse blanke authenticiteitsrock geluisterd.

Ze las de korte brief en liet hem op tafel liggen. Die zou ze straks samen met de lasagnevorm weggooien. Ze schonk nog een half glas wijn in. Het was tenslotte vrijdag. Over een halfuur zou ze Kerstin Johansson bellen. Ze praatten graag met elkaar.

26

Het was een schok om haar stem op het antwoordapparaat te horen. Wide was zijn flat binnengegaan, had in de keuken een glas water gedronken, had zijn schoenen uitgeschopt en had erover nagedacht om een fiets te kopen.

'Hallo, Jonathan. Met Lea Laurelius. Ik... eh... werd bang van die ruzie in de club en ben weggegaan. Achter de domkerk is een klein café, vlak bij Buttericks. Ik zit daar vrijdagavond van zes tot zeven uur. Dag.'

Het was vandaag vrijdag. Hoe laat was het?

Hij trok zijn schoenen weer aan en liep snel de trappen af. Toen hij door de Allén reed, rook hij de geuren van de zomerse stad. Een paar in het wit geklede mensen liepen langzaam over het fietspad, als de achterhoede van een karavaan die een oase had gevonden.

Er reed een tram langs. Een man met een hoofdband om keek achter het raam van de tram op hem neer. Wide zag de steel van een tennisracket boven de rand van het raam uitsteken. Tennis was met deze hitte een sport voor de avond geworden, de slagen zacht en dof in de neerdalende schemering.

De Zweden waren een volk dat gewend was aan contrasten, dacht hij terwijl hij bij het voormalige ziekenhuis parkeerde. Koud en warm, nat en droog. Meestal koud en nat, vooral in Göteborg, maar deze zomer compenseerde de zomers van de laatste veertig jaar.

Wide liep over het kerkplein, stak de Kyrkogatan over en deed de deur van het café open. Ze zat rechts, deels verborgen achter een plant met grote bladeren. De muren van het café waren bruin en glanzend, met stucwerk dat aan vervanging toe was. De vitrine met gebakjes en tompoezen die begonnen in te zakken onder hun eigen gewicht, was van glas en imitatieteakhout. De vloer was rood-wit geblokt en versleten door de duizenden schoenen die eroverheen waren gelopen. Hij zag het zomerse zand als een smal pad tussen de deur en de vitrine liggen, een herinnering aan sandalen die over het strand hadden gelopen.

Lea Laurelius stak haar hand op bij wijze van begroeting. Ze droeg een bloes in verschillende tinten lichtblauw en een bruine, lange broek met scherpe vouwen.

Het donkere, glanzende haar was naar achteren gekamd en hing in losse golven op haar rug. Hij zag dat ze donkere kringen onder haar ogen had.

'Je hebt je onttrokken aan een moordonderzoek. Dat komt niet goed over.'

Het was een onbehouwen begin van het gesprek.

'Ik weet het. Ik las in de krant...'

Een serveerster van middelbare leeftijd in klassiek zwart-wit stond plotseling naast hun tafel. Ze transpireerde en droeg haar haar in een strakke knot in haar nek.

Wide bestelde een fles mineraalwater. Hij keek naar Lea Laurelius, die haar hoofd schudde. Toen de serveerster weg was, boog hij zich over de tafel naar haar toe.

'Ben je bij de politie geweest?'

Ze probeerde het wit-groene kopje naar haar mond te brengen, maar haar hand begon te trillen. Ze zette het op het schoteltje terug en vouwde haar handen.

'Ik ben de stad uit geweest. We huren soms een vakantiehuisje en... tja, ik dacht dat ik wat tijd op het platteland nodig had.'

'Wanneer hoorde je over de moord?'

'Ik weet het niet precies, een paar dagen geleden.'

'Ik heb nogal moeite om dat te geloven.'

'Hoezo?'

'Je hebt een paar dagen geleden gehoord dat je man is vermoord en dan wacht je zo lang voordat je contact met iemand opneemt?'

Het laatste zei hij snel. De serveerster kwam terug met een fles Vichy Nouveau en een tumbler die Wide vastpakte terwijl de vrouw inschonk. 'Alsjeblieft,' zei ze waarna ze terugliep naar de vitrine.

'Je begrijpt niet onder hoeveel druk ik de laatste tijd heb geleefd. Ik dacht dat ik stapelgek zou worden.'

Wide zag drie mensen binnenkomen, die bij een tafeltje een meter of vijf bij hen vandaan gingen zitten. De mannen droegen korte broeken met een rood-groene print op een zwarte ondergrond, alsof ze een tweeling waren. Daarbij droegen ze T-shirts en sandalen zonder sokken. Ze hadden kort haar en waren te dik. De vrouw in hun gezelschap droeg een korte rok en een shirt met lange mouwen met de tekst WICHITA in grijze letters op een blauwe ondergrond.

Wide boog zich naar voren.

'Ik heb erover nagedacht wanneer we over... ons moesten praten.'

Ze keek hem een hele tijd aan.

'Je bent nooit helemaal uit mijn gedachten geweest.'

'Toch heeft onze relatie maar heel kort geduurd.'

Hij boog zich dichter naar haar toe.

'Waarom heb je niets gezegd toen je me belde? Of later, toen ik bij jou thuis was?'

'Het was op dat moment niet het belangrijkste. Je hebt gezien dat ik alle reden had om iemand te bellen.'

'Je begrijpt dat ik niet snap op welke manier je hierbij betrokken bent.'

'Het is zoals ik heb verteld.'

'Je maakt dus geen misbruik van een vroegere relatie?'

'Zo gemeen ben ik niet.'

'Misschien heb je geen keus.'

Ze gaf geen antwoord.

'Ben je niet meer bedreigd?'

'Nee. Misschien komt dat omdat ik de stad uit ben gegaan.'

De drie nieuwe gasten praatten luidkeels met de serveerster. Lea Laure-lius streek met haar rechterhand over haar voorhoofd. Hij zag een dun laagje zweet op haar huid.

'Mijn dochter is thuisgekomen.'

'Je dochter...' Hij zocht in zijn herinnering, het huis in Hovås en de meis-jeskamer, of die van een jonge vrouw.

'Ik heb meteen geprobeerd contact met haar op te nemen toen... toen Georg verdwenen was. Na de inbraak, of hoe je dat moet noemen. Nadat ik neergeslagen was.'

'Je wist toch waar ze was?'

'Ja, Jeanette had een paar keer gebeld. Ze wilde niet dat ik haar zou bel-len. De telefoon bij het Engelse gastgezin stond in de keuken en Jeanette was bang dat ze mee zouden luisteren...'

'Was ze in Brighton?'

'Bournemouth. Maar ze bleek vertrokken toen ik haar uiteindelijk toch belde.'

'Is ze vertrokken?'

'Ze heeft het me vanochtend zelf verteld. Ze wist... nee, ze raadde waar ik was.'

'Waarom is ze vertrokken?'

'Ze zei dat ze overal genoeg van had.'

'En wat zegt ze nu?'

'Wat bedoel je?'

Ze wilde een slok nemen, maar haar kopje was leeg.

'Om in deze situatie thuis te komen.'

'Jeanette is sterk, ze redt zich altijd beter dan ik. Ze is gisteren bij de po-litie geweest.'

'Wat vindt ze ervan dat je de stad uit bent gegaan?'

'Ze vindt net als jij dat ik naar de politie moet gaan. En dat is eigenlijk ook vanzelfsprekend.'

Wide wachtte tot ze verder zou gaan.

'Het is zo verschrikkelijk. Misschien heeft hij het gedaan...'

'Wie?

'De man met wie ik heb gepraat... die met me mee is geweest naar Georgs kantoor.'

'Als hij het was, is dat nog meer reden om de recherche te vertellen wat je weet. Je houdt belangrijke informatie achter.'

Wide zag dat de vrouw aan het tafeltje een stuk verderop haar beige schoudertas met bruine leren riem openmaakte. Ze haalde een flesje brandewijn tevoorschijn en schonk een flinke scheut in de drie koppen koffie die op tafel stonden.

De serveerster achter de vitrine zag het. Ze keek het gezelschap bestraffend aan, maar zei niets. Een van de mannen lachte en tilde zijn kopje op om te proosten. In zijn linkerhand had hij een niet brandende cigarillo. Zo meteen gingen ze nog zingen ook. Wide wilde naar buiten en gaf de vrouw achter de vitrine een teken.

Het was inmiddels drukker geworden in de Västra Hamngatan. Jonathan Wide en Lea Laurelius liepen tegen de stroom in naar het voormalige ziekenhuis, wachtten bij de kruising tot tramlijn drie rechts afsloeg en bleven staan bij de halte op het Grönsaksplein. Vanaf hier zag hij de auto's rondjes rijden, van Rosenlund en Festekörka naar het water, om daarna aan een nieuw rondje te beginnen. Het was een karavaan van hoerenlopers terwijl de prostituees hun vergiftigde lichamen aanboden in de arcaden van het belastingkantoor. Hij vroeg zich af of de mannen zich schaamden en of ze zich, vastgeklemd achter het stuur, afvroegen wat ze in hun jeugd waren tekortgekomen.

Sten Ard had verteld dat, toen zijn dochter 's avonds laat bij Billhälls op een vriend had staan wachten, er minstens tien auto's waren gestopt. Ards dochter was uiteindelijk weggelopen terwijl er een auto achter haar aan reed. Ze had met haar handtas tegen de autoruit geslagen en was via de Sprängkullsgatan Haga in gerend.

Ard zag er boos uit terwijl hij in het licht van Wides plafondlamp in jarentwintigmodel naar hen luisterde. De schaduwen maakten zijn gezicht hard.

'Jullie hebben belangrijke informatie achtergehouden.'

Ze hadden het in de auto besproken. Hij had voorgesteld dat ze naar zijn huis zouden gaan en dat ze de rechercheur daar zou bellen. Ard was niet thuis geweest. Hij zat gebogen over de zaak, in zijn kantoor in de Skånegatan, en bestudeerde detail na detail die geen relatie met elkaar leken te hebben.

Hij was onmiddellijk gekomen.

'Ik weet niet of ik veel had kunnen bijdragen,' zei Lea verontschuldigend. Ard zag haar kwetsbaarheid, maar ook vastbeslotenheid. Wat wist ze? Hoeveel kon ze aan? Zou ze de verandering van slachtoffer en getuige naar aangeklaagde kunnen verdragen? De getuige van het volkstuinencomplex zou worden opgeroepen voor een confrontatie. Het was waarschijnlijk dat hij het niet zeker zou weten. Ard wantrouwde iedereen die te overtuigd was, ook buiten zijn werk.

'Het is uitermate verdacht om weg te blijven.'

'Maar nu ben ik er.'

'Je bent je ervan bewust dat ons gesprek verder gevoerd zal worden in een... eh... andere omgeving?'

'Ik zeg geen andere dingen als ik op een andere plek ben.'

Ze zei in elk geval geen andere dingen dan ze eerder tegen Wide had gezegd. Ard luisterde aandachtig, maar hoorde geen variaties in haar verhaal. Daarna begon ze over haar dochter.

'We hebben alleen elkaar nog.'

Lea had een vastbesloten uitdrukking op haar gezicht. Haar haar golfde rond haar gezicht. Wide vond dat ze er jonger uitzag, zachter. Het kon ook door het slechte licht komen.

'Wist Jeanette waarmee je echtgenoot zich bezighield?'

'Hoezo?'

'Ik bedoel zijn drugstransacties.'

'Ik weet het niet. We hebben er nooit over gepraat. Misschien hadden we dat wel gedaan als ik het eerder had geweten.'

Ze streek het haar van haar voorhoofd en duwde het achter haar oren.

'Maar Jeanette is een grote meid,' ging ze verder terwijl ze even naar Wide keek. 'Jongeren zijn slim, ze begrijpen meer dan wij... dan ik als volwassene. Ik geloof niet dat het lukt om dat soort dingen geheim te houden in een gezin.'

'Waar is ze nu?'

Ard was gaan staan en de harde lijnen verdwenen uit zijn gezicht. Wide zag de donkere vlekken boven op zijn kale hoofd. Hij moest voorzichtig zijn in een zomer als deze.

'Jeanette is bij een vriendin. Maar ze... we willen graag naar huis terug. Kan dat?'

'Niemand houdt jullie tegen.'

'Het huis is dus geen... plaats delict meer?'

'Het misdaadonderzoek is afgesloten. Jullie mogen terug. Maar je zult morgen op het politiebureau moeten verschijnen. Lukt dat om tien uur?'

Het was een bevel, maar hij probeerde het zo voorzichtig mogelijk te brengen.

'Ja,' antwoordde ze zachtjes, en daarna tegen Wide: 'Mag ik je telefoon lenen?'

Ze belde met haar dochter en daarna belde Wide een taxi voor haar. Ze kneep even in zijn bovenarm toen ze afscheid van hem nam. Hij kon de schaduw van haar beweging zien, nu hij samen met Ard bij het raam stond en haar in de taxi zag stappen. De auto reed door de Såggatan weg, het daklicht net een glinsterend spandoek. De hemel was intens indigoblauw. Het was een woord dat hem beviel.

'Ze kan het niet gedaan hebben.'

Ard bleef staan, zijn ogen op het blauw gericht.

'Haar man vermoorden, bedoel je? Het lijkt er steeds meer op dat dat gerechtvaardigd zou zijn.'

'De maatschappij heeft daar een afwijkende mening over.'

'De maatschappij heeft niet altijd gelijk.'

Wide keek naar de contouren van het gebouw tegenover hem. Op deze manier had hij hier nog nooit gestaan, niet zo lang in elk geval.

'Dat kun je niet serieus menen.'

Ard draaide zich naar hem om.

'Waarom niet?'

'Ik was erbij.'

'Waar? Op de plaats delict?'

'Je bent moe, Sten. Je weet dat ik bij haar thuis ben geweest na die in-braak. Ze kan het niet gedaan hebben.'

'Misschien denk je met een ander lichaamsdeel dan je hoofd, Jonathan.'

'Nee, dat is niet zo.'

'Je bent gescheiden, je hebt nog voldoende kracht en je bent nog niet oud.'

'Ik zei dat het niet zo is.'

Ze draaiden zich tegelijkertijd van het raam af.

'Laten we in de keuken gaan zitten. Dat vind ik een prettiger plek.'

Wide liep voor hem uit en haalde een fles uit de koelkast. Hij keek naar het etiket en daarna naar Ard.

'Wil je iets drinken? Ik heb Deens bier en Deense paté en Deens rogge-brood en Deense bacon. Het is tenslotte vrijdag.'

'Wat een moeite voor een vrijdagavond.'

'Ik ben naar Frederikshavn geweest. Daar moeten we trouwens over praten.'

Wide legde de aquavit in de vriezer en haalde paté, boter en bacon uit de koelkast. Hij sneed het gerookte vlees in reepjes en braadde die knapperig in hun eigen vet. Terwijl de bacon uitlekte op een dubbele laag keukenpa-pier smeerde hij ruim boter op dunne plakken roggebrood, legde slablaad-jes op het brood en dikke plakken paté op de sla. Hij strooide er stukjes bacon over en maakte twee flesjes Hof open.

Er kwam damp van de fles brandewijn toen hij hem uit de vriezer haalde, en de alcohol stroomde dik en troebel terwijl hij de borrelglazen volschonk.

Hij zou er eentje nemen en de rest voor Kerstmis bewaren.

Ze namen zwijgend een hap en een slok brandewijn. Ard schonk meer bier in en vertelde over Adam Kieowsky.

'Het is natuurlijk niet de eerste keer dat er een vrouw aanwezig is als er een moord wordt gepleegd,' zei Wide. Klonk het alsof hij in de verdediging ging?

'Ik denk niet dat het een toevallige moord is,' zei Ard vermoeid. 'We hebben de zaak van alle kanten bekeken en we hebben op alle deuren geklopt die op een kier stonden. Een aantal vrouwen in de stad zou erbij betrokken kunnen zijn, maar die hebben allemaal een alibi voor die ochtend.'

'Hun enige alibi is waarschijnlijk een portiek.'

'Ik zal Lea Laurelius moeten verhoren. We hebben verder geen houdbare theorieën.'

Ze dronken hun borrelglas leeg. Wide tilde de fles een stukje op en keek vragend naar Ard. De commissaris schudde zijn hoofd.

'Het is dan wel vrijdag, maar ik moet morgen gewoon aan het werk.'

Wide zette de fles neer en pakte een stukje bacon van zijn bord.

'Neem jij geen borrel meer?' vroeg Ard met een zweem van verbazing in zijn stem.

'Nee, de rest bewaar ik tot Kerstmis.' Wide pakte twee broodkruimels van het tafelkleed. 'Ik heb morgen ook iets te doen. Ik ga een fiets kopen.'

27

Sten Ard bleef nog even zitten om naar de muziek te luisteren. Wide had Violetta's aria *Addio del passato bei sogni ridenti* opgezet, bijna vier minuten die de armoedige kamer anders, groter maakten.

'Ik zal het nooit leren, Jonathan. Welke akte is dit?'

'De derde, tamelijk aan het begin.'

'Het is mooi.'

'Mooi? Is dat alles wat je over *La Traviata* kunt zeggen?'

'Tja, het vormt een bijzonder contrast met de omgeving, mag ik wel zeggen.'

'Ik weet dat dit een slechte vervanging voor een thuis is. Daarom heb ik de muziek.'

'Denk eens een keer over allebei na.'

Wide deed zijn ogen dicht en luisterde. Hoe kon iemand zo prachtig zingen als Joan Sutherland? Was dat aangeboren? Hoeveel daarvan was het resultaat van keiharde training en hoeveel was routine? Het duurde een hele tijd om eenvoud te bereiken. Alles was in het begin zo ingewikkeld.

'Denk je dat talent aangeboren is?'

'In algemene zin? Of met betrekking tot dit lied?'

'Je weet wat ik bedoel, Sten.'

'Ik geloof dat je een flinke dosis meekrijgt, maar daar ben je je niet bewust van. Het is belangrijk om je talenten te leren gebruiken. De meesten slagen daar niet in.'

Sten Ard keek naar de klok.

'Heb je nog een biertje voor me?'

Wide liep naar de keuken en deed de koelkast open. 'Ben je een gelukkiger mens als je je talenten ontdekt hebt?' riep hij vanuit de keuken.

Hij hoorde Ard iets mompelen. Het geluid bereikte hem niet helemaal, maar bleef op de drempel hangen. Wide liep de zitkamer weer in met een flesje bier, Tuborg deze keer, en twee glazen.

'Wat zei je?'

'Over geluk? Tja, dat je gelukkig wordt als je je doel in het leven hebt gevonden? Misschien ben je daardoor op een bepaalde manier tevredengesteld, maar geluk heeft er waarschijnlijk niets mee te maken. Dat is er trouwens vanaf het begin, delen ervan in elk geval, en het geeft een veiligheid die het eerste jaar al kan verdwijnen. Daarna kun je de rest van je leven bezig zijn om naar die veiligheid te zoeken.'

'Ook als je wereldberoemd bent?'

'Ja. Je kunt tenslotte ook een wereldberoemde moordenaar zijn.'

'Of operazanger.'

Ard wees naar de cd's.

'Luister eens hoeveel pijn je daarin hoort.'

'Daarom heb ik die muziek. Na de scheiding heb ik heel veel naar opera geluisterd. De pijn doet me goed.'

'Dat klopt. Als ik 's nachts niet kan slapen, zet ik vaak een plaat van Overton Vertis Wright op en lijd ik samen met hem.'

Wide glimlachte en strekte zijn hand uit naar het glas. Een deel van Ard bevond zich nog altijd in een periode waarin de toekomst ongecompliceerd en licht was geweest, waarin roken op alle werkplekken toegestaan was en mensen zich kleedden alsof ze de eerste individuen in de wereldgeschiedenis waren die op het idee waren gekomen om iets aan te trekken. De westerse wereld had zelfvertrouwen gehad.

'Wright? Die soulzanger die alleen jij kent?'

Buiten klonk de sirene van een ambulance die met hoge snelheid langsreed, als een roep om hulp in de nacht. Wide kon de auto voor zich zien, tussen het avondverkeer laverend, met de dood op sleeptouw.

'Dat klopt, maar zo moet het ook zijn. Wrights leven was zo. Het was alsof zijn hele carrière erop was gericht om vergeten te worden. Dat was zijn doel.'

Ards ogen glansden.

'Hij was als kind al een begenadigd zanger. Hij werd ontdekt, maakte carrière met gospel en daarna met soul. Hij heeft massa's platen opgenomen, hij is op tournee naar het buitenland geweest. De man deed wat hij wilde en waar hij goed in was en had dus gelukkig moeten zijn. Hij had echter ook een zelfdestructieve kant.'

'Ik hoorde daar pasgeleden een goede uitdrukking over, een "demanding lifestyle" hebben die zijn tol eist.'

Ard keek naar Wide.

'Dat zou op jou kunnen slaan.'

'Ik dacht dat we het over Wright hadden.'

'Juist. Hij had dat dus allemaal. Weet je hoe zijn leven eindigde?'

Wide wist het niet. De sirene was verdwenen achter het gebouw van de gasvoorziening en herenmodezaak Holmens Herr. Alleen het onbestemde zwakke geruis van de stad was nog te horen.

'Hij stierf in 1980 op eenenveertigjarige leeftijd in een zickenhuis in Mobile, Alabama. Zijn hart hield het voor gezien na zijn jarenlange heroïnegebruik.'

'De grote held in je leven was dus een drugsverslaafde.'

'Net als velen, helaas. Het is bijna bizar dat hij in alle plannen die het leven met hem had de bodem opzocht. Die fantastische zanger heeft vastgezeten voor diefstal en beroving en is geëindigd als tasjesdief. Kun je je dat voorstellen? Een tasjesdief!?'

'Dus je held was niet alleen een drugsverslaafde maar ook een tasjesdief. Heb je dat met je werkgever besproken? Of met je kinderen?'

Sten Ard deed alsof hij Jonathan Wides opmerkingen niet had gehoord.

'En dan zulke muziek, zulke teksten. *My life is so confused, but I don't wanna die, I wanna go to heaven, but I'm scared to fly.* Aan die tekst kunnen ze een puntje zuigen bij La Scala.'

Wide zweeg even voordat hij verder praatte.

'Die is goed. Mag ik hem lenen?'

28

Vanaf dit punt was de stad prachtig. De Älvsborgsbrug lag feestelijk verlicht voor hem. Scherenkustboten waren op weg naar zee, de lantaarns als een rij parels op donkerblauw fluweel. Ze voeren naar Maerstrand, of naar Brännö, waar op de steiger gedanst werd. Een groep had een boot afgehuurd om naar de noordelijke scherenkust te varen. Op Öckerö waren de mooiste vrouwen ter wereld te vinden. Hij had een relatie gehad met een vrouw van Rörö. Ze had hem gekieteld met het stugge, korte haar dat onder haar ronde buik groeide.

De goederen waren goed verpakt in dubbele plastic zakken van vijfhonderd gram. De oppervlakte voelde altijd hard en zacht tegelijkertijd. Strak en toegankelijk, als de buik van een vrouw die door een man wordt gestreeld waarna hij met zijn hand naar beneden en naar binnen glijdt.

Die reis zonder weerstand.

In de kamer lagen drieënveertig dubbele gevulde plastic zakken. Het was niet goed om hier te zijn, maar hij wilde zelf ook een keer het genot ervaren. Wat hij had zou de mensen binnenkort bereiken. Er was veel vraag naar en de zaken gingen goed. De man glimlachte en dacht er heel even aan dat hij er vroeger zo hard voor had geknokt om op een eerlijke manier zaken te doen. Daarna had hij zich steeds vaker in het grensgebied begeven, tot hij de grens uiteindelijk was overgestoken.

Zijn klantenkring breidde zich uit als een olievlek in het water. De cocaine had het succes met zich meegebracht. De klanten waren niet langer tevreden in de cafés, in de mooie villa's achter het St Sigfridsplein of in de ruime patriciërswoningen aan het Götaplein. Een verstandige prijspolitiek, een ingecalculeerd risico en een nieuw assortiment verruimden de kaders.

Cocaïne was niet langer het genotsmiddel van de rijken, en heroïne was niet alleen voorbehouden aan de minderbedeelden in de maatschappij. Hij was op zijn eigen speciale manier bezig om uit te voeren waar hij tijdens zijn studentenjaren in Lund voor had gevochten. De man glimlachte. Hij zag een boot langs Norra Älvstranden glijden, de nieuwe gebouwen waren een investering die Hisingen een zweem van luxe moest geven die het arbeiderseiland altijd had gemist.

Hij was een betrokken student geweest. Hij had vooruit gepland. Maar hij had er zich tegelijkertijd, in die tijd al, voor behoed om op de voorgrond te treden.

Ze hielden zich inmiddels bij scholen op. Het was een noodzakelijke stap, maar daarom hoefde hij het nog niet prettig te vinden. Hij had gedacht dat het ook in deze branche mogelijk was om een zekere mate aan ethiek en moraal te bewaren. Daar was hij van overtuigd geweest, maar het echte werkterrein was gevuld met kleine handelaars en freelancers die op hun eigen manier vooruitkwamen. Het waren er veel te veel, met te veel bronnen om uit te putten.

Schoolkinderen waren goede klanten. Het was verbazingwekkend hoeveel geld tieners tegenwoordig hadden. Sommigen werden goede verkopers. Je moest het rebelse trekje dat ze bezaten weten te benutten: zij tegen mij, de revolutie. De jongerencultuur in de jaren negentig was deels een drugscultuur, en hij kon zichzelf als een onderdeel daarvan beschouwen. De bloemenkinderen in San Francisco in 1967 hadden hun Owsley gehad, de krankzinnige chemicus. Hoeveel hadden Owsley niet als een monster beschouwd?

Hij zag de duisternis dikker worden en fluisterde: 'Verdómme.'

Waarom had die klootzak geprobeerd voor zichzelf te beginnen? Waarom had hij deze wereld uiteindelijk helemaal verlaten?

Laurelius was altijd een opgeblazen nul geweest, maar hij was goed geweest in het misleiden van mensen en daarom was hij bruikbaar geweest. Hij had zijn rol naar behoren vervuld. Met het geld hadden ze een façade gebouwd en Laurelius had voor die façade gestaan. De stommeling had gedacht dat hij op eigen kracht en door zijn inzet invloed kon uitoefenen.

Het was hem naar het hoofd gestegen. Voor zichzelf beginnen! Nu kon hij zoveel voor zichzelf werken als hij wilde. Hij was er eigenlijk te gemakkelijk vanaf gekomen, het was waarschijnlijk niet pijnlijk genoeg geweest. Aan de andere kant hadden ze, om hem vast te spietsen aan die bank, een waarschuwing gegeven aan andere gelukszoekers.

De man verplaatste zijn blik van het water naar de Götaleden ver onder hem, met zijn witte, blauwe en rode serpentines onder de gele lantaarns. Hoeveel hielden zich daar beneden aan de maximumsnelheid van zeventig kilometer per uur?

Het was dom van hem geweest om te denken dat Laurelius tevreden zou zijn met een rol op de achtergrond.

De verdoving verdween langzaam. Het was zaterdagochtend en ze las het pak melk zonder de woorden te begrijpen. Waarom was ze politieagent geworden? Was ze op de een of andere manier geschikt voor dit werk?

Kajsa Lagergren had niet zoveel gemeen met de meeste andere vrouwen in het korps, ook onder vrouwen bestond machismo. Heette dat trouwens ook zo als het om vrouwen ging?

De sfeer was vaak angstig en gericht op resultaat. Prestige was belangrijk. Iedereen stond soms stijf van de adrenaline tijdens de lange dagen die ze maakten, als in een kleedkamer voor een wedstrijd.

Ze dronk een kop thee met melk en suiker, zette het kopje in de gootsteen, liep naar de badkamer en keek in de spiegel boven de wasbak. Op haar gezicht begonnen lijntjes zichtbaar te worden, 's ochtends voordat haar gezicht gladgestreken was. Waren haar nachten interessanter dan haar dagen? Over twee maanden zou ze dertig worden en daarmee was het eerste derde deel van haar leven voorbij. Ze was niet langer piepjong. Op deze leeftijd brachten vrouwen hun oudste kind voor het eerst naar school, hielden een van opwinding trillende kinderhand vast. Was er iets mis met haar? Ze had geen kinderen, ze had geen relatie meer, de liefde was na achtenveertig uur voorbij en werd nooit vervangen door een gevoel van veiligheid en warmte. Ze vond het steeds moeilijker worden om op zondagmiddag naar haar ouderlijk huis in Björkekärr te gaan, elke zondag was om de zondag geworden. Vaak belde ze dat ze moest werken.

'Moet je altijd werken, Kajsa!?'

Het was een vraag en een constatering op hetzelfde moment, zoals haar moeder altijd deed. Voor haar ouders zou ze nooit ouder dan elf jaar worden.

'Ik moet nu eenmaal vaak werken in het weekend.'

'Kom dan op een doordeweekse dag. Ik ben hier dag na dag alleen.'

'Je hebt papa toch?'

'Je weet dat ik hem niet vaak zie. Sinds zijn pensioen lijkt hij in Skatås te wonen. Hij is altijd bij het Härlandameer aan het trainen.'

'En Tina dan?'

'Die komt zo vaak mogelijk. Maar het is niet altijd gemakkelijk om de tram te nemen met kleine kinderen.'

Het laatste klonk als een milde aanklacht. *Waarom heb jij geen kinderen zoals je zus?* Wat moest worden uitgelegd als: *Waarom heb ik niet meer kleinkinderen?*

Kajsa deed altijd een stap naar achteren als ze bij dat gespreksonderwerp waren beland. Waarom lieten ze haar verdomme niet met rust met haar zelfgekozen eenzaamheid? Ze wilde die niet delen met haar moeder. *Waarom spreek je het niet uit? Je zult er spijt van krijgen als je nu geen kinderen neemt.* Was er geen tijd meer voor uitstel, kon ze niet nadenken tot ze drieendertig was? Ooit zou er ruimte zijn voor een man, en ze was niet bereid om een wanhoopsdaad te begaan. Ze zou gewoon wachten, *until the real thing comes along.*

Kajsa Lagergren liep de badkamer uit en de slaapkamer in, trok de kastdeur open en pakte een korte broek, een luchtig hemdje van hetzelfde materiaal en een paar dikke sokken met verstevigde hielen. Ze trok haar nachthemd uit en haar sportkleren aan, liep naar de hal en pakte haar schoenen van de lage plank: stevige schoenen die geschikt waren voor het asfalt van de grote stad. Ze woog eigenlijk een paar kilo te weinig voor dit model van Nike, maar ze had de pijn in haar kuiten de eerste paar weken verbeten en nu holde ze met verende passen.

Het was nog geen acht uur toen ze de portiekingang uitliep. Een kat keek met zijn doordringende ogen naar haar en schoot daarna de binnenplaats op. Ze leunde tegen de muur en duwde haar lichaam naar achteren en naar beneden. Haar kuiten en achillespezen spanden en ze telde tot honderd. Ze ging op haar hurken zitten en strekte eerst haar rechterbeen en daarna haar linkerbeen, wat ze in haar liezen voelde. Het was een teken dat het goed was om deze oefeningen te doen voordat ze begon met hardlopen. Ze kon het zich niet meer permitteren te rennen zonder dat ze gerekt had. Ze had dat vroeger gedaan, maar had er een prijs voor moeten betalen. Een lichaam dat ouder werd had een voorzichtige start nodig.

Ze transpireerde hevig. De thermometer wees 27 graden aan en het was nu alweer bijna te laat om nog te rennen. Heden lag er verlaten bij, de voetbalvelden stil in het ochtendzonlicht. Een paar avonden geleden hadden twee teams op het zanderige bijveld gespeeld; ze had het geroep gehoord en had het stof vanuit haar raam gezien. Het moest onmogelijk zijn geweest om de overkant van het veld te zien, en het had de hele nacht geduurd voordat het zand en het stof waren gaan liggen.

Nu rende ze licht en met lange passen dwars over Heden naar de Södra Vägen, sloeg links af en liep verder over de Korsvägen. Ze zou haar ritme in de Mölndalsvägen vinden, als haar gedachten met haar hart en benen in harmonie waren. Als ze langere afstanden dan tien kilometer rende, had ze muziek aanstaan. Het liep gemakkelijker bij de tonen van Tom Petty, Mellencamp, Springsteen en Fogerty. De blanke authenticiteitsrock dus.

Vandaag had ze geen muziek aanstaan terwijl ze langs Liseberg rende. Ze probeerde haar gedachten uit te schakelen, maar dat lukte niet. Kerstin Johansson was half doodgeslagen en Kajsa Lagergren kon er niets aan doen dat ze zich daar schuldig over voelde. Ze was bij haar binnen geweest om vragen te stellen en misschien was dat de reden geweest. Hoe was het onderzoek naar de verhuisde huurders eigenlijk verlopen? Ze moesten toch meer kunnen doen.

Ze rende door rood en zag de auto die een oprit afreed en links afsloeg te laat. De bestuurder moest boven op de rem staan. Kajsa sprong opzij, verloor haar evenwicht en viel, waarbij ze haar knieën schaafde. De auto was links in haar gezichtsveld blijven staan. Ze hoorde hoe een portier openging en iemand naar haar toe rende terwijl ze moeizaam opstond.

'Hoe is het met je?' riep de bestuurder geschrokken.

'Ggggoed, denk ik.'

Ze keek nog steeds naar het asfalt. De stem van de chauffeur klonk nu kalmer.

'Je rende door rood.'

'Ik zag niet… Ik was verdiept in mijn gedachten…'

'Je had ernstig gewond kunnen raken, of erger nog.'

De stem had een agressieve klank gekregen.

'Ze zouden jullie moeten verbieden op straat te rennen. Er zijn genoeg parken en bossen, weet je dat niet? Eigenlijk zou ik de politie moeten bellen.'

De laatste zending vormde het probleem. De man bij het raam draaide zich om, liep de kamer in en keek neer op de man die in een leren fauteuil achter het bureau zat.

'Ik wil graag weten waar het spul ergens ligt.'

'Je hoeft je geen zorgen te maken.'

'Moet ik het nog een keer vragen?'

'Maak je geen zorgen.'

'Dat heb je al gezegd, maar ik wil een verklaring.'

'Een verklaring waarover?'

'Een verklaring waarom het spul zich op een andere plek dan anders bevindt.'

Hij streek over een vlek op zijn slaap.

'Daar is een reden voor…'

'En ik ben op dit moment aan het achterhalen wat die reden is.'

'Als het zover is, krijg je die te horen.'

'Ik heb het gevoel dat we niet ver komen met dit gesprek.'

'Wat had je dan verwacht?'

'Hoe moet ik je aansporen om beter samen te werken? Moet ik je nog meer aan het verstand peuteren?'

'Is dat een dreigement?'

'Het is alleen een herinnering.'

'Ik zal je een reden geven. Er zitten lekken in de organisatie. Het kunnen jouw mensen zijn, of misschien een klant die te veel weet.'

'Wil je beweren dat…'

'Ik beweer dat dit zich niet ontwikkelt zoals we hadden gedacht. Xerxes ziet er op papier goed uit en is nog steeds actief, maar jouw mensen laten steken vallen.'

'Je denkt aan de club.'

'Ik denk aan de club, onder andere. Je had Wide uit moeten schakelen.'

'Ik wist niet dat die vent zo goed kon vechten.'

'Ik heb je gewaarschuwd. Hij is bij de politie geweest, hij heeft eerder met grote jongens te maken gehad.'

'We zullen toch het juiste moment moeten afwachten.'

'Hetzelfde kan opnieuw gebeuren.'

'Het kan nog heel vaak gebeuren, maar het basisplan staat nog steeds overeind. Dat is trouwens van jou.'

De lange blonde man dacht even na en keek naar de trommel die aan de muur boven het bureau hing. Daarna keek hij opnieuw naar zijn bezoeker.

'Persoonlijke vendetta's zijn zelden geslaagd als er zaken gedaan moeten worden.'

'Dit is een vendetta die uitstekend bij het totale plaatje past.'

'Als jij dat zegt.'

'Ik weet het.'

'Misschien heeft hij alles doorzien?'

'Nu? Dat denk ik niet. En straks? Is dat echt belangrijk?'

'We moeten deze keer nauwkeuriger te werk gaan.'

De bezoeker stond op en liep naar het raam. Hij zag alleen zwijgende duisternis en licht, er bewoog niets.

'Er is de laatste tijd een beetje te veel gebeurd... met Laurelius en zo... Als iets me ongerust heeft gemaakt is het zijn dood.'

'Iedereen is daar ongerust over.'

'Weet je nog niets?'

'We hebben het zo goed mogelijk bekeken, dat weet je. Meteen na een paar uur, we waren snel ter plekke.'

'En?'

'Tot nu toe niets.'

'Dat met die vrouw in Flatås was niet zo handig.'

'Niet iedereen heeft het door als je een getuige bang wilt maken... een eventuele getuige.'

'Ze moest dus bang gemaakt worden?'

'Wat er is gebeurd, kan worden uitgelegd als een ongeluk. Ze moet heel fragiel geweest zijn.'

De man keek naar zijn bezoeker.

'Je lijkt gespannen.'

'Ik word ongerust als ik het gevoel heb dat we de controle verliezen... Als er anderen bij betrokken raken van wie we de namen niet kennen.'

'Je begeeft je op onbekend terrein, dan is het belangrijk om je te handhaven.'

'Dat geldt voor ons allemaal.'

'Voor mij is het geen onbekend terrein.'

Hij leek eraan gewend beslissingen te nemen en werd gerespecteerd. Duizenden waren afhankelijk van zijn verstandige beslissingen, van zijn leiding. De verantwoordelijkheid was groot.

Hij was bezig een van de machtigsten te worden in een branche waarin het niet alleen ging om respect. Het geld was belangrijk. Dan wogen die leiding en verantwoordelijkheid nog zwaarder.

Hij had het altijd gemakkelijk gevonden om samen te werken. Dat vermogen werd nu op de proef gesteld. Drastische en snelle beslissingen… Dat was niet hetzelfde.

Hij had nooit van geweld gehouden.

29

Het was Holtes show. De commissaris was van zijn troon gestapt en vulde de kamer met zijn persoonlijkheid. Ard stond naast hem, klaar om te assisteren hoewel dat nauwelijks nodig leek. Boursé, Lagergren en Babington zaten als brave schoolkinderen op een rij. Gert Fylke was op het laatste moment binnengeroepen, met nog twee mannen van de afdeling Narcotica. Ook de afdeling Geweldsdelicten was aanwezig. Ulf Berggren, een man van middelbare leeftijd met baardstoppels, keek somber voor zich uit. Hij was met zijn gezin op weg naar zee geweest. Als dit een lange vergadering werd, durfde hij niet meer naar huis te gaan. Dan zou het gezinsuitje door hem verpest zijn.

Sven Holte vroeg om stilte door zijn hand op te steken, hoewel je al een speld kon horen vallen.

'We moeten koste wat kost deze impasse zien te doorbreken.'

Holte keek om zich heen en knikte in Sten Ards richting.

'De commissaris en ik hebben samen besproken hoe we dat gaan doen. We zijn van plan om alle informatie nog een keer door te nemen.'

Dat was een leugen, maar Ard negeerde het.

'Na de mishandeling van de jonge kunstenares zijn we van plan de gebouwen bij Klippan opnieuw met een stofkam te doorzoeken. Er is daar iets wat we nog niet gevonden hebben.'

'Denk je aan iets speciaals?'

Kajsa Lagergren keek naar Holte met een uitdrukking die kon worden uitgelegd als verbeten.

Holte keek naar haar. Wat was er met dat meisje aan de hand? Waar kwamen die schaafwonden in haar gezicht vandaan? Hij had geen rapport gekregen dat ze het moeilijk had. Kon ze de druk niet aan?

'Ik denk dan bijvoorbeeld aan de andere kunstenaars,' antwoordde Sven Holte terwijl hij een vel papier oppakte. 'En aan alle bedrijfjes die daar gevestigd zijn. Degenen die er momenteel zijn en degenen die vertrokken zijn. Het is een schande dat we nog niet iedereen opgespoord hebben die daar een ruimte heeft gehuurd. Vooral de laatste tijd. Als ik er een van de stapel pak... Camra. Wat is er in vredesnaam met Camra gebeurd?'

Sten Ard schraapte zijn keel en richtte zich rechtstreeks tot Holte.

'Dat bedrijf heeft nooit bestaan. In elk geval niet zoals wij dachten.'

'Nooit bestaan? Niet zoals wij dachten?'

Sven Holte keek naar hem met twijfel in zijn ogen.

'We dachten dat Camra eigendom was van een van de grote banken...'
Holte onderbrak hem.

'En dan zitten ze in de afgedankte kantoren van de oude suikerfabriek?'

'Dat is op zich niet zo ongewoon, financiële bedrijven vind je overal.
Maar wat ik wilde zeggen is dat Camra de opdracht had zo veel mogelijk
geld terug te halen dat de bank was kwijtgeraakt in de vorm van onderpan-
den voor hun slecht gedekte leningen.'

'Wat heeft dat met dit onderzoek te maken?'

'Camra is verdeeld in divisies en dochterbedrijven om het werk regionaal
en plaatselijk te verdelen. Het is het grootste onroerendgoedbedrijf in Zweden. We hebben het over vijfduizend panden, waarvan de meeste in West-
Zweden liggen. We hebben het ook over veertigduizend werknemers, van
wie er nu veel ontslagen zijn of worden.'

'En?'

Holte wachtte op een soort conclusie.

'De grootste klappen die het financiële systeem hebben getroffen, zijn
veroorzaakt door de onroerendgoedmarkt. Daar is tijdens de vrolijke jaren
tachtig een jungle aan bedrijven ontstaan. We proberen deze jungle te ont-
warren, samen met Fylkes mannen, om eventuele koppelingen te vinden
met de narcoticamisdrijven van de laatste tijd. Het bedrijf Camra is tot nu
toe schoon op alle punten.'

'Wat deed het bedrijf dan in Klippan?'

'Het bord hing er nog. Daarna hebben andere bedrijfjes, die weinig of
geen relatie met Camra hadden, de kantoren gehuurd. Zo ver zijn we tot nu
gekomen.'

'Op jacht naar de laatste huurders?'

'Ja. Dat is een klein adviesbureau... Ik heb de naam hier... Linedate.'

'Klinkt als een escortbureau,' riep Gert Fylke vanaf de bank.

Ard liet zich niet van de wijs brengen. Hij keek naar Sven Holte, die bijna
onmerkbaar zijn hoofd schudde.

'Het was iets met computers. De man bij de gemeente wist niets meer en
het contract is ondertekend door iemand die niet bestaat.'

'Fantastisch.'

'Bij Börsen kunnen ze zich herinneren dat de huurder twee maanden
vooruitbetaalde en dat hij een Deens accent had.'

'Alweer Deens! Wat is dit... Een nieuwe Deense invasie?'

'De overeenkomst is geregeld via de telefoon en de post, helaas. Dat gebeurt normaal gesproken niet zo, maar tegenwoordig knijpen de meesten een oogje dicht.'

Ik vraag me af of dat een Ekelöf-citaat is dat uit zijn verband is gehaald, dacht Boursé terwijl hij naar Ard keek, die zijn best deed om zijn zelfbeheersing te bewaren.

'We konden een stem laten horen,' zei Ard. Hij legde het vel papier op het bureau. 'De man van de gemeente heeft ernaar geluisterd maar weet het niet zeker... nog niet.'

Het begon heel warm te worden in het kantoor. Een van Fylkes mannen deed de deur open om te zorgen dat de lucht door zou stromen. Het leek een goed idee, maar er was geen lucht meer. Het enige wat er was, was fictief geld, miljard na miljard, dat genoteerd stond op Sten Ards vel papier. 117 miljard in totaal, een cijfer waarmee de jaren negentig tot nu toe konden worden samengevat.

Ove Boursé dacht ergens anders aan. Waarom was Holte juist nu naar de werkvloer afgedaald? *Der führer* bemoeide zich uiterst zelden actief met een onderzoek. In het begin misschien, maar dat was verleden tijd. Holte had het over druk van bovenaf gehad, economische belangen die bedreigd werden, door het slijk gehaald door een onderzoek dat zich laag na laag een weg naar beneden groef.

Holte keek naar de bank.

'Gert! Ik veronderstel dat alle contacten die je gedurende de jaren hebt opgedaan nu wat opleveren.'

'Sven! Geen keel is nog droog!'

'Wat bedoel je daarmee?'

'Onze informanten zitten er bovenop.'

'Als er nieuwe overeenkomsten gesloten worden, komen we dat dus te weten?'

'Zowel nieuwe als oude.'

'Wat zeggen ze dan?'

'Er zijn nieuwe mensen in de stad, dat gebeurt af en toe. Met dat Deense... *the Danish connection*... Met dat Deense gajes blijven we te maken hebben zolang de veerboot koppig heen en weer blijft varen.'

'De Denen hebben toch zeker hun eigen boten?'

'We hebben kustbewaking en waterpolitie.'

'Hebben we dat? Ik dacht dat die allemaal omgeschoold waren tot administratieve medewerkers in de gemeente Härlanda.'

'Niet allemaal.'

Calle Babington grinnikte. Holte keek hem scherp aan.

'Nog een vragenrondje, dus. Maar de zaak is helder, in elk geval delen ervan.'

Hij keek naar Ard.

'Alles draait om die vrouw, Sten. Geen alibi. Een getuige op de plaats delict. Is ze al gearresteerd?'

Ard zag alweer een zweetdruppel op Holtes neuspunt. Wás het een sieraad?

'Dat gaat nu gebeuren.'

Toen hij thuiskwam van de buurtwinkel had Erik Nihlén geprobeerd hem te bereiken. Erik Nihlén? Hij zocht twee seconden lang terug in zijn herinnering en zag een getatoeëerde hand, een bomberjack en een geschoren hoofd. Pontus... zijn zoon.

Bij Sörmarkers werd niet opgenomen, dus belde Jonathan Wide hem thuis op.

'Nihlén.'

Haar stem was droog, koel en beheerst, Wide zag steil blond haar en discrete make-up met roodglanzende lippenstift voor zich: het kenmerk van vrouwen van middelbare leeftijd. Een lange hand, tengere vingers.

'Ik ben Jonathan Wide. Uw man heeft me vanmiddag geprobeerd te bellen.'

De koelte in haar stem verdween.

'Meneer Wide! We willen u dolgraag spreken.'

'Wat is er gebeurd?'

'Niets en alles. Pontus is thuisgekomen!'

Was dat waar? Dat kon onmogelijk te maken hebben met zijn gesprek met de misleide rebel. Zoveel invloed had hij niet.

'Het komt door uw gesprek met Pontus. U hebt fantastisch werk geleverd.'

Werd hij in de maling genomen?

'Tja, dus... eh... Hij is thuis...'

'Hij kwam thuis en zei dat hij er genoeg van had.'

Wide zei niets.

'Hallo...'

'Ja, ik ben er nog. Maar ik denk niet dat het gesprek...'

'Mijn man is iets aan het doen... met Pontus...'

Een huidtransplantatie? Een toupetje kopen? Misschien was het te vroeg om te juichen.

'... maar hij staat erop om u... jou te ontmoeten. Hij... wíj willen je persoonlijk bedanken. En advies vragen... We denken dat we dat nodig hebben.'

'Ik weet niet...'

'We willen u persoonlijk bedanken, maar daarna gaat het om een puur zakelijke overeenkomst. We waarderen uw inzet bijzonder... nu en in de toekomst.'

Iemand waardeerde zijn inzet bijzonder. Zou hij de familie Nihlén om een schriftelijke referentie vragen? Hij kon een goede aantekening gebruiken... nu en in de toekomst.

'Dat klinkt uitstekend. Ik heb het op dit moment nogal druk... mag ik er later op terugkomen?'

'Beloof dat u snel contact opneemt.'

Het klonk vertrouwd op een bijna verontrustende manier. Hoe zou het zijn als de kleine Pontus weer in zijn groepje zou worden binnengehaald? Zouden papa en mama Nihlén nog een tatoeage kunnen verwerken? Of een mishandeling met ernstige afloop?

Zou het papa en mama Nihlén een goed gevoel geven om een cynicus zoals Jonathan Wide te ontmoeten? Tegelijkertijd voelde hij toch even een vonk enthousiasme... zoals voor en met zijn kinderen.

Vanmiddag zouden ze naar hem toe komen en bij hem blijven eten.

Wide pakte een zak tomaten, waste ze en sneed de bovenkant eraf. Hij schraapte de pitten en een deel van het vlees eruit, strooide zout op de binnenkant en zette de tomaten ondersteboven op een snijplank.

Hij hakte een ui fijn en liet die zachtjes pruttelen in ruim een deciliter olijfolie. Het had een paar jaar geduurd voordat hij had beseft dat olijfolie de enige mogelijkheid was om lekkere maaltijden klaar te maken. Hij deed een paar handen rijst, het in stukjes gesneden tomatenvlees en een lichte groentebouillon bij de zachte uien. De rijst moest twintig minuten koken en nam de bouillon op. Hij roerde met een vork, deed er pistachenootjes en dragon bij, vulde de tomaten met het mengsel en zette ze in een grote, ingevette ovenschaal. Als de kinderen kwamen zou hij er nog wat olie overheen sprenkelen en de tomaten twintig minuten in een middelwarme oven gratineren.

Dan zou hij ook de binnengrill uit de kast in de hal pakken, die op het aanrecht naast het fornuis zetten en het lamsgehakt aanmaken met twee kleine eieren, gehakte verse tijm, drie knoflooktenen en sjalotjes, grofgemalen peper en het sap van een grote citroen. Hij zou er balletjes van draaien die hij aan houten prikkers reeg, waarna hij ze zou bestrijken met olijfolie en ze zou grillen. Daarna zou hij ze serveren met verse prei en een komkommersalade.

Zijn kinderen hielden van eten dat geïnspireerd was door Zuid-Europa. Het paste ook bij deze warme zomer, met een gedekte tafel in de schemering op het balkon.

'Duidelijkheid. We hebben de duidelijkheid deze keer gemist, het is vanaf het begin duister.'

Sten Ard stond op de steiger van Långedrag en keek uit over de grote jachthaven en het water daarachter. De zon ging onder, al snel zou de horizon vlam vatten en de zeilen oranje en rood kleuren. Bloedrode zeilen op zoek naar rust tussen de eilanden van de scherenkust.

Het water glinsterde als duizend zilveren schalen en kaatste het licht naar hen terug. Het trof de grote ronde oorbellen van zijn vrouw en schoot als bliksemflitsen naar de zee terug. Toen ze haar hoofd bewoog was het alsof een kring licht met haar mee bewoog.

'Jullie hebben toch iemand aangehouden?'

'We hebben een verdachte. Dat is niet hetzelfde als dat we een schuldige hebben.'

'Dat zal het verhoor wel uitwijzen.'

'Ook als deze vrouw schuldig is aan de moord op haar man... Brengt dat ons een stap verder?'

'Ze kan heel goed een deel van de... eh... handel zijn.'

'De narcoticahandel? Lea Laurelius? Tot nu toe hebben we daar geen bewijzen voor gevonden, maar het is natuurlijk een mogelijkheid.'

Maja Ard zag hoe een eenzame zeiler zijn boot elegant rond de pier de haven in liet varen. Hij gleed naar de ligplaats aan de kade en reefde het zeil op hetzelfde moment. De man had een sjaal rond zijn hoofd gebonden en had een rood gezicht. Hij zag er gelukkig uit, dat kon ze hiervandaan zien.

'Je denkt aan de mishandeling.'

'Verdorie, Maja, er moet een verband zijn, maar we zien het niet.'

'Dezelfde dader?'

'Of een bevel uit dezelfde richting. Lea Laurelius kan zich niet schuldig gemaakt hebben aan de mishandeling van Kerstin Johansson.'

'Weet je dat zeker?'

'Als het gaat om pure kracht weet ik het zeker. Maar het vereist natuurlijk geen grote lichamelijke kracht om het bevel te geven.'

'Of te horen dat het bevel wordt gegeven.'

'Ja.'

Een groep kinderen van een jaar of tien liep langs met Optimist-zeilboten als draagbare daken boven hun hoofd. Ze hoorde hun gedempte gelach, dat af en toe krachtiger werd als een van de kinderen zijn hoofd naar buiten stak om te controleren of ze in de juiste richting liepen.

Sten Ard had geen zeilboot en hij had er de afgelopen vijftien jaar, of in elk geval tien jaar, spijt van gehad dat hij er niet een had gekocht. Het hoefde maar een klein bootje te zijn, met plek voor twee of drie personen. Op avonden zoals deze stonden ze hier vaak over het water uit te kijken. Het was te veel moeite om een van de scherenkustboten naar Asperö of Brännö te nemen om na een paar uur op een overvolle boot te stappen om weer naar huis te gaan. Maar een eigen boot... Zou hij zich gelukkig voelen met een eigen boot, als hij naar een plek kon varen waar het land niet te zien was? Was dat vrijheid?

Hij wist de naam al, *The Long Goodbye,* naar een van de weinige misdaadromans die hij het waard had gevonden om uit te lezen. *The long goodbye,* het was een schande dat niemand zijn boot zo gedoopt had.

'Wat kost een zeilboot?'

'Een zeil… ben je weer aan het dromen, Sten?'

'Nee, deze keer is het verdomme serieus. Wat denk jij dat je moet betalen voor een boot van gemiddelde grootte?'

'Tja, zestig, zeventig… Krijg je daar een boot voor? Of honderd?'

Ard maakte een gebaar naar de steiger.

'We gaan naar beneden om wat rond te kijken.'

'Denk je dat de mensen de prijskaartjes hebben laten zitten?'

'Ha ha. Het gaat om het model dat we willen.'

Ze liepen langs de rots naar beneden en betraden de lange steiger. Links lagen de bootsteigers en ligplaatsen, rij na rij. Veel boten waren op zee. Het was vakantie. Sten Ard rook de zoute lucht. Hij verlangde ernaar om weg te kunnen.

'Als Wide een fiets kan kopen, kan ik toch zeker wel een zeilboot kopen.'

Maja lachte.

'Vergelijken jullie je vermogens op die manier?'

'Hij gaat een fiets kopen. Een nieuw leven beginnen.'

Ze keek plotseling ernstig naar hem.

'Hoe gaat het nu met Jonathan en de… alcohol?'

'Soms ben ik ervan overtuigd dat hij een alcoholist is, en dat is hij waarschijnlijk ook. Maar dan lukt het hem ineens om zich binnen de grens te houden en hoeft hij die verdomde fles niet elke keer helemaal leeg te drinken.'

'Ik denk dat hij er helemaal mee moet stoppen.'

'Dat weet ik niet zeker. Maar op dit moment gaat het niet goed met hem.'

'De scheiding is hard aangekomen.'

'Ja, maar volgens hem was het niet de alcohol die de scheiding heeft veroorzaakt. Er waren al eerder problemen.'

Maja nam haar man op.

'Dat kan ik me voorstellen. Getrouwd zijn met een politieagent.'

'Bedankt voor die woorden. Daar kan ik me aan warmen in deze snijdende wind.'

Ze liepen verder en sloegen af naar een van de steigers. Ze bleven staan voor een slanke zeilboot in wit en lichtblauw, ongeveer zeven meter lang maar met een mast die ver omhoogstak in de invallende schemering. Ard vermoedde dat er twee slaapplaatsen waren onder de discrete bovenbouw… werd dat een roef genoemd? Hij deed een paar stappen in de richting van de boot en boog zich naar voren om te zien hoe de gelukkige eigenaar zijn boot had gedoopt.

Zijn vrouw zag hem schrikken en daarna begon hij te lachen, een lage lach die luider werd en wegrolde naar het clubhuis van de zeilvereniging.

'Wat is er?'

'Niets bijzonders... gewoon een belezen eigenaar die zijn boot *Lady In The Lake* heeft genoemd.'

30

Bende heeft voor 80 miljoen aan heroïne gesmokkeld

Stockholm (TT): Douane en politie hebben bekendgemaakt dat een bende erin is geslaagd om grote hoeveelheden heroïne binnen te smokkelen in Zweden.

Negen mannen zitten vast op verdenking van het smokkelen en verkopen van veertien kilo heroïne, met een waarde van zo'n 80 miljoen kronen.

De politie kon in juni vier mannen grijpen die worden verdacht van betrokkenheid bij de drugshandel. Twee van hen ontvingen de drugs in een flat in Handen in Stockholm en verkochten de partijen door.

Een vijfde verdachte, een vijfendertigjarige man, heeft de narcotica vanuit Calcutta in India met de post naar de ontvangers in Handen gestuurd.

De overige gedetineerden waren koerier of verkochten de drugs door.

De vijfendertigjarige is bij zijn afwezigheid gearresteerd en is onlangs door de politie in Calcutta opgepakt. Zweden heeft inmiddels om zijn uitlevering verzocht.

De man wordt ervan verdacht dat hij grote hoeveelheden heroïne verhandelde, aldus officier van justitie Peter Harméus.

We denken dat er meerdere mensen bij betrokken zijn en dat er nog meer aanhoudingen in Zweden kunnen volgen.

Inbeslagname heroïne neemt flink toe

Stockholm (TT): De inbeslagname van heroïne door de douane is gedurende het eerste halfjaar gestegen met ruim 700 procent, vergeleken met dezelfde periode vorig jaar.

Een belronde naar de vier douaneregio's van het land toont aan

dat voornamelijk de inbeslagname van heroïne is toegenomen.
Maar ook amfetamine en opium zijn in opkomst.
Een groot deel van de binnengesmokkelde goederen is afkomstig
uit Oost-Europa, maar een nog groter deel schijnt vanuit Azië het
land binnen te komen.
Het is verontrustend dat de pogingen om harddrugs te smokkelen
zo sterk toenemen. Dat heeft bevestigd dat Zweden een drugs-
land is geworden, aldus Magnus Lundqvist van douaneregio
west.

Douane neemt grote partij heroïne in beslag

Göteborg (P): De Zweedse grensdouane in Bohuslän heeft in sa-
menwerking met de Noorse douane een grote partij heroïne in
beslag genomen.
Maandag heeft het douanebestuur in Fredrikstad bekendge-
maakt dat er afgelopen vrijdag een Franse vrouw is opgepakt die
na röntgencontrole vijfentwintig bolletjes heroïne in haar maag
bleek te hebben, in totaal 240 gram. De waarde op straat van de
in beslag genomen heroïne bedraagt zo'n 2,4 miljoen Zweedse
kronen.
De douane in Östfold en de politie in Fredrikstad voerden een
omvangrijke controle uit in de trein van Zweden naar Noorwe-
gen bij het centraal station in Sarpsborg.
De Franse vrouw bevond zich aan boord van de trein, maar kon
geen bevredigende verklaring geven waarom ze zich daar be-
vond, of waarom ze ervoor had gekozen naar Zweden en Noor-
wegen te reizen.
De vrouw is aangehouden op verdenking van drugssmokkel en
zal de komende drie weken vastzitten.
De douane in Östfold in Noorwegen heeft in 1993 narcotica met
een straatwaarde van zo'n 18 miljoen Noorse kronen in beslag
genomen. Al eerder is overgegaan tot inbeslagname na controles
in de trein van Zweden naar Noorwegen.

Hij had de krantenknipsels aangevraagd en mee naar huis genomen, een dikke, bruine envelop vol artikelen en aantekeningen over inbeslagnames en geslaagde invallen. Hij wilde niet verder lezen, maar kon er niet mee stoppen.

Dit was het bewijs van activiteit, maar dat had tot nu toe niemand weerhouden. Hij wist niet zeker of de spelers kranten lazen. Het was meer een bevestiging voor de belastingbetalers, de eerzame burgers, dat de politie haar uiterste best deed in de strijd om een drugsvrije maatschappij.

Het was een onmogelijkheid.

Sven Holte streek een lucifer aan en stak een cigarillo op in het halve licht van de zomeravond. De kamer lichtte op door het plotselinge schijnsel.

Hij had zoveel tijd besteed aan zwijgen en het opbouwen van een façade voor de gehele buitenwereld. Hij wilde met respect benaderd worden, dit leven had hij altijd geleefd. Nu golden er deels andere regels. Het lag niet in zijn karakter om zich te beheersen...

Hij was er goed in de gevolgen te overzien, om iets alleen uit te voeren. En hij leefde het eenzame leven waarvoor hij had gekozen. Was het duidelijk dat hij onzichtbaar was geworden, dat hij onoverwinnelijk was?

Hij was niet gepakt tijdens de dagen van wat anderen grootheidswaanzin zouden noemen. Waarom zou hij ook? Het ging allemaal om doelbewustheid, en om beweging in de juiste richting. Concrete beweging. De winst... Wat zou hij met de winst gaan doen?

Kon hij op hun belofte vertrouwen? Hij wilde het geld toch niet hebben.

Hij kwam overeind en liep naar het raam. Vanaf het Hagapark had je een uitstekend zicht op zijn portiekdeur. Om in de gaten te houden wanneer hij kwam en wanneer hij ging en om hem te volgen. Ze hadden zich destijds, in het begin, een paar keer bewust laten zien. Hij had twee brieven gekregen, had naar de foto's in de eerste envelop gekeken en had die in de safe gelegd in afwachting van de tweede brief.

Daarna was er niets meer gekomen, gedurende al die tijd. Het had hem voorzichtiger gemaakt dan hij ooit was geweest. Hij wist alles over voorzichtigheid, en dat was al heel lang zo.

Had hij gisteren de façade op kunnen houden? Het was gemakkelijker om stand te houden als hij die innerlijke druk voelde, de agressiviteit was niet gespeeld maar was toch niet van hem. Het was de situatie. Na een tijd kreeg hij een rol die hij kon gebruiken, als teamspeler. Alsof ze het zouden vergeten, of de rotzooi zouden verbranden.

Had hij zijn haat op de juiste manier gedragen? Ze hadden het geaccepteerd en er gebruik van gemaakt, ze hadden hem de situatie in scène laten zetten en hij had geen antwoord hoeven te geven op al te veel vragen. Ze stelden niet veel vragen in deze branche, en er werden nog minder antwoorden gegeven. Hij kon een dergelijk patroon waarderen.

Het was een bijzonder gevoel geweest toen Wide als jonge politieagent naar het korps was gekomen. Wide... Hij was de naam nooit vergeten. Hoe vaak was die uitgespuugd in zijn familie? Had Wide het geweten, tijdens zijn jaren bij het korps? Het leek alsof hij geen grote historische bagage met zich meedroeg. En Holte begon er niet over.

Hij had er gebruik van kunnen maken, op het verlies kunnen wijzen. Niemand had medelijden met verraders, en ook onder de handelaars heerste een sterk gevoel van rechtvaardigheid.

De laatste tijd waren er onverwachte dingen gebeurd. Dat was schokkend geweest. Eerst was de man vermoord en daarna was de vrouw verdwenen. Ze zou haar straf nog krijgen, maar het had problemen veroorzaakt.

Het bonkte in Sven Holtes slapen.

Hoe lang was het geleden?

Het was heel lang onmogelijk geweest, en hij was het gelach niet vergeten toen hij met zijn vraag was gekomen. Uiteindelijk was hem een kort moment toegezegd in een flat die naar vochtig beton rook, nadat ze hadden besloten dat hij in leven moest blijven. Hij hoefde geen discretie te tonen nu ze alles wisten. Hij zocht naar camera's maar wist dat hij die niet zou ontdekken, net zomin als de eerste keer. Het was niet belangrijk.

Een kunstenaar moet een ziel in zijn creatie verwerken zodat die duurzaam is.

Wide fietste naar Amundön met *Rigoletto* in zijn oren, wat nodig was om de rit te kunnen volhouden. Bij het Radioplein zette hij de muziek uit, omdat hij zijn volledige concentratie nodig had om te schakelen. Dat leidde hem af van de vermoeidheid.

De verkoper op het Mariaplein, met smeerolie tot zijn ellebogen en een vlek op zijn neus, had hem een stuk door het Slottspark laten rijden op de zwarte citybike met smalle wielen en een licht frame. Hij had verteld dat hij zelf zo'n fiets had en dat die uitstekend voldeed als je tenminste niet vaak in de bergen fietste.

Wide fietste langs Askimsbadet en reed Hovås binnen. Lea Laurelius was gearresteerd en hij had een onhandig telefonisch gesprek met de dochter gevoerd. Hij wist niet goed hoe hij zijn rol in deze situatie moest uitleggen.

Ze wachtte bij de brug naar het eiland op hem. Wide zette zijn fiets in een fietsenrek waar niet veel andere fietsen stonden.

Ze gaven elkaar een hand. Jeanette was lang en slank. Ze droeg een verschoten katoenen overhemd en een afgeknipte spijkerbroek die drie decimeter boven haar knieën stopte. Ze liep zacht op stevige joggingschoenen en haar huid was egaal bruin, alsof ze gedurende de lange zomer met verstand in de zon had gelegen. Haar ogen stonden afwezig.

Ze liepen recht over het veld. Een paard kwam op een sukkeldrafje aanlopen en snuffelde aan Wide. Het liep verder naar het water en Wide dacht één moment dat het paard erin zou springen en vrolijk hinnikend naar de open zee zou zwemmen, alsof het overal genoeg van had.

Op de heuvel naar de bosrand draaide hij zich om en keek uit over het water en de huizen op het vasteland.

'Kom je hier vaak?'

Ze keek hem aan.

'Zo lang ik me kan herinneren. Mijn moeder en ik gingen hier vaak naartoe.'

Hij kon het net zo goed meteen vragen: 'En je stiefvader?'

'Die kwam hier nooit.'

Ze liepen het loofbos in, met de rotswand rechts van hen. De zon gaf de bladeren verschillende kleurschakeringen. Wide deed zijn ogen dicht en rook de geur van warme vegetatie. Hij miste de geur van naaldbomen. Die was overweldigend geweest tijdens de warme zomerdagen waarin hij kind en indiaan in het bos was geweest.

'Jullie hebben vast mooi weer gehad in Engeland.'

Ze schrok, alsof ze de afgelopen minuten had geslapen.

'Wat? Ja...'

'Je bent bruin. Aan de zuidkust groeien palmbomen terwijl de rest van Engeland onder paraplu's schuilgaat.'

Ze knikte.

'Toch wilde je daar weg.'

'Het was er zo... zo kinderachtig. Opgesloten. Een familie die alles in de gaten houdt. Een hotel was beter geweest, zelfs met mijn moeder in de kamer ernaast.'

Ze draaide haar gezicht van hem af, maar Wide merkte dat ze huilde. Moest hij zijn arm om haar schouders slaan? Hoe dichtbij kon hij komen?

Hij raakte voorzichtig haar bovenarm aan.

'Je moeder is het slachtoffer van toeval. Ik geloof dat de politie dat ook weet.'

'Waarom zit ze dan in de gevangenis?'

Ze keek naar hem met ogen die glansden in het groene licht.

'Niet in de gevangenis, alleen in bewaring. In hechtenis.'

'Is dat belangrijk?'

'Op dit moment niet, maar ze is nog nergens van beschuldigd. De politie moest iets doen. Soms kan zo'n hechtenis ertoe leiden dat er iets gebeurt. Dat de echte schuldige onder zijn steen vandaan kruipt en een andere steen opzoekt.'

Ze bereikten de open plek in het bos en keken uit over het water. Een smalle loopbrug leidde naar het riet en het strand aan de andere kant. Jonathan Wide koos ervoor om naar links te gaan, over de stenen, naar een rots die als een ronde tafel uitstak boven het water. Hij ging zitten. Zij bleef een paar meter verderop staan. Een man en een vrouw lieten het water opspatten toen ze van de rots in het water doken. Het herinnerde hem eraan dat hij tijdens deze recordzomer nog niet één keer in zee had gezwommen.

'Heb je dit jaar al in zee gezwommen?'

Ze keek naar hem maar gaf geen antwoord. Hij maakte een gebaar naar het paar in het water.

'Ik ook niet. Zonde eigenlijk.'

'Ik heb tijdens mijn reis gezwommen.'

'Natuurlijk. Dat was het enige verstandige om te doen, als ik je goed begrijp.'

Ze zwegen een hele tijd.

Hij kwam overeind en deed een paar stappen in haar richting.

'Jeanette...'

'Ja...'

'Wist je dat je stiefvader betrokken was bij drugstransacties?'

'Hoe zou ik dat moeten weten?'

'Je moeder dacht het. En dat je wist van de bedreigingen die later zijn geuit.'

'Ik heb de politie verteld wat ik weet, of liever gezegd wat ik niet weet. Je hebt verdomme het recht niet om me ook nog vragen te stellen.'

Uit haar ogen sprak eindelijk betrokkenheid.

'Het gaat erom je moeder te helpen.'

Ze begon te huilen, net zo snel en stil als daarnet, draaide zich om en begon terug te lopen over de warme stenen. Hij voelde de hitte onder zijn rubberen zolen.

Ze draaide zich heftig om.

'Als ze dat verdomde zwijn heeft vermoord, verdient ze een medaille,' schreeuwde ze. De woorden echoden in de kleine baai tegen de rotsen, *daille daille daille* hoorde hij, als een steeds zwakkere roep om hulp terwijl het geluid vermengde met zout en lucht en over het water verdween.

31

De lijst was lang en Sten Ard wist niet of het de juiste lijst was. Ze hadden de lijst met namen van bedrijven uit de ingestorte financiële wereld doorgenomen.

Die wereld vereiste nieuwe zintuigen om door te kunnen dringen in de jungle. *Geef me gif om te sterven of dromen om te leven.* Hij moest zich tot de dichtkunst wenden voor sturing en inspiratie.

Ze hadden in de stad gezocht en hij was bij het water terechtgekomen, in de Andréegatan die op een wormvormig aanhangsel van de Götaleden leek. Sten Ard was hier soms als jongen naartoe gefietst om de boten de Fiskehaven in te zien varen, hij was gebleven tot het licht te scherp was geworden en was daarna langzaam in oostelijke richting gefietst, naar de smalle winkelstraten van Lilla Bommen. Hij had zwarte peper en teer, loog, machineolie, vruchten en bier geroken. Hij had besloten om weg te varen, naar de plek waar de peper vandaan kwam en om voorlopig niet terug te komen. Telkens langdurig afscheid nemen. Nu was hij misschien zover om een boot te kopen.

Fredrik Björcke had Georg Laurelius goed gekend, ze hadden zich in dezelfde kringen opgehouden. Onroerendgoedtransacties in de grensgebieden, import van goederen in de containerklasse, gespreide waren. Björckes ster was gestegen. Ard had inlichtingen over hem ingewonnen. Hij importeerde textiel, mooie stoffen waardoor Indiska op de tweedehandswinkel Myrorna leek, tegen voordelige prijzen. Laurelius had in het bestuur van zijn bedrijf gezeten.

De lift was gebouwd als een verticale tram en hij kon naar buiten kijken. Het verkeer van de straat klonk als een steeds zwakker geruis. Norra Älvstranden keerde zijn mooie kant naar de andere zijde, hij zag de glanzende gevels die hem aan filmcoulissen deden denken. Hoe lang zouden ze blijven staan? Niemand zou daar gaan wonen als er zulke hoge huren werden gevraagd. Als hij daar woonde zou hij zich gekidnapt voelen.

Ze hielden Björcke al een tijdje in de gaten, en hadden bijgehouden wie er kwamen en gingen. Het was steeds aannemelijker geworden dat er een verband was en hij had de taak op zich genomen om het politiebestuur daarvan te overtuigen.

Op een klein discreet bordje bij de deur stond BJÖRCKE FINANCIËN. Ard had het zelf niet beter kunnen doen. Geen bombarie.

Sten Ard bedacht dat de man een secretaresse zou hebben en hij trok zijn buik in, maar Björcke deed zelf open. Hij was lang, bijna net zo lang als Ard, had beduidend meer haar en droeg een blauwe polo en een grijs pak waarvan Ard vermoedde dat het zijde was. Het zag er in elk geval koel uit.

'Commissaris Ard? Kom binnen.'

De gecultiveerde, rollende 'r' verraadde dat hij afkomstig was uit Skåne. Ard rook een zwakke parfumgeur terwijl hij achter hem aan liep naar een cirkelvormig kantoor met uitzicht op het water.

Björcke zag Sten Ards waarderende blik.

'Hier kunnen mijn gedachten vrij zweven,' zei hij en hij maakte een theatraal gebaar met zijn handen.

'Daar is hier voldoende ruimte voor,' zei Ard. Hij voelde een zwakke pijn achter zijn ogen. Het licht was scherp.

'Ik loop graag wat heen en weer en kijk naar de binnenvarende schepen.'

'Er varen niet meer zoveel schepen binnen.'

'Zolang mijn schepen binnenvaren ben ik tevreden,' zei Fredrik Björcke met een glimlach.

Ard pakte zijn notitieboekje. Hij schreef zelden iets begrijpelijks op, maar de aanwezigheid van pen en papier zorgde ervoor dat de mensen zich op hun antwoorden concentreerden. Hij wist niet zeker of ze daardoor ook eerder de waarheid vertelden.

'Zoals ik door de telefoon al heb verteld, onderzoeken we de moord op Georg Laurelius,' zei Ard terwijl hij naar de lange, blonde man keek.

Ard begon bewust niet over Kerstin Johansson. Die koppeling was gelegd door de media.

'Ja?'

'Jullie waren compagnons?'

'Compagnons? Dat doet denken aan de tijden van de groothandelaars, commissaris.'

Kameraden dan, meneer Björcke? Nee, dat was geen goed begin.

'Hoe zou u de zakenrelatie tussen jullie willen omschrijven?'

'Georg Laurelius werkte voornamelijk als adviseur, commissaris.'

'Wat houdt dat in, concreet gezien?'

'U wilt weten wat een adviseur doet?'

'Ik heb er een idee van wat een adviseur doet. Maar wat deed Laurelius als adviseur?'

'Hij beschouwde zichzelf vooral als een "troubleshooter", een probleemoplosser dus.'

'Dat betekent het woord inderdaad.'

'Sorry?'

'Niets. U zegt dat hij zichzelf beschóúwde als een probleemoplosser?'

Björcke keek naar buiten en leek even na te denken. Misschien keek hij uit naar een van zijn boten?

'Als ik het zo mag zeggen verdeed Laurelius het grootste deel van zijn tijd met het oplossen van zijn eigen problemen.'

'Hoe bedoelt u dat?'

'Hij was in financiële problemen geraakt, zoals zoveel anderen. Hij was net bezig met een grondige reorganisatie van zijn bedrijf toen hij... toen hij stierf.'

'Had hij veel vijanden?'

'U gaat er dus van uit dat hij vijanden hád, commissaris.'

Ard zag een glimlach in Björckes ogen die zijn mond niet bereikte.

'Een zakenman op uw niveau zonder vijanden? Dat is niet waarschijnlijk.'

'Wie heeft gezegd dat we ons op hetzelfde niveau bevonden?'

Ard negeerde de vraag en liet hem zachtjes op het mooie oriëntaalse tapijt neerdalen. Het patroon was onnavolgbaar op de plek waar hij stond, de kleuren fel.

'Het wordt een lang gesprek als u ook vragen gaat stellen.'

'Misschien kunt u uw vragen anders formuleren, commissaris Ask.'

'De naam is Ard, zoals u weet. Deed Laurelius zaken waarmee hij vijanden gemaakt kan hebben?'

'Als u het woord "vijanden" in dit verband definieert, kan ik misschien antwoord op de vraag geven.'

Ards ervaring als misdaadonderzoeker en rechercheur en verhoorleider werd op de proef gesteld, en hij zuchtte stil en onmerkbaar.

'Heeft hij zaken gedaan waarbij hij iemand zwaar benadeeld heeft?'

'Niet voor zover ik dat weet.'

'Hoe vaak sprak u hem?'

'Bijna nooit.'

'Hij zat in het bestuur van uw bedrijf.'

'Dat klopt maar gedeeltelijk.'

Durfde Fredrik Björcke te liegen over een kwestie die zo gemakkelijk te controleren was? Hij was ervan overtuigd dat hun informatie up-to-date was.

'Zat hij niet in het bestuur?'

'Een tijdje, maar dat heeft niet lang geduurd.'

'Waarom niet?'

'Ik ben niet verplicht om daar antwoord op te geven. Is het belangrijk? In dat geval moet ik even nadenken en een paar telefoontjes plegen.'

'We onderzoeken een moord.'

'De rol van het slachtoffer in mijn bestuur heeft niets met zijn dood te maken.'

Ard stond op het punt om 'laat ons dat maar bepalen' te zeggen, maar hij hield zich in.

Hij bedacht dat Björcke hem niet had gevraagd om te gaan zitten. Hij vroeg zich af waarom. Of had hij dat wel gedaan? Hij vroeg zich ook af waarom Björcke zich zo vijandig gedroeg.

'U weet niet of Laurelius bedreigd werd?'

'Natuurlijk niet.'

'Komt dat nooit voor?'

'Niet voor zover ik dat weet. Bedoelt u een dreigement met betrekking tot ingetrokken kredieten, faillissementen, naheffingen?'

'Hij praatte nooit met u, of met iemand anders, over fysieke dreigementen tegen hem of zijn gezin?'

'Zoals ik al zei, zagen we elkaar nooit. Ik weet niet of iemand anders zoiets heeft gehoord,' zei Björcke.

Ard besloot het over een andere boeg te gooien. Hij liep naar het raam en keek uit over het spaarzame verkeer op de rivier. De *Stena Nordica* gleed langs op weg naar zee, hij zag de mensen op het zonnedek als kartonnen silhouetten tegen de melkwitte, hete hemel. Niemand leek te bewegen. Het was alsof iemand hen daar had neergezet voor een parade door de stad.

Hij draaide zich om.

'Laurelius' reorganisatie is mislukt.'

'Ik heb gehoord dat hij op de goede weg was, maar de patiënt is helaas overleden.'

'Hoe is dat bij u gegaan?'

'Dat lijkt op dit moment goed te gaan, maar dat kun je nooit zeker weten.'

'U hebt uw onroerend goed verkocht?'

'Het weinige dat ik had.'

'En nu handelt u in textiel? Kleding?'

'U hebt zich goed voorbereid, commissaris Ard.'

'Lukt dat, in tijden van een textielcrisis?'

'De textielcrisis is voorbij. En mijn leveranciers hebben nooit een textielcrisis gehad.'

'En wie zijn dat?'

Fredrik Björcke leek de vraag in eerste instantie te negeren. Na een paar seconden wees hij naar een grote, ronde trommel die aan de muur hing. Ard had dat soort trommels gezien. Zou die uit Afrika afkomstig zijn?

'Dat is een cadeau van een van hen, een fabrikant uit Madras. De trommel is afkomstig uit Bangalore, dat in het binnenland ligt. Het is een klassiek instrument.'

Ard liep ernaartoe en bekeek het slaginstrument met belangstelling. Björcke ging naast hem staan.

'Soms haal ik hem 's nachts van de muur en speel ik er even op.'

Ard keek naar hem.

'Bent u goed in raga's?'

'Nee, in blues, Bangalore-blues.'

Ard transpireerde in de lift naar beneden, de zon scheen als een soldeerlamp door het dunne glas. In Björckes kantoor was het koel geweest. Het contrast was groot.

Ard dacht na over iets wat Björcke had gezegd... of misschien niet had gezegd. Hij liep naar het parkeerterrein in de Första Långgatan met een onaffe gedachte als een wazige contour in zijn hoofd. De thermometer boven Masthugget gaf 39 graden aan. Sten Ard keek naar de gele cijfers op de zwarte achtergrond. Ze sprongen op 15.44 en daarna weer op 39.

Ik heb gehoord dat hij op de goede weg was, had Björcke gezegd nadat hij had beweerd dat hij nauwelijks iets over Laurelius wist. Was het normaal dat je op de hoogte bleef van elkaars bezigheden? Op welke goede weg was Laurelius geweest? Sten Ard had de tegenstellingen document na document bestudeerd. Georg Laurelius was met ingewikkelde zaken bezig geweest, die waren geëindigd in een kille steekpartij. Hij had faillissement na faillissement meegemaakt, en Ard vond het eigenaardig dat iemand hem als adviseur had aangenomen terwijl hij de liquidaties in zijn zwarte aktetas met zich mee leek te dragen. *Hij was op de goede weg.* Daar hadden ze anders geen tekenen van gezien. Zou hij teruggaan om Björcke ernaar te vragen? Het resultaat daarvan zou echter zijn dat de man zijn mond dichthield en hem naar zijn advocaat verwees. Ze zouden het via de formele weg moeten doen. Het was beter om een dag te wachten, dacht Ard.

Hij brandde zich aan het slot toen hij het portier opende.

Sten Ard draaide zich om op zijn stoel om achteruit te rijden, maar moest wachten omdat er mensen met zware tassen van Göteborgs Grönsakshus achter zijn auto langsliepen. Ard had dorst. Hij zette de motor uit, stapte uit en liep naar de groentewinkel die er aan de buitenkant uitzag als een gecamoufleerde hangar. Hij kocht een pak vers geperst koud wortelsap en dronk dat op. Het was lekker en hij had bovendien het gevoel dat hij iets voor zijn lichaam deed. Wortels zaten toch vol vitamines?

Voor het rode verkeerslicht bij het Järnplein wist hij het ineens. Sten Ard reed een meter naar achteren en dwong de auto achter hem hetzelfde te doen. Hij zwaaide bij wijze van bedankje en sloeg rechts af naar de Linnégatan. Hij reed in het dichte en langzame middagverkeer naar het Linnéplein en daarna de Dag Hammarskjöldsleden op. Het verkeer reed hier ook langzaam, alsof de benzine onder het gloeiende plaatijzer het hart onder de motorkap maar met moeite gaande kon houden.

Ard sloeg af bij het Slottspark en reed langs de groene long van de stad die open en groen in de geglazuurde lucht lag. Hij zag de kinderen in de verte onder de douches staan. Een paar vrouwen waren de vijver ingelopen en stonden tot hun kuiten in het water. Ze zouden daar uren kunnen staan.

Hij reed door de stille Kungsladugårdsgatan naar het Mariaplein en daarna door de Älvsborgsgatan in noordelijke richting. De brede laan was het antwoord van de westelijke stadsdelen op de Avenyn, de mooie laan die zo speciaal was voor deze stad. De Japanse en Amerikaanse toeristen die er met de bus doorheen reden, keken met grote ogen om zich heen. Soms ging een van de mannen staan en salueerde met een fles.

Sten Ard parkeerde bij de stropdassenfabriek en liep de heuvel op. Bovenop was het gras geel en droog.

Tussen de huisjes van het volkstuinencomplex bood de schaduw koelte en een beetje vochtigheid. Het was geen probleem om een zomer zoals deze hier door te brengen, zo dicht bij de natuur als in een stad mogelijk was.

Hij vond Adam Kieowsky bij zijn konijnenhokken. Hij had ze schoongemaakt en had de konijnen vers stro en water gegeven. Koolloof en het groen van wortels lagen in een cirkel om hem heen. Kieowsky keek op toen de stevige man in het lichtgekleurde pak door het loshangende hek naar binnen stapte.

'Meneer Kieowsky...'

'Zeg maar Adam, commissaris.'

'Je herkent me dus.'

Adam Kieowsky rechtte zijn rug en trok een pijnlijk gezicht. Hij zette de gieter op een ijzeren tafeltje met drie poten.

'Waar is je collega?'

'Ergens anders.'

'Ik dacht dat jullie altijd met zijn tweeën met mensen praatten. De slechte en de goede.'

'Dat gebeurt alleen in films.'

'Ik kijk bijna nooit films.'

'Misschien gebeurt dat ook in boeken.'

'Zou kunnen.'

Ard liep een stukje de tuin in en keek in een van de hokken. Een groot zwart konijn keek met een verwijtende blik in zijn ogen naar hem en at daarna verder.

'Je moet me verontschuldigen dat ik zomaar langskom, Adam. Maar er is iets waar ik je de vorige keer dat we elkaar zagen niet voldoende vragen over heb gesteld.'

'Ja?'

'Ik hoop dat het geen probleem is als ik nog wat vragen heb?'

'Dat is prima.'

'De vrouw die je die ochtend zag... Je dacht dat ze ouder was... Weet je dat heel zeker?'

'Zoals ik al zei leek het een rijpe vrouw.'

'Waarom dacht je dat?'

'Eigenlijk was het alleen een indruk, een vermoeden. Ik ben goed in vermoedens. Ze droeg een sjaaltje rond haar hoofd, maar dat zou een man natuurlijk ook kunnen doen.'

Ard zocht weer oogcontact met het konijn, maar dat at rustig verder.

'Heb je er nog over nagedacht? Het kan geen man geweest zijn?'

'Het is natuurlijk mogelijk om je te vermommen. Maar waarom zou je dat zo vroeg op de ochtend doen?'

'Om getuigen te misleiden. Daar ben je zelf een voorbeeld van.'

'Nee. Ik geloof niet dat het een man was. Maar dat weet ik natuurlijk niet zeker. Misschien was het hoe ze liep...'

'Hoe ze liep?'

'Heb ik dat niet gezegd? Nee, dat heb ik vast niet gedaan...'

'Wat was er met haar manier van lopen?'

'Ze liep voorovergebogen, dat zag ik omdat ze een stukje achter de anderen liep.'

'Je was eerder onzeker over de lengte.'

'Dat komt omdat ze licht voorovergebogen liep, maar ik denk dat ze lang was.'

32

Adam Kieowsky nam de tijd tijdens de confrontatie. Hij wist het niet zeker, maar hoeveel wisten dat wel? Sten Ard wist dat als een getuige die onzeker was uiteindelijk iemand aanwees, het vaak de juiste was, de schuldige.

De getuige keek lang naar de vrouwen.

'Mag ik ze van opzij zien?'

'Natuurlijk.'

Kieowsky bekeek ze van opzij. De politievrouwen deden hun best om er schuldig uit te zien. Kajsa Lagergren zag eruit alsof ze de kat had verdronken en daarvan had genoten. De korsten in haar gezicht gaven haar een *down-and-out-look* die de Pool niet kon misleiden maar die toch een bepaalde couleur locale aan de bijeenkomst gaf.

'Vrouwen zijn tegenwoordig lang.'

De getuige zei het voornamelijk tegen zichzelf. Ard keek naar Kieowsky. Hij droeg een spijkerbroek, een rood-wit geblokt overhemd en stevige schoenen, en had wit haar en scherpe ogen. Drieënzestig jaar, met een leven dat in tweeën was gedeeld: voor zijn tiende en na zijn tiende levensjaar. Hij liep met voorzichtige stappen, alsof het gevaar nog steeds op de benedenverdieping loerde, alsof het geluid van schoenen op de trap zou klinken nadat het gegil beneden zo abrupt was opgehouden alsof er een radio was uitgezet. Daarna had hij nog een heel leven geleefd. Zou dat Ard ook gelukt zijn?

'Ik weet het niet.'

'Neem alle tijd die je nodig hebt.'

'Dan weet ik het nog niet zeker.'

'Je hebt ze voorovergebogen gezien.'

'Dat helpt niet. Stel je voor dat ik een onschuldige aanwijs.'

'Dat maakt niet uit. Wie onschuldig is, is onschuldig.'

'Dat heeft niet altijd geholpen.'

Adam Kieowsky draaide zich om naar Ard.

'Er is iets met een van hen... iets aan de houding... of het haar misschien.'

'Neem alle tijd die je nodig hebt. Zullen we ze vragen om nog een keer te draaien?'

'Nee, het is goed zo. Kan ik iets te drinken krijgen?'

Ard schonk een glas mineraalwater in van het blad dat voor hem op tafel stond. Hij gaf het glas aan de man.

'Er is iets bekends aan die vrouw... nummer vier. Maar ik kan haar net zo goed in de heuvels tegengekomen zijn, of waar dan ook. Ik kan onmogelijk zeggen dat zij het is.'

Lea Laurelius keek op alsof ze door de spiegel kon kijken. Alsof ze had gehoord wat de man had gezegd.

De Andra Långgatan is met vijf pornoclubs Göteborgs straat van de zonde. Dat waren er meer geweest voordat het westelijke deel van de straat was gesaneerd. Het is een interessante straat, vooral het stuk tussen de Värmlandsgatan en het Järnplein. Er zaten antiekwinkels, Libanese, Chinese, Indische en Thaise restaurants, een café met eten uit het voormalige Joegoslavië, gespecialiseerde boeken- en cd-winkels, een behandeltehuis voor zware drugsverslaafden, cafés voor de alternatieve jeugd en een hotel dat al veel gasten had zien komen en gaan.

Kajsa Lagergren stond voor Club Crazy op haar afspraak te wachten met de geur van koriander in haar neus. Ze stond recht onder het open keukenraam van restaurant Mogul. Ze zag een jonge Indiase vrouw bij Red Fort Takeaway naar buiten komen, dat recht tegenover het restaurant lag. De vrouw stak de straat over en ging naast Kajsa onder het raam staan. Een man met een koksmuts op keek naar buiten en reikte haar een brede, lange schotel afgedekt met folie aan. Een hoek van de folie was open en Kajsa Lagergren rook de zoetige, sterk aromatische geur van de roodglanzende stukken kip die zichtbaar waren. De tandoorikip werd gevolgd door een schaal warm brood. *Don't forget the nan,* hoorde ze de man zeggen. De vrouw liep terug naar Red Fort Takeaway met de schotel kip op haar hoofd en het brood onder haar arm. Zo moest je spullen dragen.

Een forse man in een bruine kaki broek en een wit katoenen overhemd kwam Club Crazy uit lopen en stak zijn hand naar haar uit. 'Janne Lord,' zei hij. Zijn haar was kortgeknipt en overeind gekamd, zijn ogen lichtblauw met geprononceerde wenkbrauwen, de huid gespannen en gerimpeld als van een verstokte roker. Hij droeg een ketting om zijn hals waarvan ze aannam dat die van goud was.

'Politie?'

Hij glimlachte en ze rook een zwakke geur van alcohol in zijn adem. Het kon natuurlijk een glas licht bier zijn geweest, dat hij minuten voordat hij de scherpe schaduwen van de straat op gelopen was, had gedronken. Zijn vraag stelde hij op een heel normale toon, alsof ze een postbode of koerier was.

Dit was een man die zich niet gemakkelijk liet afschrikken. Niet door de politie en niet door politici, of door de feministen die zich regelmatig in de Andra Långgatan verzamelden voor hun protestacties tegen de zonde.

Kajsa Lagergren had zich nooit bij zo'n groep aangesloten, maar ze voelde verachting voor het werk van de man en ze voelde zich gekwetst: hij zou haar lichaam zien als een stuk vlees zoals dat op foto's en in films werd getoond.

'Kajsa Lagergren, rechercheassistent.'

'Assistent? Van wie?'

De man glimlachte. Hij had mooie, witte, dure tanden, zorgvuldig gemonteerde kronen.

'Ik wil graag een paar vragen stellen. Hebt u een kantoor?'

'Jazeker.'

Hij hield de deur open en ze liepen een grote open ruimte in met een kassa op een toonbank. Ze zag rekken met tijdschriften en videobanden langs de muren, en achter in de ruimte een deur waarop BIOSCOOP stond. Links zag ze een rij deuren met bordjes met de tekst PRIVÉ. De verlichting was zwak. Een paar mannen liepen zwijgend tussen de rekken door, iemand sloeg een tijdschrift open en bladerde er zwijgend in. De muziek, een nummer dat ze niet kende, stroomde luid uit de geluidsboxen aan het plafond. Het viel haar op dat geen van de mannen opkeek. Was het een moment van schaamte om hier rond te lopen?

Terwijl ze door de zaal liepen ging een van de privédeuren open. Er kwam een man naar buiten, die tegen haar aan botste, 'sorry' mompelde en daarna snel Club Crazy uit liep. Ze zag een kleine kamer met een videoscherm waarop naakte huid in beweging werd vertoond, en hoorde een toe- en afnemend *ahh ahh ahh ahh ahh*. Aan de muur zag ze een muntinworp en een rol toiletpapier aan een stuk staaldraad. Op de grond stond een prullenbak.

Ze voelde zich plotseling heel misselijk, alsof ze tijdens een snelle en hobbelige autorit had geprobeerd om documenten te lezen.

'De aftrekcabines zijn populairder dan ooit,' zei Janne Lord, nog steeds als een droge mededeling. Voor hem zijn het gewoon zaken, dacht ze, het woord of de handeling heeft geen enkele betekenis voor hem.

Hij liet haar binnen in een kleine kamer zonder ramen. In het midden stonden een kleine tafel en een leren bankstel. Aan de muren ontbraken schilderijen of andere versieringen. Naast een van de fauteuils stond een vloerlamp die een krachtige lichtcirkel verspreidde. Op de tafel lag een stapel pornografische tijdschriften, een ervan lag opengeslagen en ze zag een heel persoonlijke handeling gevangen in uitstekende scherpte.

Janne Lord praatte een hele tijd, maar hij wist niet veel over Georg Laurelius' laatste 'avontuur'.

'We hebben dat restaurant een halfjaar lang samen gerund, maar daarna zijn we allebei onze eigen weg gegaan.'

'Zijn oude contacten moeten met elkaar gepraat hebben over wat er met hem is gebeurd.'

'Niet echt. Als ik eerlijk ben geloof ik niet dat er iemand is die om hem rouwt.'

'Dat zijn harde woorden.'

'Het is een harde wereld. En Laurelius wilde een harde man zijn.'

'Wílde?'

'Hij werd niet altijd serieus genomen, en dat besefte hij. Daardoor probeerde hij nog harder te zijn.'

'Op welke manier?'

'Daar geef ik geen commentaar op.'

'Hebben we het nu over ernstige zaken?'

'Je weet natuurlijk dat ik mensen ken die anderen kennen die op hun beurt iemand kennen die op een moment van zwakte iets van een vriend heeft geleend en het daarna vergeten is terug te geven. Dat soort mensen. Als ik je vertel dat Georg dat soort mensen kende, beginnen ze zich misschien af te vragen waarom ik dat aan jou heb verteld.'

Ze keek vluchtig naar een van de vrouwen op de foto in het opengeslagen tijdschrift. Waarom zag ze er zo ademloos mooi uit?

'Hij kende dus personen die slordig waren met geleende dingen teruggeven?'

'Dat zijn we allemaal.'

'Kun je me daar nog iets meer over vertellen?'

'Laten we zeggen dat hij steeds stoerder wilde zijn. Dat is niet goed. Het is ook niet goed als er mensen worden vermoord in het kleine, vredige Göteborg. Dat leidt ertoe dat de politie en andere belangstellenden hiernaartoe komen om vragen te stellen.'

'En daarom wil jij nu helpen?'

'Daarom wil ik nu rust hebben, maar ik weet niets. Ik kan je echter wel vertellen wat ik vermoed. Ik geloof niet dat een van Georgs eh... zakenrelaties zo stom is geweest om hem te vermoorden. Wie zou daarbij gebaat zijn?'

Toen ze ging staan hield hij drie tijdschriften omhoog en glimlachte.

'Neem een paar tijdschriften mee. *On the house.*'

Ze keek op hem neer en zag zijn mooie witte tanden weer.

'Nee, dank je. Als ik belangstelling zou hebben om naar urinebuizen te staren, was ik gynaecoloog geworden.'

De bruine envelop stond tegen een sandaal aan op zijn korte kant. Hij bukte zich om hem te pakken, nam hem mee naar de keuken en legde hem op de tafel. Daarna deed hij koffiepoeder en melk in een beker en goot er even later heet water op. Hij opende de envelop, las het vel papier dat erin zat en floot. Hij dacht heel even na terwijl hij van zijn koffie dronk. Daarna stond hij op, liep de slaapkamer in en pakte de telefoon.

'Politiebureau, goedenavond.'

'Commissaris Sven Holte graag.'

'Wie kan ik zeggen dat het is?'

'Wide, Jonathan Wide.'

Het bleef even stil.

'Commissaris Holte neemt niet op.'

'Dank je.'

Wide liep naar het nachtkastje – *Neem jij dat maar, ik koop toch een nieuw bed* – trok de la open en haalde er een klein, zwart adressenboekje uit. Hij liep terug naar de telefoon.

Na zeven keer overgaan hoorde hij op het moment dat hij wilde ophangen dat er opgenomen werd.

'Holte.'

Wide stopte in zijn beweging.

'Met Jonathan Wide.'

'Wat?'

'Jonathan Wide, voormalig inspecteur in je leger.'

'Ja, ik herinner me je, Wide.'

Het klonk alsof Holte door een trechter praatte. Wat was er met hem gebeurd gedurende het jaar dat voorbij was gegaan?

'Ik wil je spreken.'

Het bleef stil aan de andere kant van de lijn.

'Hallo, Holte...'

'Ik ben er nog. Waarom wil je me spreken?'

Waarom wilde hij een man spreken die er de oorzaak van was dat hij bij de politie was weggegaan? Het was een goede vraag. Holte wist het antwoord zelf.

'Je kent het antwoord.'

'Ben je dronken, Wide?'

'Mogelijk dronken van kennis. Wil je dat ik daar door de telefoon het een en ander over vertel?'

'Ik weet verdomme niet waar je het over hebt.'

Het werd weer stil.

'Maar kom voor mijn part maar naar mijn huis. Je kent het adres.'

Wide parkeerde voor jazzclub Nefertiti en liep de brug over het kanaal over. De warmte was erger dan ooit. Het kostte moeite om adem te halen en de lucht kleefde zwaar aan hem vast, als natte watten. Rondvaartboot

Paddan gleed onder de brug door voor haar laatste vaart, het meisje voorin vertelde over de stad. Hij voelde bewondering voor haar enthousiasme en voor de nieuwsgierigheid van de passagiers. Het schoot hem te binnen dat hij nog nooit met zijn kinderen in de *Paddan* had gezeten.

Hij verlangde plotseling heel intens naar hen, naar de dagelijkse nabijheid, hij wilde geen vader zijn die voortdurend afscheid van hen moest nemen.

De bel echode alsof die in een lege ruimte klonk, en er werd niet opengedaan. Uiteindelijk pakte Wide de deurkruk en trok eraan. De deur was niet op slot. Hij liep een verlaten, ruime hal in waarin het normale beeld van kleren op een rij en op planken ontbrak. Aan een kleerhanger hing een dunne grijze jas. Eronder stonden twee paar schoenen, alsof de flateigenaar vier benen had. De hal lag in het donker, en hij zag nergens een lichtschakelaar.

'Kom binnen, Wide.'

De stem kwam uit een geluidsbox. Wide deed de deur achter zich dicht en liep door de hal naar een kamer aan de linkerkant die werd verlicht door het gestreepte, zwakke licht dat door de jaloezieën naar binnen sijpelde. Holtes gestalte tekende zich af tegen het raam. Wide kon zijn gezicht niet zien.

'Ga zitten.'

Wides ogen pasten zich aan het halfduister aan. Hij zag de stoel bij het bureau en ging tegenover Holte zitten. Er lagen geen papieren op het bureau. Zo was het altijd geweest, de commissaris had zijn bureau altijd leeg gehouden. Wide had daar bewondering voor.

Het enige wat op het bureau lag was een politiewapen.

'Hier zijn alleen Walther en ik.'

'Je bent niet in hetzelfde tempo gemoderniseerd als de anderen in het korps.'

'Ik ben nooit van mijn Walther gescheiden.'

'Dat begrijp ik. Het past bij je. Weet je dat de naam afkomstig is van het Duits voor "macht" en "hier"?'

'Ben je hier om Duits te praten, Wide?'

'Nee, ik ben hier om Deens te praten.'

Wide zag hoe het krachtige gezicht van Holte vertrok.

'Nu begrijp ik waarom je me altijd hebt gehaat.'

Holtes gezicht was weer bewegingloos.

'Leg uit.'

'Ik ben bezig geweest met bronnenonderzoek. Dat leek eerder geen nut te hebben, maar de gebeurtenissen van de laatste tijd hebben me zover gekregen dat ik daar toch aan ben begonnen. Frederikshavn, tijdens de oorlog. We zijn daar allebei op onze eigen manier bij betrokken geweest.'

Sven Holte leunde naar voren.

'Die verdomde opa van je.'

'Het oorlogsarchief in Århus had alle namen. Ik ben er geweest.'

Wide keek naar het wapen. Wilde Holte hem bang maken? Of had het een andere bedoeling?

'Dan weet je wat er is gebeurd. En later?'

'Je hebt het nooit kunnen vergeten, Holte.'

'Hoe moet je zoiets vergeten? Mijn eigen vader?'

'Waarom nu?'

'Waarom wat?'

'Je hebt me een dreigement gegeven dat ik steeds meer vertaal als iets anders. We hebben het over criminele handelingen. Iemand anders dan jij kan er niet achter zitten, ik geloof niet dat iemand anders weet wat er in de oorlog is gebeurd.'

'Je bent wel degelijk dronken, Wide.'

'Op dit moment niet.'

'Jouw familie heeft mijn leven verpest voordat ik er eenmaal aan begon. Verlang niet van me dat ik je daarom ooit mag.'

Wide gaf geen antwoord. Hij zag een beweging achter het raam tegenover hem, een reflex... Alsof de dalende zon een klok aan de muur had gezocht en die een halve seconde liet opflitsen. Hij was één moment ontzettend bang.

'Heb je het gevoel gehad dat er op je wordt gelet, Holte?'

'Waar heb je het over?'

'Heb je het gevoel dat je wordt geschaduwd?'

'Natuurlijk niet, verdomme,' zei Holte. Tegelijkertijd zag Wide dat er aan de overkant van de straat een raam op een kier werd opengezet. Hij zag een snelle beweging achter het raam en hoorde meteen daarna vlak achter elkaar het scherpe, tingelende geluid van twee brekende ramen. Hij begreep bij het eerste geluid al wat het was en bukte zich snel. Holte bleef zitten. Wide gleed van zijn stoel en kroop naar links, buiten bereik van het raam, waarna hij half ging zitten.

Holtes gezicht bewoog heftig. Een donkere vlek verspreidde zich over de voorkant van zijn lichte overhemd. Hij leunde naar voren maar bleef achter zijn bureau zitten. Het leek alsof hij zijn revolver probeerde te pakken, maar Wide wist het niet zeker. Hij wist echter zeker dat Holte zwaargewond was.

Wide kroop snel naar Holte toe en trok de zware man van zijn stoel. Hij ademde kort en onregelmatig, alsof hij met uiterste inspanning probeerde een blaasbalg aan de gang te houden. Wide keek om zich heen en zag een klein blauw kussen op een van de donkere fauteuils. Hij tijgerde ernaartoe en pakte het terwijl hij zich verbaasde over dit elegante element in de sobere, mannelijke kamer.

Hij trok zijn overhemd uit, drukte het kussen tegen Holtes borstkas, in zijn borstkas, en bond het overhemd er stevig omheen. Daarna voelde hij zijn pols. Zijn hartslag was zwak.

Hij belde het vertrouwde nummer. Intussen bleef hij druk op Holtes borstkas uitoefenen. Na een tijdje hoorde hij de sirenes steeds dichterbij komen en met een laatste gejank onder het kapotte raam verstommen.

Hij deed zijn ogen dicht en zag een rode sluier over het zwart trekken.

'Wide! Ben je hiernaartoe gekomen om te slapen?'

Hij deed zijn ogen open en zag Holte op zijn stoel zitten, zijn schouders opgetrokken, het krachtige gezicht intact en zijn borstkas wit. Er stond een slogan op het tricot shirt boven de linkertepel: *geef bloed*. De laatste letter had de vorm van een bloeddruppel.

Maar het visioen… en de eerdere droom… Was er iets met zijn hoofd gebeurd toen hij die klap had gekregen? Had hij echt heel even geslapen?

'Ik ben nogal vermoeid na wat er een paar weken geleden bij mij thuis is gebeurd.'

'Dat kan ik me voorstellen. Je stond vroeger al bekend om je drankgebruik.'

'Je weet waar ik het over heb, Holte.'

'Ik heb er verdomme geen flauw idee van. Verdwijn, Wide. Je bent helemaal in de war.'

'Ik heb je daarstraks een vraag gesteld. Heb je het gevoel dat je gevolgd wordt?'

'Niet voordat jij me dat vroeg.'

'Een paar jaar geleden ging het gerucht…'

Holte zei niets, maar Wide zag de zenuwen bij zijn ogen trekken, alsof hij probeerde een insect weg te knipperen.

'Je zou doelwit kunnen worden…'

'Dat soort roddels wordt meteen de kop ingedrukt.'

'Misschien niet door iedereen.'

'Verdwijn, Wide.'

Jonathan Wide kwam overeind en liep weg. Hij draaide zich in de deuropening om en zag dat Holte zich omdraaide om uit het raam te kijken, de matte glans van de revolver voor zich op het bureau.

33

Lea Laurelius gedroeg zich in elk opzicht alsof ze onschuldig was. Hij had er zoveel gezien, de schuldigen en de bijna-schuldigen, de meelopers en degenen die ernaast hadden gestaan, en degenen die in omstandigheden waren terechtgekomen waarom ze niet hadden gevraagd.

Sten Ard had voor de verplichte koffie in de verhoorkamer gezorgd, maar die had ze niet aangeraakt. De drank zou al snel afkoelen tot kamertemperatuur, wat betekende dat die nog steeds heet zou zijn.

'Hoe lang kunnen jullie me vasthouden?'

Uit haar sprak een kracht die erop wees dat de officier van justitie zich ernstig op haar had verkeken, dacht Sten Ard. Het viel hem ineens op dat haar gezicht bedekt was met sproeten, als gemalen koffie die zich in de wind had verspreid.

'Het hoeft niet lang meer te duren.'

'Wat bedoel je daarmee?'

'Er zijn vragen die je nog niet hebt beantwoord.'

Hij tutoyeerde haar en dat vond ze geen probleem.

'Ik kan ze niet beantwoorden.'

'Waar was je? Weet je dat niet?'

Ze maakte een gebaar met haar arm en stootte met haar elleboog tegen het koffiekopje. Het draaide zachtjes om zijn eigen as en viel daarna als in slow motion om. De donkere vloeistof stroomde over de tafel en daarna in een kleine straal op de vloer. Lea Laurelius keek naar hem en vroeg zich af waarom hij niets deed. Zij was nu niet de gastvrouw: hij was degene die moest opstaan om papieren servetten te halen om het vocht op te deppen.

Waar ze was geweest, was een privékwestie die niets met het onderzoek te maken had. Ze besefte dat dit het moment was om het toch te vertellen, maar wist ook dat het haar niet zou helpen. Ze was alleen geweest. Nee. Ze was nergens voor op de vlucht geweest. Op het moment dat de moord had plaatsgevonden, was ze alleen thuis geweest.

'Je bent overvallen.'

Sten Ard dacht aan het verhaal van Wide.

'En je hebt hulp gekregen.'

'Ja. Of liever gezegd, ik heb om hulp gevraagd en die kreeg ik inderdaad.'

'Ik heb gepraat met degene die je heeft geholpen.'

'Mooi. Dan hoeven jullie niet meer met mij te praten.'

Het was lunchtijd geweest en hij had nog steeds geen honger. Hij had de hele ochtend koffie gedronken en dat was niet goed. Koffie was als een zenuwgif rond het armzalige gebakje met glazuur dat hij tijdens zijn wandeling door de smalle gangen had gegeten. Hij voelde hoe zijn circulatie verminderde als hij die verdomde koffie naar binnen goot en hoe zijn vingers licht prikten. Hij huiverde ondanks de hitte. Er zat een onrust in zijn lichaam en een kou in zijn gewrichten die hij herkende van de tijd toen hij nog rookte. Het was een verslaving waarvan hij nooit los zou komen. Hij was een nuchtere roker. Of heette dat tabakist?

Boursé had de afgelopen dagen rusteloos door het kantoor gefladderd. Hij had met een eigenaardige blik in zijn ogen naar zijn collega's gekeken en was daarna verder gevlogen. Iedereen gedroeg zich vreemd deze dagen. Wie in het noorden was geboren, kon een tropisch bestaan in Scandinavië niet lang volhouden. In zuidelijke landen kon je je aan de warmte en de tradities aanpassen. Hier moest alles echter net zo effectief gebeuren als wanneer de temperatuur rond de twintig graden lag. Dat lukte niet. Als dat niet eens lukte tijdens normaal weer, hoe moest het nu dan wel lukken?

Boursé deed zijn ogen dicht en slikte. Sten Ard zag warmte-uitslag op zijn rechterslaap en zweetkringen onder zijn armen. Wanneer zouden ze toestemming krijgen om in korte broek en met een ontbloot bovenlichaam naar het werk te komen?

'Holte. Ik heb het over Sven Holte. Er is iets vreemds met hem.'

'Dat is geen nieuws.'

'Nee, Sten, deze keer is het anders. De man is bang.'

'Dat heb ik niet gezien. Ik heb hem trouwens al een paar dagen helemaal niet gezien.'

'Precies, hij is niet op het bureau geweest. En thuis wordt er niet opgenomen.'

'Hij is altijd zijn eigen gang gegaan.'

Ove Boursé trok aan zijn overhemd alsof hij het van zijn lichaam wilde trekken.

'Ik heb hem nog nooit zo gezien als nu, na de moord op Laurelius.'

Het was Sten Ard ook opgevallen. Hij had er alleen niets over gezegd. Hij had Calle Babington een tijd het portiek van Holte in de gaten laten houden. Het weinige dat er was voorgevallen was interessant genoeg geweest. Sten wilde dat voor zichzelf houden, in elk geval vandaag nog.

'Kun je je dat verhaal over Holte nog herinneren, van een jaar of tien geleden? Het gerucht dat zo snel de kop in werd gedrukt?'

'Over zijn leven en levenswandel buiten het politiekorps?'

'Het kleine beetje dat hij had.'

'Daar heb ik geen aandacht aan geschonken. Je weet dat ik niet graag naar roddels luister.'

'Ik geloof dat ik wat terug ga zoeken in de papieren. Als daar tijd voor is.'

Ard keek Boursé na. Zijn overhemd fladderde achter hem aan en het haar in zijn nek was vochtig.

Carlos Babington bevond zich aan de rand, zoals altijd. Was hij Ards persoonlijke assistent? Hij was dertig jaar en had het gevoel dat hij nauwelijks aan zijn leven was begonnen. Een vervelend baantje als bewaker, daarna de politieschool, waar hij zich zo lang mogelijk had onttrokken aan bodybuilding, het surveilleren in straten en op pleinen en zijn baan bij de recherche toen bleek dat hij niet dom was. Hij was er trots op geweest en had geprobeerd dat aan de vrouwen te vertellen die interesse in hem toonden, maar dat waren er maar weinig. Gelukkig in het spel, ongelukkig in de liefde, noemde hij het maar. Hij had een paar pogingen gewaagd bij Kajsa Lagergren, maar hij voelde zich altijd een tiener als hij bij haar in de buurt was. Wanneer was je volwassen genoeg om aantrekkelijk te zijn?

'Calle, we moeten nog een keer vragen gaan stellen aan de kunstenares en de chauffeur en het meisje dat hij naar het ziekenhuis heeft gebracht.'

'Maar... alles staat in de versla... verslagen.'

'Tot nu toe wel. Maar we hebben haar geen vragen gesteld toen ze bij bewustzijn kwam. We weten alleen dat ze tijdens een feest iets heeft binnengekregen. Misschien is er een connectie.'

'In de stad krijg je van alles binnen.'

'Ik wil met ze praten. Haal ze hiernaartoe.'

Kajsa Lagergren zat met Jeanette Forsell in een verhoorkamer met airco. Jeanette haalde een gekreukt pakje sigaretten tevoorschijn en wilde net een sigaret opsteken toen rechercheassistent Lagergren 'nee' zei.

'Nee?'

'Dat gaat niet in deze kamer. Die is te klein. En je ziet dat we geen raam open kunnen zetten.'

'Waarom niet?'

'Omdat de airco aanstaat. We zijn hier nu eenmaal niet zo gewend aan zulke temperaturen.'

'Nee.'

Ze stopte de sigaret zorgvuldig terug in het pakje, een handeling die overdreven leek met het oog op de conditie van het pakje. Kajsa Lagergren keek naar de smalle vingers van het meisje.

Jeanette had donkere schaduwen onder haar ogen, haar haar zat netjes, maar was wat piekerig. Ze droeg jeans, sandalen en een katoenen shirt dat duidelijk duur was geweest. Het zag eruit alsof het in het buitenland was gekocht. Wat haar het meest opviel was echter de geur die ze ophad. Die was heel bijzonder. Het was een parfum dat Kajsa Lagergren niet kende, intens en zacht op hetzelfde moment. Ze dacht dat ze onder meer sandelhout rook. Was het mogelijk om de geuren van een bazaar in Amman en een zomer in een Zweeds bos in één parfum te combineren?

'Ik wil dat je over je reis naar huis vertelt.'

'Waarom dat?'

Wat moest ze zeggen? Dat ze de informatie van haar moeder over mislukte telefoongesprekken moest controleren? Dat ze haar moeder vasthielden voor moord, maar dat ze daar helemaal niet zeker van waren?

'Het is routine, zoals ze dat noemen. We willen een helder beeld hebben.'

'Ik heb alles al verteld.'

'Het is ook routine dat we alles nog een keer doornemen.'

Ze haalde haar schouders op, stak haar hand uit naar het pakje sigaretten, maar bedacht zich en trok haar hand terug.

'Hoe ben je van Parijs naar huis gereisd?'

'Ik heb een jongen in een café ontmoet die naar het noorden zou gaan.'

Jeanette was een sociaal meisje, dacht Kajsa Lagergren. Cafés in Londen, cafés in Parijs, ontmoetingen met mensen die op het punt van vertrekken stonden. In haar eigen jeugd had ze dat zelf nooit echt meegemaakt, op een paar haastige zomers met de trein door Europa na, waarbij het tijd was om terug te gaan tegen de tijd dat je op de plek van bestemming was. Daarna was ze een paar keer met de auto naar het zuiden gereden. Ze was in Duitsland, Nederland, België en Frankrijk geweest, in Parijs en aan de Normandische kust.

'Vond je het niet eng om met hem mee te gaan?'

'Ik kan voor mezelf zorgen. En hij pikte nog een meisje op zodra we Parijs uit waren.'

'Hoe zijn jullie gereden?'

'Naar het noorden, zoals ik al zei. Naar de Franse grens en daarna België in.'

'Bij Valenciennes?'

'Val... Ja, zo heette het.'

'Was het niet moeilijk om in België te liften?'

'Nee, ik hoefde namelijk niet te liften. De jongen heeft ons in Duitsland afgezet.'

'Dezelfde dag?'

'Dezelfde avond, het was laat. Maar waarom is dat belangrijk?'
'Zoals ik al zei. Alles moet goed op papier komen te staan.'
Vanaf België Duitsland in? Dan waren ze bij Aken de grens overgestoken. Of ze waren een stukje door Nederland gereden en bij Maastricht de grens gepasseerd. Dat had ze zelf in 1986 gedaan.
'Het heeft geen zin dat je het me vraagt. Ik kan me niet herinneren hoe de stad heette.'
'Je was toch heel erg geïnteresseerd in paarden, Jeanette?'
'Jawel... nog steeds eigenlijk. Maar wat heeft dat hiermee te maken?'
'Die stad in Duitsland waar jullie geweest zijn... Kan dat Aken zijn?'
Ze zag dat het meisje een beetje bloosde.
'Inderdaad... dat ik dat vergeten ben! Ik weet dat ik eraan dacht toen we daar 's avonds arriveerden... De naam was immers zo bekend.'
'Waren er nog springwedstrijden terwijl je daar was?'
'Ik heb er niet naar geïnformeerd. We waren veel te moe.'
'We?'
'Ik, en dat... Duitse meisje. We deelden een kamer in het een of andere hotel. Vraag me niet hoe het heette, maar het was duur. Het lag buiten de stad. De volgende ochtend zijn we allebei een andere kant opgegaan.'
'Waar ging zij naartoe?'
'Ze zei dat ze uit Berlijn kwam, en ze wilde dat ik met haar meeging.'
'Heb je haar adres?'
'Ja... Dat heb ik thuis ergens.'
'Goed. Je bent dus naar huis gegaan. Hoe lang heb je daarover gedaan?'
'Drie dagen ongeveer, ik kreeg al snel een lift naar Hamburg en daarna door heel Denemarken naar Helsingborg.'
'Welke veerboot heb je genomen?'
'Dit lijkt wel een echt verhoor. Putt... Puttgarden heette het geloof ik, ik herinner me dat ik een hele tijd met een gezin in een auto in een rij heb gestaan. Ze hadden een kind dat heel veel herrie maakte.'
'En je hebt al die tijd niet naar huis gebeld.'
'Ik heb het natuurlijk wel geprobeerd, maar als ik belde werd er nooit opgenomen.'
Kajsa Lagergren zweeg even. Een kleine vogel, een mees misschien, sloeg met broze vleugelpunten tegen het raam. Vermoedde hij hoe koel het binnen was?
'Hoe was het?'
'Wat?'
'Hoe was het om na Engeland weer op het vasteland te komen?'
'Prettig.'
'En Bournemouth?'
'Daar was het niet prettig.'

'Je hebt toch zeker wel een paar leuke plekken gevonden? Cafés, discotheken? Of het strand?'

'Ja, misschien een paar.'

Kajsa Lagergren dacht na.

'Er is een leuk café aan de grote weg naar het strand… Hoe heet dat ook alweer… Southsiders… ja. Een verzamelplek voor studenten.'

'South… natuurlijk, daar zijn we een paar keer geweest. Maar er ging een gerucht dat het verplaatst zou worden.'

'Ben je in discotheek the Mouth geweest?'

'Dat kan ik me niet herinneren. Ben jij daar geweest?'

'Is niet iedereen weleens in Bournemouth geweest?' antwoordde Kajsa Lagergren met een glimlach.

'The Mouth… Juist ja, ik weet het weer… Die lag aan de rand van de stad.'

'Precies. En dat Italiaanse restaurant bijna op het strand, Palermo. Dat is er vast nog.'

Jeanette keek naar haar.

'Klopt. Ze serveren daar enorme porties spaghetti.'

'Dus niet alles was daar onprettig.'

'Nee, ik was met vrienden op die… plekken. Maar ik wilde weg.'

Waar naartoe dan, vroeg Kajsa Lagergren zich af terwijl ze in de mooie ogen van het meisje keek.

Het was mogelijk dat The Mouth en Palermo bij het strand van Bournemouth lagen, of aan de rand van de stad, maar Kajsa Lagergren wist niets over Bournemouth. Ze was er nog nooit geweest.

Linn Svanberg was op het feest geweest, maar was in een toestand geraakt waarin ze geen controle over zichzelf had gehad. Hoe lang had dat geduurd?

'Er waren zoveel vreemden.'

'Hoe ben je daar terechtgekomen?'

Sten Ard liet de taxichauffeur in een andere kamer wachten.

'Een vriendin van me was uitgenodigd, door een vriend van een vriend. We gingen er samen naartoe.'

'Dat was in West-Göteborg?'

'Een van die grote huizen in Askim.'

'Zou je het terug kunnen vinden?'

Ze keek hem weifelend aan. Haar blonde haar en gezicht pasten niet bij zware drugs. Maar welk gezicht deed dat wel, in het begin?

'Hoe zijn jullie ernaartoe gegaan?'

'Een man kwam ons halen en we hebben de hele weg ernaartoe gepraat. Ik heb niet opgelet, en plotseling waren we er.'

'Maar niet zo lang.'

'Wat?'

'Je bent er niet zo lang geweest.'

'Het voelde in elk geval niet lang. Ik heb met wat mensen gepraat en wat gedronken, maar niet veel.'

'En daarna... niets?'

'Ik kan me alleen nog herinneren dat iemand hard riep en dat we ergens naartoe gingen. En dat ik me net voordat ik de taxi aanhield iets beter voelde.'

'Ze hebben je dus in de stad afgezet.'

'Blijkbaar.'

'Wie?'

'Ik weet het niet.'

De jongen die haar naar het ziekenhuis had gebracht, had waarschijnlijk haar leven gered, maar hij kon helaas geen nieuw leven blazen in Ards onderzoek. Hij had niemand in de buurt van Kerstin Johanssons atelier gezien. Zijn atelier keek uit op de vesting.

Manfred Bergman en Linn Svanberg namen de lift naar beneden, die op de derde verdieping bleef staan. Jeanette stapte in. Niemand zei iets. De lift stopte op de begane grond en ze liepen naar buiten. Lea Laurelius' dochter liep snel het politiebureau uit, haar sandalen zachtjes op de enigszins zanderige vloer tikkend.

Linn Svanberg keek haar na. Wat een bijzondere geur... Ze had die geur al eens eerder geroken, één keer, iemand had achter haar gestaan... of gezeten... Niet lang voordat ze zich vreemd licht begon te voelen en delen van de kamer begonnen te verdwijnen.

Linn Svanberg liep de lift weer in en ging weer naar boven, met de verbaasde Manfred Bergman als een krachteloze lijfwacht op sleeptouw.

'Was het de vierde verdieping... en heette hij Ard?'

34

Sven Holte schoot zich op 18 juli rond acht uur 's avonds door zijn hoofd. Hij had de foto's verbrand en had tien regels op een vel papier geschreven, dat hij op het bureau liet liggen. Hij had de gordijnen niet dichtgetrokken. De laatste seconden had hij aan niets speciaals gedacht, behalve dat de Walther zwaarder dan anders voelde.

Een buurman hoorde het schot en belde de politie. Er reed een patrouillewagen over de Avenyn, die vlak erna ter plaatse was. Het duurde even voordat de agenten constateerden dat Holte nog leefde.

Op 19 juli om kwart voor twee trokken drie mannen glimmende wetsuits aan in het schijnsel van het nachtelijke licht van de stad en lieten zich daarna in het koele, donkere water zakken. Lindholmen rustte uit na de warme dag, aan de andere kant van de rivier zagen de duikers de Masthuggskade en de terminal voor de veerboten naar Denemarken. Ze begonnen met krachtige slagen naar de veerboot te zwemmen, die omringd was door een dunne nevel. De temperatuur was plotseling gaan dalen.

De heroïne was verpakt in vier blauwe stoffen tassen en opgehangen aan speciaal vervaardigde trossen boven het roer van het achterschip. Het was alleen mogelijk om de ruimte van buitenaf te bereiken.

De mannen naderden de *Stena Danica* na een kalme zwemtocht en zouden net aan het werk gaan toen er een boot de haven binnenliep. Dat was niet gebruikelijk in de haven van Göteborg. Twee van de mannen klommen in de holte boven het anker terwijl de derde in het water bleef. Toen de schijnwerpers de veerboot bereikten, dook de man onder de wateroppervlakte.

Na drie kwartier konden de mannen de zakken losmaken en lieten ze zich weer in het water glijden. De zakken waren zo geprepareerd dat ze niet op het water dreven, om ontdekking in de steeds lichter wordende nacht te voorkomen.

Het oorspronkelijke plan was geweest om naar Frihamnen te zwemmen, maar plannen kunnen veranderen: een uur voor de operatie was besloten dat ze terug zouden zwemmen naar Lindholmen.

Er wachtte een auto op hen en de narcotica werd naar een flat in Brämaregården op Hisingen vervoerd. Het was de bedoeling om de drugs over te laden en een deel van de heroïne naar landen op het continent te transporteren; zo vond het transitverkeer van narcotica meestal plaats. Een naar verhouding groot deel zou in Göteborg blijven.

De heroïne die Zweden binnengesmokkeld wordt, heeft meestal een concentratie van meer dan negentig procent. De heroïne neemt zo minder ruimte in beslag, en de rechtbank houdt geen rekening met de concentratie als ze iemand voor een narcoticamisdrijf veroordelen. Een kilo heroïne met een concentratie van negentig procent wordt op dezelfde manier beoordeeld als een kilo met een concentratie van twintig procent.

Als de heroïne op straat wordt verkocht is de concentratie zo'n vijftien procent, soms twintig.

Terwijl ze in de flat in Brämaregården aan het werk waren, en nog voordat de duikers vertrokken waren, deed de politie een inval. De gebeurtenis was weinig opwindend. De politieovermacht was groot en de achteruitgangen werden bewaakt. De zes mannen in de flat reageerden kalm en beheerst. 'Win some, lose some,' zei een van hen toen ze naar de auto's werden gebracht.

'Het is onduidelijk of iemand aan boord van de heroïne wist,' zei officier van justitie Kaj Högberg twee dagen later in de *Posten*. 'De opdrachtgever is onbekend.'

'Eindelijk een doorbraak,' zei rechercheCommissaris Gert Fylke terwijl hij aan zijn hals krabde. 'En dat omdat die smerige verrader in ons korps uiteindelijk heeft besloten om verstandig gebruik te maken van zijn dienstwapen.'

'Met zulke taal kom je niet in de hemel.'

Sten Ard probeerde een lucifer in zo veel mogelijk stukjes te breken. Hij had het gevoel dat hij iets met zijn handen moest doen.

'Ik bén al in de hemel, commissaris Ard. Deze inval kan knopen losmaken waar we eerder vergeefs aan hebben zitten peuteren.'

'Heb je al een zwaard geprobeerd?'

'Wat?'

Ard had geen zin om er verder op door te gaan.

'Niets. Maar het is niet allemaal goud wat er blinkt. Er breekt een storm los als uitlekt dat een van de hoogste vertegenwoordigers van het korps betrokken was bij drugshandel.'

'Hij heeft boete gedaan voor zijn misdaad. En verder heb ik overal schijt aan.'

Ard was klaar met de lucifer en begon aan de volgende.

'Ik vraag me af wat hem ertoe heeft gebracht om het te doen...'

'Zichzelf neerschieten?'

'Nee, dat is duidelijk. Maar om er vanaf het begin bij betrokken te zijn...'

'Het enige wat ik kan bedenken is chantage. Holte heeft vorige keer ook bijna zijn Walther gebruikt.'

Gert Fylke maakte een gebaar alsof hij een pistool tegen zijn slaap drukte. Sten Ard keek met verborgen weerzin naar hem.

'Je bedoelt de geruchten over zijn homoseksualiteit.'

'Dat was niet het enige, verdomme. Er werd beweerd dat hij meer dan vriendelijk was tegen kleine jongetjes. Aan het eind wist niemand iets, maar een man van Interne Zaken heeft het over een reis naar Thailand gehad.'

Ards lucifer brak plotseling in het midden door met een knap waarvan hij bijna schrok.

'Hoe weet je dat?'

Fylke glimlachte, maar gaf geen antwoord. In plaats daarvan keek hij naar Ards handen. Hij kwam overeind en liep naar zijn collega om de lucifers van hem af te pakken.

'Ik moet staan. Na een tijdje zitten word ik zo verdomd stijf.'

'Dat geldt voor mij ook,' zei Ard terwijl hij het luciferdoosje op tafel legde. 'Misschien moeten we aan fitness gaan doen.'

Hij dacht aan sportinstructrice Bitt en haar krachtige lichaam. Zou hij zijn lichaam nog kunnen veranderen? Hij zag de bankadvertentie over pensioenen voor zich, met de vrouw met het dubbelzinnige glimlachje. 'Als u vijftig bent, dan is het nog niet te laat.' Of was het achtenvijftig? Dat kwam voor hem snel dichterbij, nu de dagen zo rap gingen.

'Dat redt mijn hart niet. En dan heb ik het niet over de training zelf. Weet je wat meisjes en jongens in de jaren zeventig in de VS met elkaar deden op sportscholen? En jongens met jongens?'

Ard wilde het niet weten.

'Tien regels. Hij vertelt niet veel.'

'Holte is een trotse, ijdele klootzak. Als hij namen had genoemd, zou hij zijn eigen naam ook door het slijk halen.'

'Hij leeft tenslotte nog.'

'Het is een wonder, maar daar blijft het bij. Als hij bijkomt, begrijpt iedereen dat er niemand meer thuis is.'

'Wanneer heb jij voor arts gestudeerd?'

Fylke lachte een krassende lach die zijn ogen niet bereikte. Ard keek naar het doosje lucifers, maar raakte het niet aan.

'Heb je deze keer geen ideeën over de opdrachtgever?'

'Hij kan in Bogotá of in Bangkok zitten.'

'Of hier in Göteborg.'

'Dat is mogelijk, maar dan in samenwerking met iemand in Bogotá of Bangkok.'

'Heb je over Fredrik Björcke horen praten?'

Fylke dacht even na.

'De naam komt me vaag bekend voor. Is hij geen importeur van kleding en stoffen en dat soort troep uit Azië?'

'Ja, hier en in Denemarken.'

'Bedoel je dat hij drugs invoert?'

'Ik weet het niet, maar het is een mogelijkheid. Het is een van de vele figuren van wie we niet goed weten wat we ermee aan moeten. Of misschien weten we het wel, maar kunnen we het niet.'

'Björcke... Tja, je moet weten dat zakenmensen binnen de smokkelarij-branche holtes nodig hebben om hun goederen in te stoppen, zoals...' Fylke lachte en Ard zei haastig 'ja, ja'. Hij stak zijn hand afwerend op en Fylke ging verder met zijn verhaal. '... holtes om de drugs in te stoppen dus. We hebben drugs gevonden in meubels uit Indonesië, en plastic buizen gevuld met drugs. Uit Bolivia kwamen een keer rotan meubels gevuld met narcotica, maar een slimme jongen bij de douane wist dat er in Bolivia geen rotan groeit, dus dat was onmogelijk.'

Ard luisterde geïnteresseerd. Het verbaasde hem.

'Een keer was de tabak uit sigaretten verwisseld voor wiet. Een andere keer was er een partij walnoten geopend, waarna de drugs erin waren gestopt en de partij weer was verpakt. Dat heeft trouwens in de *Posten* gestaan.'

'En lukt het jullie die zaken op te lossen?'

'Een deel, de drugshandelaren vinden nieuwe methodes en wij volgen. De douanerecherche werkt met hogere technologie, en dat is ook nodig. Het wordt steeds erger, vooral het zeetransport.'

Fylke dacht heel even na en keek toen op.

'Over zee gesproken... Hoe gaat het met je moord?'

Ard kwam overeind.

'We schuifelen bewust en vastbesloten vooruit.'

Ze liepen langzaam door het park van de Trädgårdsvereniging. Het was een paar mensen gelukt om de stoelen van de vereniging open te klappen. Ze zaten in de schaduw onder de bomen en zagen het water in het kanaal op weg naar de havenmond voorbij stromen. Het lawaai van het vakantieverkeer in de straten werd gedempt door de bomen in het park. Een jonge vrouw met twee kinderen legde een thermosfles, broodjes en flesjes frisdrank op een picknickdeken. Wide voelde dat hij heel veel dorst had, maar dat hij alleen frisdrank wilde, geen bier. Het gaf hem een gevoel van kracht.

'Het is dus een verwarrend verhaal.'

'Ze is slim, die Kajsa van je.'

'Ze lijkt op jou, ze grijpt terug op haar intuïtie als de feiten schaars en vaag zijn.'

Ard zag de jonge moeder iets uit de thermoskan schenken terwijl een van de kinderen met onvaste stappen in de richting van het kanaal liep. De moeder stond snel op en haalde het meisje terug, dat schreeuwde uit protest tot de moeder haar een broodje voorhield.

Wide zag een jongeman die tevergeefs probeerde een vouwstoel uit te klappen terwijl zijn vriendin steeds harder moest lachen.

'Ze is dus helemaal niet in Engeland geweest.'

'In elk geval niet in Bournemouth. We checken het op dit moment bij de school en het gastgezin.'

'Waarom in vredesnaam...'

'Jeugdig gevoel voor avontuur, een rebelse daad misschien. En een vriendin als stand-in met dezelfde rebelse inslag. Daar hebben we binnenkort de hele waarheid over.'

Wide dacht aan Pontus Nihlén en zijn protest tegen de wereld.

'Dus ze was in plaats daarvan ergens in een Europese lidstaat?'

'Daar lijkt het op, maar ook dat deel van het verhaal vindt Kajsa vaag.'

'Vaag? Je bedoelt dat ze daar ook niet is geweest?'

'Er is een andere mogelijkheid. Het kan zijn dat ze iets wist over haar stiefvaders praktijken en ervandoor is gegaan. Misschien was ze bang, misschien heeft ze iets gehoord...'

'Iets wat haar bang heeft gemaakt?'

'Iets wat haar doodsbang heeft gemaakt. Ze heeft haar moeder misschien met iemand horen praten.'

'Je weet wat ik van die theorie vind.'

'Je bent er gevoelsmatig bij betrokken.'

'Ik ben er intellectueel bij betrokken.'

Ard zag hetzelfde meisje weer richting het kanaal lopen. Hoe voedden ze kleine kinderen tegenwoordig op?

'Wie heeft Georg Laurelius dan vermoord?'

'Het gaat om een drugstransactie. Als er een vrouw bij betrokken was, dan is die nu weg. Maar ik geloof niet dat er ooit een vrouw is geweest. Je getuige heeft het verkeerd gezien.'

Ard hoorde muziek op het podium dat door het dichte gebladerte schemerde. Een kapel... Was het Cole Porter?

'Jonathan... Stel je voor dat ze de eventuéle plannen van haar moeder kende. Dat ze weet wie de man is. Dan is het niet zo vreemd dat ze uit de buurt bleef, op een geheime plek.'

'Ze is teruggekomen.'

'Ja.'

De muziek werd duidelijker toen ze dichterbij kwamen, het was als een lauw maar toch verkoelend bad in de warme lucht.

Het grind knerpte onder hun voeten toen ze langs het podium liepen. Wide rook een rozengeur.

'Ik heb een keer een documentaire gezien over een man uit Argentinië die als zeventienjarige in de gevangenis terechtkwam, een kind in de hel. Hij heeft het vreemd genoeg overleefd, maar hij heeft vijf jaar gevangengezeten.'

'Ja?'

'Hij woont nu in Zweden. Hij vertelde dat ze nooit muziek mochten luisteren. Na drie jaar, toen hij bezig was om de gevangenisgangen schoon te maken, dreunde er ineens muziek uit de geluidsboxen, twee nummers van The Beatles, en daarna was het weer stil. Deze man vertelde dat hij helemaal gek werd en door de gangen heen en weer begon te rennen, de muziek gaf hem zo'n ongekend, fantastisch geluksgevoel. Hij kon het niet verdragen.'

Ze liepen door het hek het park uit en sloegen rechts af, naar het Kungsportsplein.

Ard keek naar Wide.

'Ik wil dat jij met haar praat.'

Ard draaide zich naar hem om.

'Je gaat haar niet zelf verhoren?'

'Jawel, maar niet op dit moment. Jij hebt met haar gepraat en ik wil dat je dat nog een keer doet.'

Bij restaurant Atta Glas gingen ze ieder hun eigen weg. Wide liep naar zijn auto op het parkeerterrein bij het Kungsplein. Hij voelde een korte windvlaag door zijn haren en zag een witte wolkenflard als een smalle vinger in het westen aan de hemel opstijgen. Toen hij de Allén op was gereden en een beter zicht had, zag hij dat de wolkenvinger werd gevolgd door een hele hand, die op weg was naar de stad.

35

Lea Laurelius lag op bed met haar gezicht naar de ruwe muur, een doelbewuste houding die hopeloosheid uitdrukte. Ze hoorde de geluiden van voetstappen ver weg en het akelige geluid van zware deuren die dichtsloegen. Ze had antwoord gegeven op alle vragen, maar niemand was geïnteresseerd geweest in haar vragen. Die lagen dicht opeengepakt bij elkaar, samengeperst door hun eigen gewicht. De lange politieagent... Ard... had onderzoekend naar haar gekeken vanachter zijn geroutineerde façade. Ze had zijn vastbeslotenheid, maar ook zijn twijfel gezien.

Ze was meegereisd naar de hel. Wat moest ze doen als de bestemming tijdens de reis werd gewijzigd, niet geleidelijk en met tijd om zich aan te passen, maar onmiddellijk en overrompelend? De noodrem was uiteindelijk de enige manier geweest.

Wanneer zou ze haar dochter weer zien? De laatste tijd had ze het gevoel gehad alsof ze dichter naar elkaar toe waren gegroeid. Aan het begin van Jeanettes puberteit was het lastig geweest, dat was normaal, maar er hing ook een donkere wolk boven haar, ze deed dingen alsof ze meer wist dan ze kon weten. Het was een tijdlang beter gegaan, maar daarna was het weer slechter geworden. Ze bleef nachten weg en ze had haar op een nacht in een flat in Lunden gevonden, in gezelschap van twee jongens die onder invloed waren.

Daarna ging het alleen maar slechter, de moederrol was alleen nog een naam. Jeanette had er niet over willen praten, maar Lea begreep dat de jongens tijdens de pauzes bij school rondhingen.

Ze had harder moeten vechten, ze wist immers dat het heel dichtbij was. Ze had er iets aan kunnen doen.

In Jonathan Wides ogen had ze iets gezien waar ze meer over wilde weten. Had hij de kracht om haar dochter te helpen? Ze kon aan niemand anders denken, en dat maakte haar bang.

Het meisje wilde in beweging blijven. Hij startte de motor van de oververhitte 242 en ze reden de stad uit.

'Wil je niet naar zee?'

Ze zat met haar hoofd in de wind van het halfopen raam, het haar danste wild om haar hoofd en voor haar gezicht. Haar kleren waren gekreukt, alsof ze erin had geslapen.

'Nee. Ik geef niet meer om de zee.'

De hemel was helder, de wolken die hij had gezien waren boven Vinga vervaagd.

Ze reden door de Gnistängstunnel en daarna wees ze naar links.

'Sla hier af.'

Hij reed over het spoor naar het oude centrum van Kungssten en ze reden even later onder een snelwegviaduct door. Hij was een fractie van een seconde verblind toen ze het licht weer in reden.

'Rij hier rechtdoor.'

Ze reden via het Sannaplein naar de Fridhelmsgatan en sloegen rechts af naar de Västra begraafplaats. Wide zag dat de Sankt Matteus-kapel de zonnestralen reflecteerde.

'Kun je hier ergens stoppen?'

Ze maakte een zwak gebaar met haar hand naar de stoep. Jonathan Wide sloeg rechts af bij de bloemenwinkel en vond een parkeerplek in de schaduw van een boom. Ze stapten uit.

'Ik wil hier iemand bezoeken.'

'Mag ik met je mee?'

Ze haalde haar schouders op en begon naar de begraafplaats te lopen. Wide wachtte tot een man en een vrouw waren gepasseerd. De vrouw droeg een bos gele rozen waarvan de bladeren waren verschrompeld door de warmte, de man had een krans vast die naar bos rook. Het glanzende witgele lint fladderde tegen zijn linkerbeen. Hij droeg een donker pak dat waarschijnlijk lange tijd ongebruikt in de kast had gehangen, in afwachting van dit moment.

Jeanette Forsell liep naar de familiegraven, met hun rijen met namen en jaartallen. Wide liep nu naast haar. Ze liep langs de kapel en over een smal pad naar een rij stenen in de schaduw van een eik. Ze stopte voor een van de graven, de steen was glanzend wit. Op het graf stonden een paar kleine jeneverbesstruiken, verse lelies in een vaas en een brede kandelaar van gietijzer met een kaars die vaak had gebrand.

Ze keek naar de steen en Wide las:

KAROLINA MÖRK

8.6 1975 – 15.1 1993

Ze keek met droge ogen naar hem. Hij zag haar smeekbede. *Waarom dacht je dat ik hiernaartoe wilde. Hierom.*

'Je vriendin?'

Ze knikte en draaide haar gezicht naar de grafsteen.

'Je kon het niet accepteren.'

Ze schudde haar hoofd.

'Nee. Hoe moet je zoiets accepteren? Hoe kun je zoiets verdragen?'

'Weet je moeder... weet Lea dit?'

Hij liep naar haar toe en legde voorzichtig een hand op haar arm. Die voelde hard onder de dunne bloes.

'Ik weet niet hoeveel ze weet. Ik heb niets gezegd... nog niet. Maar het gaat niet langer... Ze kan daar tenslotte niet blijven zitten.'

Ze lachte en begon daarna te huilen.

'Je wilde... erbij zijn...'

Ze keek naar Wide. Ze waren ongeveer even lang, maar hij voelde geen behoefte zich uit te rekken.

Ze vertelde in het kort dat ze schuldig was. Ze had hem evengoed vermoord.

'Is het niet verschrikkelijk? Maar ik wilde zien dat... dat het werd gedaan. Hoewel ik het moment zelf... waarop het gebeurde... niet zag. Maar daarna...'

'Hoe voelde dat?'

'Het voelde verschrikkelijk, maar ook mooi. En het is ook verschrikkelijk, maar hij was een monster.'

'Een mens doden is een uiterste daad.'

Jeanette Forsell boog haar hoofd. Een mees hopte vastbesloten naar haar voeten.

Toen ze weer begon te praten klonk ze als een telefoonbeantwoorder.

'Hij... hij probeerde zich aan me op te dringen... Het gebeurde een paar keer, maar uiteindelijk stopte hij ermee...'

'Heb je dat aan je moeder verteld?'

'Als het doorgegaan was... Maar hoe vertel je zoiets?'

'Soms is het nodig.'

'Mijn moeder begreep dat ik niet met hem kon leven. Ik geloof dat ze dat al heel snel doorhad.'

Hij liet haar arm los.

'Hoe zit het met de anderen?'

'De anderen?'

Wide keek naar haar.

'Degenen die erbij waren.'

'Ik zeg niets meer. Het was mijn idee.'

'Iemand moet hem net zo gehaat hebben als jij. Misschien nog meer.'

'Is dat mogelijk? Maar... ja, dat klopt.'

'Iemand in de familie Mörk?'

Ze gaf geen antwoord.

'Dat komen we toch snel te weten.'

'Wé? Aan wiens kant sta je eigenlijk?'

Hoe moest hij daar antwoord op geven? Je hebt de wereld bevrijd van iemand die velen de dood heeft ingejaagd, en dit is de manier waarop we je belonen? Hoe moest ze de maatschappelijke ethiek begrijpen als die zo vaak opzij werd geschoven? Een keten van misdaden.

Ze begon weer te praten.

'Ik ken de wet. In een land waarin... Híj heeft ervoor gezorgd dat de drugs bij... ons kwamen, bij kinderen. Karolina was niet braaf, ze wilde altijd dingen proberen, maar het ging zo snel en het was zo gemakkelijk te krijgen. Een keer nam ze te veel. Later zeiden ze dat het te zuiver was geweest.'

'Hoe weet je dat Georg Laurelius ervoor zorgde dat ze het kreeg?'

'Ik heb het met mijn eigen ogen gezien.'

'Verkocht hij het rechtstreeks aan haar?'

'Hij gaf het aan de jongen die het aan haar verkocht. Dat weet ik.'

Wide geloofde haar.

'Haar broer?'

'Ww... wat?'

'Haar broer, Karolina Mörks broer. Hij was er die ochtend bij.'

Jeanette Forsell gaf geen antwoord en dat was het enige mogelijke antwoord.

Hij pakte haar schouders voorzichtig vast en ze begonnen naar het hek te lopen. Wide herkende het stel van daarnet. Ze zagen er jonger uit nu ze waren bevrijd van de krans en de bloemen. De man hield de hand van de vrouw vast terwijl ze voor een graf stonden dat in de schaduw van hun lichamen lag.

Björcke voelde onrust, maar hij wist dat dat minder zou worden. Hij had bericht over de inval gekregen, had er een tijd over nagedacht en had het in een andere vorm doorgegeven. Hij zag zichzelf graag als een veredelaar: van goederen of van mededelingen.

Er was geen reden om uit het raam te springen. Hij wist dat iedereen zou zwijgen, het leven ging tenslotte verder na de tijd achter gesloten deuren. Of het stopte heel snel ervoor. Verraders leefden niet lang. Wie zou iets durven te zeggen?

Het andere was erger geweest. Hoeveel prestige wilde hij aan het eind overhouden? Had hij zijn laatste kans gepakt om de held te spelen, zonder namen te noemen? Had hij een poging gedaan om zichzelf te ontlasten? Dat de dienstwapens van de politie zo slecht werkten!

Holte was een probleem, geen catastrofe. Een probleem dat opgelost kon worden. Het werd alleen iets duurder.

Sten Ard dronk bier met een gevoel alsof het de eerste keer was. Hij zette de watersproeier aan, hoewel dat niet mocht. Daarna ging hij midden in de stralen staan en deed alsof het regende. De fles in zijn hand was groot en koel. Zijn kleren plakten om zijn lichaam.

Maja Ard kwam de veranda op en draaide de kraan dicht.

'Dank je.'

'We lijden allemaal onder het watertekort.'

Ze keek naar hem, hij zag eruit als een man die overboord was gevallen en nu aarzelend omhoog klom.

'Ga je je omkleden?'

'Heeft dat zin?'

'Dat is afhankelijk van hoe je wilt dat het vervolg eruitziet.'

'Is dat er?'

Sten Ard trok zijn kleren uit in de bescherming van het lattenwerk, tilde zijn vrouw op en droeg haar naar de slaapkamer. Hij bleef zo lang mogelijk bij haar, in haar. Na afloop voelde hij zich kalm, alsof hij uit het net was gekropen dat de hele dag om hem heen had gezeten.

'Je lichaam wordt zacht als je ontspannen bent.'

Ze zag de uitdrukking op zijn gezicht en lachte.

'Na afloop, dus.'

'Is dat niet de bedoeling?'

'Jawel, maar je ontspant veel te weinig.'

'Hoe moet ik dat vertalen?'

'*Roll me over, lay me down and do it again.*'

Na de tweede keer voelde hij dat hij een paar knopen had losgemaakt waarvan hij niet had geweten dat hij ze had.

'Je moet meer ontspannen.'

'Maar lieve Maja, ik kan...'

'Deze keer bedoel ik dat niet. Seks is een uitstekend middel om je te ontspannen, maar het lichaam geeft andere signalen waarnaar je moet luisteren.'

'Er zijn ergere middelen om me te ontspannen.'

Ze ging zitten en trok de dikke, witte badjas naar zich toe die over een stoel van gepolijst bamboe hing.

'Het wordt steeds erger, Sten.'

Wanneer hadden ze die stoel gekocht? Welke reis had die gemaakt, en met welke inhoud? Misschien had hij hem gekocht voordat... Moest hij hem bekijken?

'Gisteren had de *Posten* een groot artikel over de "overdreven geruchten over heroïne op scholen". Je kunt je afvragen wat ze daarmee beogen.'

'Is het gerucht dan niet overdreven?'

'Hoe kan zo'n gerucht overdreven zijn? Alleen het feit dat het gerucht er is, maakt het sensationeel.'

'En als het niet meer dan een gerucht is?'

'Precies, daar hebben we het. Door "gerucht" te schrijven zwakken ze de ernst van de situatie af.'

'Het is dus meer dan een gerucht.'

'Het is de pure, afschuwelijke waarheid. Het is geen marginaal fenomeen, wat op zich ernstig genoeg zou zijn. Het is een gerucht over een gerucht.'

'Een mythe die geen mythe is?'

'Ja.'

Ze ging naast het bed staan. Er gleed een schaduw over haar gezicht.

'Leeft Sven Holte nog?'

'Ternauwernood.'

Hij zag dat ze de badjas aantrok. Haar lichaam was iets zwaarder, maar nog net zo vertrouwd als vroeger, de borsten recht na een leven zonder beha.

'Ik ga douchen. Trouwens, dat vergeet ik helemaal, Jonathan heeft gebeld.'

'Waarom heb je dat niet gezegd?'

'Daar had ik geen tijd voor.'

Hij hoorde een auto langsrijden achter het slaapkamerraam, de banden maakten een geluid op het asfalt alsof je plakband van een vel papier trekt. Hij rekte zijn ontspannen lichaam uit en ging op de bedrand zitten.

'Het maakt niet uit. Ik weet wat hij wil zeggen.'

Hoe lang had het Wide gekost om erachter te komen? Of had hij het al veel eerder begrepen?

36

'Het was een waarschuwingsschot… of een poging om aandacht te krijgen.'
'Een kreet om hulp? Hij zat dus gewoon op jou te wachten?'
'Zoiets.'
'Waar zochten ze dan naar?'
'In mijn flat?'
'Hmm.'
'Mijn archief.'
'Had je iets over hem… van vroeger?'
Jonathan Wide keek naar Sten Ard.
'Misschien. Misschien heb ik ook iets over jou.'
Ze zaten in Ards keuken. Door de open ramen drong het geluid van de krekels naar binnen. Wide had een glas Fisherman afgeslagen, maar had een flesje Jever geaccepteerd. Op tafel lag een dikke snijplank van hout met dikke plakken *krajnska*, grof roggebrood, echte boter, augurken en een kan water met een schijf citroen op de rand.
Ard beet in een plak worst en proefde de sterke, zurige smaak van rode peper en veredeld vet. Holte… opnieuw iemand in het Sahlgrenska-ziekenhuis, hij begon daar een bekende bezoeker te worden.
'Of wilde hij jou verdacht maken?'
'Dat is niet moeilijk.'
'Ik heb een paar brieven gekregen.'
'Holte heeft ze gestuurd?'
'Nee. Zoveel weten we. Maar hij kan er natuurlijk achter zitten.'
'Een gevallen politieagent als zondebok? Natuurlijk kom ik in aanmerking.'
Een hond begon een paar huizen verderop te blaffen. Het geluid klonk scherp en helder in de stille, warme nacht. Plotseling ging het over in een zwak, onduidelijk gegrom, alsof iemand naar de hond toe was geslopen en bliksemsnel een muilkorf over zijn snuit had getrokken. Misschien was iemand gek van het geluid geworden en had hij het dier met een hamer op zijn kop geslagen. Misschien had de hond eten gekregen.

Ard pakte een plak worst in een hand en een augurk in de andere.

'Ik zie graag dat je bij het korps terugkomt. Dan kun je meer voor de mensheid betekenen.'

'Ik weet het niet. Van de week heb ik – in mijn hoedanigheid van privé-detective – een skinhead naar zijn familie teruggebracht.'

'Een heroïsche daad.'

'Dat dacht ik ook. Daarom was het verrassend om dezelfde skinhead in de krant te zien, op een foto van die fascistische demonstratie van eergisteren.'

'Kun je dan verschil tussen ze zien?'

'Ik heb hem van dichtbij gezien. Op de foto stond hij onder een vaandel met een omgekeerd hakenkruis.'

'Was je teleurgesteld?'

'Door het omgekeerde hakenkruis?'

Wide pakte het mes naast de snijplank en sneed een stuk van de geurende worst af.

'Dat je de skinhead niet hebt kunnen redden.'

'Zeg dat niet. We kunnen allemaal een terugval hebben.'

Sten Ard zag de gordijnen zachtjes bewegen. De wind tilde het gordijn op en liet het aan de andere kant van het raam vallen. Nu hoorde hij de wind ook, voor het eerst in een heel lange tijd. Hij zag de deur bewegen. *Een laatste windvlaag sloop door de halfopen deur naar buiten en de Dood trad binnen.* De ophanging van de deur moest gesmeerd worden.

'Hoor je de wind? Ik denk dat die draait.'

'Gisteren zag ik een wolk die terugkroop.'

Ard luisterde even naar de wind, die uit het westen kwam.

'Die gebeurtenis bij Laurelius… Dat was gewoon toeval.'

'Nee. Georg was voor zichzelf begonnen, het was een waarschuwing.'

'Tegelijkertijd trad de Dood binnen.'

'Het moet een schok zijn geweest. Het was tenslotte niet gepland.'

'Daar hebben we nu profijt van,' zei Sten Ard. 'Misschien worden we deze keer naar de grote vis geleid.'

'Maar ze hebben zich snel hersteld.'

'Het telefoongesprek met de geïmiteerde stem? Ze hebben mogelijkheden op alle niveaus. Iets hebben ze altijd paraat, voor alle eventualiteiten. Maar je hebt dus begrepen dat het om jou ging. Dat het een waarschuwing was, of nog erger.'

'Ja.'

'Het lijkt erop dat Lea Laurelius onschuldig is. Een irrationele vrouw, maar onschuldig.'

'Ik had misschien op dezelfde manier gehandeld.'

'Vluchten?'

'Ik zou eerder bescherming gezocht hebben.'

'Heb je met haar gepraat?'

'Ja.'

Meer wilde hij niet zeggen, en Ard vroeg niet verder. Het raam bewoog heen en weer, de wind ving het gordijn opnieuw en waaide het de keuken weer in. Hij liep naar de barometer en tikte er zachtjes op. De meter gaf onveranderd een hogedrukgebied aan.

De wind had geprobeerd Wides haar op te tillen toen hij die avond naar huis ging, maar was niet krachtig genoeg geweest. Hij had houtskool en brandgel geroken, en ergens daartussenin gegrild vlees.

Toen hij de volgende ochtend wakker werd was de stilte terug. De hemel was hoog en blauw, de lucht droog en heet. Hij voelde zich moe, hoewel hij zeven uur had geslapen en maar één keer wakker was geworden met de restanten van een droom over vrouwen als een kapot vlies in zijn hoofd. Het enige wat hij zich kon herinneren was dat meerdere vrouwen 'nee' hadden gezegd, maar hij wist niet waarop.

Hij zag Holtes lichaam door het raam. Het verband bedekte het grootste deel van zijn gezicht, op twee gaten bij de ogen na. Zijn pistool was niet betrouwbaar gebleken toen het er echt op aankwam, maar uiteindelijk zou het hem lukken. Niets wees erop dat zijn hersens niet beschadigd zouden zijn als hij uit zijn coma kwam. Tegelijkertijd was hij een sterk mens. Misschien zou hij hen verbazen.

Voor de deur van de zaal stond een politieagent op wacht. Wide zag het personeel komen en gaan en was blij dat hij zelf niet op hoefde te letten. Het was moeilijk om al die witte jassen uit elkaar te houden.

Een verpleegkundige met een leeg bed wilde door de automatische klapdeuren naar binnen en Wide deed een stap opzij. Het leek hem heel lastig om met die bedden te manoeuvreren. Hij had gelezen dat iemand een motor had uitgevonden die achter het bed kon worden bevestigd. Het was een keer uitgeprobeerd, maar het bed reed tegen een muur en verwondde de geopereerde patiënt en drie onschuldige voorbijgangers.

De verpleegkundige droeg een witte jas en hield zijn hoofd gebogen, geconcentreerd op het bed. Wide ging nog een stukje opzij omdat de man naar rechts moest draaien om het bed in de juiste hoek te krijgen. Toen hij de deur was gepasseerd, liep hij in de richting van de intensive care en zag Wide zijn gezicht van opzij. De deuren gingen met een zacht *sssjjj* achter hem dicht.

Jonathan Wide ging voor de liftdeuren staan wachten op een lift die niet kwam. Hij liep de trappen af naar de begane grond, doorkruiste de hal en liep het gloeiende plein voor de hoofdingang op. Hij sloeg links af en begon door de Per Dubbsgatan te lopen.

Na honderd meter zag hij zichzelf voor de liftdeuren staan. De verpleegkundige met het bed...

Hoeveel verpleegkundigen werkten er in het Sahlgrenska-ziekenhuis?
Hij kwam er gelukkig niet vaak en daarom verbaasde het hem dat de verpleegkundige iets bekends had gehad.

Hij draaide zich in gedachten om naar de gesloten deuren van de intensive care. Jezus, hij had dat gezicht pasgeleden gezien, het was één levens-
bedreigende seconde verlicht geweest op een klein plein in Frederikshavn.
Die oren! Het bekende profiel. De verpleegkundige had geen oorlelletjes
gehad.

Jonathan Wide draaide zich om en rende weer naar binnen door de
echoënde gangen die naar boenwas en ontsmettingsmiddelen roken. Hij
was seconden voordat de deuren dichtgingen bij de lift. Jezus... Hij was
vergeten welke verdieping hij moest hebben... Hij riep 'intensive care' tegen twee verpleeghulpen en drukte op de juiste knop. Op de juiste verdieping stormde hij de lift uit en rukte de automatische deuren open.

De politieagent in uniform die op de stoel aan het andere eind van de
gang zat, dronk een beker water.

'Is er iemand bij meneer Holte naar binnen...' Hij zag het vragende gezicht van de politieagent en tegelijkertijd het bed langs de muur. Wide trok
de deur van de kamer open en zag twee artsen die op weg naar buiten waren, hun stethoscopen als identificatie-instrumenten om hun nek, een
verpleegster liep met een blad in haar handen. Een vierde persoon in wit
droeg ook een stethoscoop. Het onderste deel van zijn gezicht was verborgen achter een mondkapje in een groene tint. De oren zonder lelletjes
kwamen nog meer naar voren door de band aan beide kanten, als een smal
verband na een operatie die lang geleden was genezen.

De man stond deels met zijn rug naar de deur, zijn ogen op de patiënt die
vier meter bij hem vandaan lag. Wide liep snel naar hem toe en draaide de
twee witgeklede armen van de man op zijn rug. De twee artsen keken ver-
bijsterd toe en de verpleegster rende naar buiten om de politieagent te
waarschuwen.

'Politie!' riep Wide en hij zette meer kracht, maar zonder botten te breken. Het lichaam van de man boog naar voren en hij kon uiteindelijk niet
anders dan zich op zijn knieën laten vallen. De stethoscoop viel op de
grond, Wide zag een ronde vochtvlek op het mondkapje van de man.

De politieagent verscheen in de deuropening en Wide riep: 'Roep snel
versterking, nu, nu.' En daarna: 'Bel Sten Ard van de recherche.' Hij bleef
met zijn zware lichaam op de rug van de ander liggen. Het leek eindeloos
te duren. Een conducteur had zo eens drie uur lang in de trein tussen Göteborg en Stockholm op iemand gelegen die met een mes had gedreigd.
Wide bleef liggen en hoorde uiteindelijk snelle voetstappen en zag mannen
om zich heen. Hij liet los toen ze hem vasthadden.

Jonathan Wide liep door de Per Dubbsgatan en over de voetgangersbrug naar het Slottspark. Hij liep door het park en langs de nieuwe zeehonden-vijver en ging op het terras van café Skogens aan een tafeltje zitten voor een kop koffie en een koffiebroodje. Hij kon het koffiebroodje niet weg krijgen en toen hij het kopje optilde, trilde zijn hand zo dat hij het kopje niet naar zijn mond durfde te brengen. De andere gasten zagen zijn pogingen. Drie bouwvakkers in blauwe, stoffige overalls en hamers als wapens langs hun zij keken naar hem met iets wat medelijden zou kunnen zijn. Een alcoholist die nuchter leek knikte kameraadschappelijk naar hem.

Wide betaalde en ging weg. Hij voelde de behoefte om te bewegen, liep over het Mariaplein en Gröna Vallen en volgde de Birgittagatan in noorde-lijke richting.

Hij rook de zee en liep langs Sankta Birgitta-kapel naar de oeverprome-nade tussen Nya Varvet en Klippan, waar hij op een van de banken ging zitten. Hij wist dat zijn lichaam stram zou zijn als hij opstond om weg te gaan. Net zo stram als die daar, dacht hij toen hij een hardloper van middelbare leeftijd met een eigenaardige manier van bewegen langs zag lopen.

De *Stena Jutlandica* passeerde op de rivier, op weg naar de terminal. Hij zag de veerboot naar de Älvsborgsbrug varen en zag de kleine figuren op het bovenste zonnedek in elkaar krimpen. Hij hoorde niets omdat de wind vanuit het zuiden kwam, maar als hij aan de andere kant had gezeten, aan de kant van Hisingen, had hij de passagiers verlegen kunnen horen lachen om het optische bedrog terwijl de boot onder de brug door voer. *Raaa, raaa, raaa* zou het klinken, als kraaien, en de wind zou het geluid opvangen en het verdunnen zodat er niets over was als het Torslanda eenmaal had bereikt.

Wide keek uit over de zee. Hij zag geen wolken.

Daarna ging hij naar huis en belde zijn kinderen.